AUX PETITS MOTS LES GRANDS REMÈDES

Michaël Uras

AUX PETITS MOTS LES GRANDS REMÈDES

Couverture : Studio LGF.

Préludes est un département de la Librairie Générale Française.

ISBN : 978-2-253-10782-8

Pour Anne, Thaïs et Léonie.

« On ne lit jamais un livre. On se lit
à travers les livres, soit pour se découvrir,
soit pour se contrôler. »

Romain ROLLAND,
L'Éclair de Spinoza.

« La vie est un rêve, traversée de temps
à autre par un cauchemar. On le digère,
et le rêve recommence. »

Charles TRENET.

Au commencement était le trouble

Nom du patient : Alexandre

Constat

Alexandre vient de se séparer de sa compagne, Mélanie. Enfin, pour être plus précis, Mélanie a décidé de quitter Alexandre et le domicile conjugal. Il n'y a aucun rapport avec le film de Truffaut. Un film délicieux, par ailleurs.

Mélanie ne supportait plus la relation d'Alexandre aux livres. Une passion dévorante, dit-on. Comme toutes les passions, les vraies. Et d'autres choses, encore, qu'elle ne supportait plus. Nous en reparlerons plus tard. Donc, elle est partie, comme ça, le laissant seul. Enfin, pas si seul, puisqu'il lui reste ses livres.

Alexandre est dans une situation difficile, d'où cette fiche. Cependant, il continue à travailler. Son métier l'aide à surmonter cette épreuve. Il veut reconquérir Mélanie.

Pistes de travail

Lire pour tenter de séduire à nouveau.
Ouvrage conseillé pour Alexandre :
Sören Kierkegaard, *Le Journal du séducteur*.

Remarque : Je suis Alexandre.

***

Je ne laisse personne indifférent.

Quand la porte s'ouvre, c'est la même chose, la même incrédulité, le même étonnement, le même questionnement. Comment va-t-il faire pour me sortir de là avec ses livres ?

Dans le meilleur des cas, le temps d'adaptation de mon interlocuteur est bref et on passe directement à autre chose, à un autre sujet, la raison de ma visite.

Dans le pire, le stade du « essayons » est inaccessible. Alors, je me rends compte qu'il ne sert à rien d'insister. Je n'ouvre pas mon livre. Je me déplace ou je reçois pour aider les autres, pas pour ajouter du trouble à leur existence. On peut aider sans toucher. Et si on fait appel à moi, il faut y croire, un peu.

« Tu ne laisses personne indifférent. » Ma mère a prononcé cette phrase des centaines de fois. Elle enseignait la littérature à l'université, pourtant, elle manquait de mots pour expliquer son trouble. Sa voix dans ma tête.

Tu ne laisses personne indifférent.

Tu ne laisses personne indifférent.

Tu ne laisses personne indifférent…

Un copier-coller comme un aveu de faiblesse verbale. Un comble pour une spécialiste du roman réaliste.

Pourquoi répétait-elle cette phrase à longueur de journée ? Peut-être avait-elle compris que je ne suivrais pas la même voie qu'elle. Dans son univers, tout le monde se ressemblait. Sauf moi.

Je lui reconnaissais le mérite d'avoir inspiré mon épitaphe : Tu ne laissais personne indifférent.

Pour le reste, elle ne m'avait pas apporté grand-chose. Cette pensée m'attristait mais c'était la vérité. Ma mère savait tout dans son domaine. Érudite, lumineuse, capable d'expliquer le sens d'un adjectif dont la plupart des êtres humains ignoraient l'existence, l'histoire d'un mot, de sa naissance dans les rues de Rome sous le règne de César à son sens moderne. Des choses essentielles.

« Comment ? Tu ne connais pas la signification d'analepse ? Non, ce n'est pas une maladie honteuse. Et ne ris pas, il n'y a rien de malsain dans ce mot, c'est une figure de RHÉTORIQUE ! »

Elle ne savait que cela. Des mots qui faisaient peur par leur opacité ou qui suscitaient le rire par leur proximité avec d'autres termes plus osés. Moi, je les voyais autrement, comme des pansements. En application locale, précise, pour qu'ils diffusent leur principe actif.

L'indication « NE PAS SONNER » écrite en caractère gras et en majuscules m'incita à frapper discrètement à la porte. Il y a des maisons où l'agressivité est respirable sur le seuil. Quand on débarque chez les autres, il faut savoir se faire discret sous peine d'être dégagé rapidement. Je ne le souhaitais pas. Il n'était pas habituel, pour moi, de me déplacer mais il est parfois des situations qui s'imposent à nous.

La porte s'ouvrit et charria jusqu'à mes oreilles un « Oui ? » qui concrétisait le dérangement provoqué par ma venue. D'ordinaire, on accueille avec un « Bonjour ». Pas dans cette maison.

Une femme, la cinquantaine menaçante, se tenait face à moi. Heureusement, je n'avais rien à vendre. J'avais été client mystère dans un magasin d'électroménager durant mes études mais cette expérience avait capoté. Manque de discrétion selon mon employeur. En réalité, je ne pouvais m'empêcher de prévenir les vendeurs de ma présence. Les faire renvoyer parce que, comme la femme sur le pas de la porte, ils ne disaient pas bonjour me semblait disproportionné et dévastateur dans un pays où l'amabilité était une option quasi inexistante. Un client mystère à la recherche de la machine à laver parfaite…

— Bonjour, je suis Alex. Nous avons rendez-vous à 14 heures.

— Ah oui, je vous attendais, répondit sèchement mon interlocutrice. Entrez.

Je la suivis dans un couloir sombre et interminable qui me rappela les méandres du *Château* de Kafka.

Mes pas résonnaient sur le parquet en chêne. Conséquence auditive d'une paire de bottes achetée hors de prix. Il faudrait indiquer sur les chaussures le bruit qu'elles font. Comme on le fait pour les lave-vaisselle ou les machines à laver. Cela éviterait bien des désagréments. Je ne voulais pas ces bottes. Je me sentais mal à l'aise lorsque je les portais. J'avais l'impression que tout le monde regardait mes pieds. C'était une sensation désagréable. Pourquoi avoir cédé et les porter ? En souvenir, sans doute. Je ne laissais personne indifférent. Sauf une personne. Celle que j'aimais.

La maîtresse de maison, elle, était une sorte de fantôme dans son antre. Le gardien de la grotte. Elle n'émettait aucun son. Ses escarpins avaient sans doute été créés à cette fin. Je remarquai également qu'elle ne posait quasiment jamais le talon au sol, laissant ainsi imaginer qu'à la manière des aéroglisseurs, elle vivait en suspension.

Nous arrivâmes dans une grande pièce aux meubles ultramodernes, laqués, effet miroir garanti. L'impression de vivre dans un showroom devait lui plaire. Tout était froid et repoussant. Malheureusement pour mon hôtesse, je n'étais pas décorateur d'intérieur.

— Asseyez-vous là, m'indiqua-t-elle en me montrant une chaise, enfin quelque chose qui portait ce nom mais qui n'avait rien à voir avec ce sur quoi j'avais l'habitude de poser mon postérieur.

Les mots « design », « épuré », « sobriété », « ambiance », volaient dans mon esprit, prisonniers. Un magazine déco, en vrai.

Je me pliai à l'ordre donné. Je ne suis pas du genre à contredire les gens qui me laissent entrer chez eux. Mon interlocutrice resta debout, bras croisés. Une attitude défensive selon les spécialistes du langage corporel, que j'avais toujours considérés comme des imposteurs.

— Je vous l'ai indiqué l'autre jour au téléphone, Yann est un adolescent particulier, fragile. Il a été le bouc émissaire de son collège, de son lycée à présent. Mon époux et moi-même ne comprenons pas les raisons de cet acharnement. Je préférerais l'indifférence à cette violence continue. Actuellement, il passe ses journées dans sa chambre. Je l'ai rendu invisible aux autres.

— Vous...

Elle ne me laissa pas enchaîner davantage. Un mot, pas plus. Une attitude pour le moins offensive. Le langage corporel était vraiment une idiotie car ses bras ne se décroisaient pas.

Yann était *La Prisonnière* moderne, une réécriture du roman de Proust. Enfermé pour ne plus souffrir.

— Si j'ai fait appel à vous, c'est parce que vous proposez une méthode intéressante, originale. Nous voulons sortir notre fils de ce mal-être. Et nous avons tout essayé.

Mon interlocutrice misait beaucoup sur moi. J'aime sentir l'attente chez l'autre.

Pourtant, je ne propose rien de miraculeux. Qui le pourrait, d'ailleurs ? Je n'ai jamais cru aux miracles, seulement à la volonté. Enfin, je reviendrai sur ce sujet. Parce que cette phrase, qui semblait sortie d'un manuel de bien-être pour Américains obèses, avait ses limites. « Vous pesez cent cinquante kilos et votre IMC est supérieur à cinquante mais ce n'est pas un problème. Avec un peu de volonté vous en ferez cent de moins d'ici trois mois. »

— Je vais le chercher. Attendez-moi un instant, s'il vous plaît.

Que voulait-elle que je fasse sinon l'attendre ? Je restai sur ma chaise qui, je le remarquai en manquant de me briser le cou à force de vouloir tout voir dans cette immense pièce, avait la capacité de tourner. On perçoit mieux les choses quand le corps et la tête vont dans la même direction. Je tournai et tournai encore, c'était très bête. Un jeu d'enfant qui risquait de provoquer une nausée ou un malaise. Heureusement, je n'étais plus un enfant. Je m'arrêtai.

Mes yeux avaient la mauvaise habitude de chercher la bibliothèque dans toutes les habitations que je visitais. Les livres, leur disposition, leur état en disaient long sur leurs propriétaires. Combien d'habitations ne renfermaient aucun livre ? Aucune revue, même ? Des lieux sans lecture, coupés de l'intelligence. Ou alors, des lieux qui faisaient un usage particulier des livres : cale-meuble, table de chevet (en les empilant sans jamais les ouvrir), le livre factice, à la couverture souvent horrible, au titre bien réel, *Le Roman de la momie*, désespérément vide de mots...

La maîtresse de maison m'avait demandé de l'attendre, elle ne m'avait pas interdit de me déplacer. Je me plantai devant la centaine d'ouvrages. Des livres d'art, Rothko, Hopper, Bacon et La Pléiade. La totalité de la collection. Rangée par ordre alphabétique. Comme à la librairie. Je saisis un Balzac, au hasard. Enfin, était-ce vraiment le hasard ? Ma main avait attrapé un volume épais, on est toujours attiré par l'épaisseur.

La Recherche de l'absolu, Balthazar et sa folie. La ruine, le désespoir. Je le remis dans son écrin. Une belle collection de livres… Impossible à lire. Le papier trop fin, les lettres minuscules à vous rendre aveugle. Payer si cher pour perdre la vue ! Coincée entre le pan droit de la bibliothèque et le dernier Pléiade, Zweig, je remarquai une édition moins prestigieuse, un roman pris dans un étau : *En rade* de Huysmans. Je le saisis difficilement, m'abîmant un ongle en essayant de l'extraire.

En rade de Huysmans et le passage du gâteau à la grand-mère qui m'avait valu des cauchemars durant des semaines. Un cours de cuisine pour apprendre à cuisiner les morts…

— Et ta grand-mère, tu te la rappelles aussi, mon mignon ?

L'enfant réfléchit. Le jour de l'anniversaire du décès de cette brave dame, l'on prépare un gâteau de riz que l'on parfume avec l'essence corporelle de la défunte qui, par un singulier phénomène, sentait le tabac à priser lorsqu'elle vivait et qui embaume la fleur d'oranger, depuis sa mort[1].

1. J.-K. Huysmans, *En rade*, Gallimard, collection « Folio classique », 1984, p. 186.

Le romancier devenu fou. Le lecteur effrayé. Imaginer cette scène, imaginer manger ma grand-mère ! Il ne fallait pas s'identifier. Trop tard. Les cauchemars qui revenaient, chaque nuit. Moi, dans la cuisine, un superbe tablier accroché autour du cou. Un coq sanguinolent imprimé sur le devant. Pourquoi un coq ? Pourquoi sanguinolent ? Aucune idée. Je cuisine un gâteau au yaourt pour mon goûter. La recette est terminée. Je m'apprête à mettre le moule dans le four. Mon père entre alors dans la pièce et me tend une boîte, pleine d'une poudre grisâtre. « C'est ta mamie ! Ajoute ça dans la pâte. » J'hésite. Il insiste : « C'est un ordre ! » Malgré moi, j'ajoute cet ingrédient. Une heure plus tard, nous sommes attablés, père et fils, une part de gâteau devant nous, si grande qu'elle dissimule l'assiette à dessert censée la contenir. Je mange ma grand-mère. Mon père l'a toujours détestée. Surprise, le goût est agréable. Je prends une deuxième part. Un morceau dur, un bout d'os, sans doute, craque sous ma dent. Je hurle.

Un cauchemar digne d'un film d'épouvante réalisé par des cinéastes amateurs. Un tout petit budget mais un effet garanti.

Je remontai sur ma chaise pivotante. Tourner un peu me consolerait de la peur de Huysmans et créerait un petit air agréable dans cette habitation lugubre.

— Yann va arriver dans cinq minutes, il finit de s'habiller.

Je laissai échapper le roman, il tomba sur le parquet parfait. Je repensai à mes tentatives pour en poser un dans mon bureau, un produit à « monter soi-même », « un jeu d'enfant » pour le vendeur... Je n'avais jamais réussi ! Un peu partout, il gondolait, rendant la pièce dangereuse pour qui n'en connaissait pas la topographie. Et toutes ces heures perdues, accroupi, un maillet en caoutchouc à la main. Chez la mère de Yann, le parquet était aussi lisse qu'une patinoire installée dans une station de ski haut de gamme.

— Veuillez m'excuser, je n'ai pas pu résister à votre collection de livres.

— Mais je vous en prie, plus personne ne consulte ces ouvrages. Je n'en ai plus la volonté. Mon mari, lui, ne fait que passer chez nous. Quant à Yann, vous vous en rendrez compte rapidement, il a d'autres centres d'intérêt.

— Pourtant, votre collection est « à jour », si j'ose dire.

— Oui, je tiens à acheter régulièrement ces ouvrages. Yann finira par s'y mettre. Ou ses enfants... Pardon, je ne me suis même pas présentée, je suis Anna.

Anna, un prénom plein de soleil dans la pénombre.

— Il s'y mettra, c'est certain.

— Désirez-vous une part de gâteau, en attendant ? Notre cuisinière les prépare à merveille. Si vous appréciez la fleur d'oranger, c'est un régal.

— Non merci. C'est très gentil mais je n'apprécie guère la fleur d'oranger.

Parfois, la vie est rattrapée par la littérature. Peut-être parce que tout a été écrit. Peut-être parce que de plus en plus de gens écrivent. Il y a des millions d'auteurs et des milliers de lecteurs. En ce qui me concernait, je n'écrivais pas, et je n'écrirais jamais. J'avais trop lu pour écrire. Le plagiat ne m'intéressait pas.

La proposition de la maîtresse de maison avait fait naître un doute en moi : pourquoi devenait-elle tout à coup plaisante, souriante ? Jusque-là, elle me considérait comme un « objet » capable d'aider son fils. Un GPS ou un correcteur d'orthographe. À présent, j'accédais au statut d'être humain. Une promotion, en quelque sorte. Cela cachait inévitablement quelque chose. Je découvris ce quelque chose cinq minutes plus tard quand elle me joua le morceau de « La Femme abandonnée[1] », sa « triste » existence et son mari absent. Les heures à la fenêtre. L'attente. Son fils, ses problèmes. Bien sûr, mon existence ne l'intéressait guère. Son discours était envahi de « je », le « vous » avait disparu. Georges Perec excellait dans l'exercice du lipogramme[2], Anna dans celui du lipomuthos[3]. Un néologisme comme ma mère les détestait. Elle, membre éminent de l'association Défense de la langue française, une chapelle regorgeant d'uni-

---

1. Titre d'une nouvelle de Balzac, parue en 1832.

2. Œuvre littéraire dans laquelle l'auteur choisit de se passer volontairement d'une ou plusieurs lettres de l'alphabet.

3. Littéralement, disparition du mot.

versitaires en fin de carrière. L'Académie française, en pire. Un néologisme pour lequel elle aurait étranglé un étudiant coupable d'un tel sacrilège. On a les révoltes que l'on mérite.

Dix minutes d'un soliloque interminable. Cependant, cette personne devait me rémunérer pour mon travail, j'étais donc tenu de me montrer patient et poli. Comme un spectateur devant une pièce de théâtre trop longue.

Son discours terminé, elle semblait abattue. Elle avait tout dit, déversé son existence dans mes oreilles. Il ne restait plus rien.

— Je vais voir ce que fait Yann.

Et elle repartit à la rencontre de son adolescent. Cette fois-ci, elle revint, un papier à la main, le visage décomposé.

— Yann ne peut pas vous voir aujourd'hui, il est épuisé. Il faudra revenir demain. Excusez-le. Excusez-moi, j'ai insisté pour que vous veniez cet après-midi. Il m'avait prévenue de sa fatigue.

— Ce n'est rien, je comprends tout à fait. Je reviendrai demain, à la même heure.

— Prenez ceci, dit-elle en tendant la feuille qu'elle tenait. Yann a souhaité vous écrire ce petit mot.

— Merci. Je le lirai.

Anna me raccompagna à la porte en silence. Il fallait sortir du château sans s'égarer.

— À demain donc, me lança-t-elle, gênée. Et ne vous inquiétez pas, je vous réglerai cette visite.

— Je ne m'inquiète pas. À demain.

Les personnes qui exercent un métier dans lequel elles ne produisent rien de concret, de physique, ont parfois du mal à se faire rémunérer. À plusieurs reprises, mon travail ne m'avait rien rapporté, sinon des ennuis. Poursuivre un mauvais payeur un livre à la main, en signe de menace, ne produisait que peu d'effet. Qui avait peur des livres, excepté les écoliers ?

***

Il était 15 heures, mon après-midi était gâchée. J'avais annulé deux rendez-vous pour voir Yann. Je marchai jusqu'à la brasserie où je prenais habituellement mon café du matin.

— Bonjour, Alex, un café, comme d'habitude ?

— Oui, s'il vous plaît.

Le patron était charmant et ce que j'appréciais tout particulièrement chez lui, c'était l'unique phrase qu'il me lançait quotidiennement : « Bonjour, Alex, un café, comme d'habitude ? » Rien ne variait jamais dans ses propos, comme s'il ne possédait aucun autre mot de vocabulaire.

Dehors, il faisait une chaleur inhabituelle pour un mois de novembre. Et le café qu'il m'apporta me déplut. Trop chaud. Trop serré. J'aurais dû prendre une boisson fraîche. En me levant pour régler, je fis tomber la feuille que Yann me destinait. Je la dépliai.

Alex, je suis désolé. Ma mère (même si elle parle beaucoup) ne vous a sans doute pas tout dit à mon sujet. Je suis Yann, j'ai dix-sept ans. Il y a six ans, j'ai été victime d'un terrible accident de la route. Mon père conduisait. J'ai eu la langue sectionnée. Le visage cabossé. Depuis, je suis incapable de prononcer un mot. Je suis muet. Je suis également sujet à des maux de tête terribles. Je ne supporte pas le bruit. Tout ça, elle ne vous l'a pas dit, j'en suis certain. Elle avait trop peur que vous ne veniez pas. Maintenant, vous savez qui je suis. À vous de voir.

Yann

***

« La France connaît une vague de douceur étonnante pour un mois de novembre. Dans certaines régions, il n'a pas plu depuis deux mois. Le sida, bientôt une maladie chronique ? Entretien avec le professeur Fargeon à la fin de notre journal. Les vols de voitures en nette hausse cet été. Nous vous dévoilerons le palmarès des véhicules qui plaisent le plus aux voleurs. L'équipe de France poursuit sa tournée d'hiver avec une victoire sans appel sur l'Angleterre, 3 à 0. On notera le doublé de l'attaquant vedette Anthony Polstra. »

Se réveiller avec la radio demande un sacré courage et une bonne dose de solitude. Depuis que Mélanie avait décidé du sort de notre couple, j'écoutais la radio. Elle n'était plus là pour me parler. Sa voix dans ma tête résonnait encore un peu. Plus là pour me dire qu'il était temps de se lever. Je l'avais remplacée par un objet. Lumineux. Ponctuel. Infaillible. Mais jamais il ne s'étirait pour toucher mon corps comme Mélanie le faisait avec son bras. Sa main sur mon bras qu'elle serrait fort pour arrêter mes ronflements.

J'ai beaucoup lu pour oublier. Sans succès. Un comble. *« Les cordonniers sont toujours les plus mal chaussés. Une étude récente montre que les médecins ne se soignent pas... »*, j'éteignis la radio. Si les médecins refusaient de se soigner c'était peut-être parce qu'ils redoutaient de patienter deux ou trois heures dans une salle d'attente pour accéder à... leur bureau ou à celui d'un collègue. Triste sort réservé à la populace ignorante en matière de médecine. Les médecins mouraient en mauvaise santé, heureusement.

Tous les matins, l'absence de Mélanie éclatait. Un feu d'artifice envahissait l'appartement. Une pluie de fusées noires dans la pièce éclairée. Il fallait pourtant s'en extraire et tenter d'aider les autres. Yann, je devais voir Yann. Un adolescent dévasté. Par chance, je connaissais l'auteur qui allait me donner un sérieux coup de main, Salinger. L'auteur qui écrit comme les adolescents pensent. Salinger, le misanthrope, capable de faire aimer la littérature à des êtres boutonneux et méfiants. *L'Attrape-cœurs* !

Après le journal, je me levai enfin. Une psyché sans pitié trônait dans ma chambre. Souvenir d'une autre époque. À dire vrai, avant de rencontrer Mélanie, je ne savais même pas que ce genre d'objet pouvait exister. Vue d'ensemble. Un corps entre deux. Maigreur. Veines visibles. Pectoraux ? Non, pas de pectoraux. Jambes fines et longues. Cheveux courts. J'aurais pu défiler pour un créateur de mode, si j'avais été une femme !

Mélanie avait aimé ma silhouette discrète. Ce qui est incroyable sur cette terre, c'est qu'on finit toujours par rencontrer une personne à qui l'on plaît. Je voulais la voir une dernière fois. Lui parler. Pour dire quoi ? Je n'en avais aucune idée. Lui parler de livres, comme toujours. Des livres d'amour. *Belle du Seigneur*, par exemple. Malheureusement, je me voyais mal en *seigneur*. Encore moins en *Belle*. Et tout le monde parlait de ce livre, même les hommes politiques. Il faudrait se montrer plus original. Plus moderne.

J'écrivis un texto, le meilleur moyen de se rapprocher sans se rapprocher. Dans un couple, le « quitté » sollicite audience comme on le faisait pour un prince ou un pape. Tout est question de hiérarchie. Mais mon courage, mon Dieu, mon courage, où était-il passé ? Égaré ! Il fallait simplement exercer une pression sur la touche « Envoyer ». Une simple pression, de celles qui ne permettraient même pas d'appuyer sur un bouton d'ascenseur. Quelque chose de très léger. Un enfant l'aurait fait. Un enfant de deux ans, disons. Pas moi. Je ne valais pas mieux qu'un nourrisson. « De l'enfance… partout », disait Louis XIV, à tort ! J'enregistrai le message dans mes brouillons. Il y resterait jusqu'à ce que je retrouve mon courage, ce qui me laissait une marge assez importante.

Je repensai à Yann et à son texte terrible. Sa langue coupée. Comme la petite Ellen James dans *Le Monde selon Garp*. Des références qui ne me laissaient jamais tranquille. La littérature en toutes occasions, à m'en dégoûter. Vous aimez les sushis ? Seulement les makis de saumon ? Ingurgitez-en matin, midi et soir pendant vingt ans. Vous finirez poisson.

Dernières volontés : Incinérez mon corps et jetez les cendres à la mer. De préférence en Norvège…

Les anciens et les modernes

Les couloirs de l'hôpital, fraîchement repeints, donnaient presque envie d'y séjourner. Comme quoi la couleur compte pour beaucoup dans notre existence.

La même personne à l'accueil, une jeune femme qui me regarde inlassablement. Un mois que je viens deux fois par semaine. Elle me regarde toujours avec étonnement. « Que vient-il faire ? Il n'est pas médecin... »

Antoine, le chef de service, aurait bien voulu savoir lui aussi. Il n'osait pas. Il avait fait des études longues. Et ses parents lui avaient appris qu'on ne pose pas certaines questions dérangeantes. La belle éducation. Il mourait d'envie de découvrir ce que je faisais avec ses patients et mes livres.

— Bonjour, Alex. J'espère vous revoir bientôt. N'hésitez pas à passer quand vous avez un moment.

— Comptez sur moi, Antoine.

Je ne sais pas si je reviendrai un jour. Je viens si on m'appelle.

— Au fait, avez-vous eu mon message concernant Jacques Buri ? Vous ne m'avez pas répondu.

— Oui, je l'ai lu. J'ai eu beaucoup de travail ces derniers temps mais je comptais vous répondre. Merci de m'avoir donné ces informations.

— Je vous en prie. De mon côté, je dois vous remercier de m'avoir conseillé la lecture de Buzzati. J'ai adoré « Chasseurs de vieux ».

Antoine avait choisi la gériatrie car il voulait les pleins pouvoirs sur ses patients. Une volonté de puissance. Passé quatre-vingts ans, ils élèvent moins la voix, ils se rebellent moins, ne contestent pas les traitements parce qu'ils ont lu un article sur Internet. Ils se taisent. Ils sont fatigués. Le médecin était heureux dans cette spécialité, elle lui laissait le temps de lire, de sortir, de vivre tout simplement. Et de séduire. Le médecin omnipotent. Il était mignon, Antoine. Plein d'assurance. Ce qu'il avait mal calculé, c'était l'âge potentiel des visiteurs. Bien sûr, il savait qu'il n'aurait jamais d'aventures avec ses patients. Oh, horreur. Ne pas mélanger les sentiments et le métier, les couches, les dentiers, les sonotones. Aucun risque. La droiture du professionnel. Mais les visiteurs, ses patients auraient bien des visiteurs, des visiteuses. Il pourrait sans doute échanger, sourire, charmer. Exister. Cependant, qui venait voir les vieillards ? Leurs enfants. La fille d'un vieillard est au mieux une personne âgée, au pire, elle est déjà morte. Les petits-enfants, une cible plus accessible, venaient rarement. Ils avaient tant de choses à faire ailleurs. Alors Antoine se jetait sur tout ce qui n'utilisait pas un déambulateur, homme ou femme, sur tout ce qui entendait à peu près correctement, sur tout ce qui voyait sans plisser les yeux. Moi, par exemple. Une allure sportive (un leurre, en fait, comme ceux employés dans les cynodromes pour exciter les lévriers), des oreilles performantes qui avaient survécu sans dommage à de nombreuses otites durant mon enfance, et des yeux qui n'avaient jamais nécessité le port de lunettes. Malgré un amour démesuré de la lecture, j'étais le seul représentant de la famille à ne pas en porter. Sur les photos, lors des réunions familiales, on ne voyait que ça, ma tête sans lunettes parmi une kyrielle de têtes encombrées de montures plus ou moins disgracieuses. Les lunettes n'ont, malheureusement, pas toujours été des accessoires de mode.

Quant à mes oreilles, elles avaient été LE sujet d'inquiétude numéro un de mes parents, durant mes premières années. Comment un si petit tympan avait-il pu supporter autant d'attaques ? Même notre vieux médecin de famille en perdait son Vidal (quoique je doute qu'il en connût l'existence vu ses pratiques médicales particulières)... Il tentait à chaque consultation de pénétrer plus avant dans mon conduit auditif, pour mieux voir, en vain. Je m'asseyais sur la table d'auscultation, il y plaçait les genoux pour prendre un peu de hauteur et se disposait face à l'oreille malade. Il inclinait ma tête et le voyage dans les méandres de mon oreille gauche (étonnamment, la droite avait un antidote contre les otites) commençait. Que pouvait-il voir ? Que cherchait-il ? Une bestiole ? Un microbe, devenu si gros qu'il l'aurait salué, les yeux dans les yeux ? Le vieux médecin ne trouvait jamais rien. Nous repartions, mes parents et moi, avec la même prescription, le même antibiotique, qui guérissait tout ce que les docteurs étaient incapables de voir.

Donc, Antoine, comme César, était potentiellement l'homme de toutes les femmes et la femme de tous les hommes qui s'aventuraient dans les couloirs de son service.

***

— Bonjour, Jacques, comment allez-vous aujourd'hui ?

— Très bien, Alex, on ne peut mieux. Je sors dans une heure. Voyez comme je suis élégant.

Pour la première fois, je voyais Jacques debout et dans une autre tenue que celle réservée aux patients. Il redevenait un civil, capable de déambuler dans les rues de Paris sans son goutte-à-goutte. Libéré de la chimie qu'on déversait depuis des années dans son corps décharné. Il m'avait expliqué un jour qu'il était un malade très constant. Ses problèmes avaient débuté le jour de ses quarante ans. Foudroyé face au gâteau d'anniversaire acheté chez le meilleur pâtissier du quartier. Le syndrome de Stendhal[1], peut-être. Face à tant de beauté, comme l'écrivain face à *La Naissance de Vénus*,

---

1. Maladie psychosomatique dont Stendhal (1783-1842) fut le premier à décrire les symptômes, de retour d'un séjour

il s'était effondré. Ensuite, il avait enchaîné les ennuis de santé comme on ajoute une par une les nouilles à un collier. Son dossier médical était aussi long que *La Comédie humaine*. L'incarnation d'un dictionnaire des maladies. Heureusement, tout cela finirait bientôt.

— Vous êtes superbe. Pour fêter votre sortie, je vous ai apporté un petit cadeau. *Mémoires d'un tricheur* de Guitry. C'est drôle. Et puisque vous aimez les champignons, vous ne serez pas déçu. De l'humour et de la nourriture, tout ce qui vous plaît ! Écoutez : « *Nous étions douze à table. Du jour au lendemain, un plat de champignons me laissa seul au monde*[1]. » Je ne vous en dis pas plus.

— Merci, Alex, je tenais vraiment à vous remercier pour tout ce que vous avez fait. Mais je n'ai que des mots pour cela. Pas de cadeau ! Il faut dire que dans ces murs, il n'y a pas grand-chose à offrir. Et puis les mots, c'est votre affaire ! Alors j'espère qu'ils suffiront.

— Mais bien sûr qu'ils suffisent ! Merci beaucoup. Je dois filer vers un autre rendez-vous. Au revoir, Jacques.

— Au revoir, Alex. J'ai vraiment eu de la chance de vous rencontrer.

à Florence (*Rome, Naples et Florence* [1826], Gallimard, collection « Folio classique », 1987, p. 272.)

1. Sacha Guitry, *Mémoires d'un tricheur*, Gallimard, collection « Folio », 1973, p. 10.

Jacques souriait. Il lui restait quelques mois à vivre. « *Maintenant c'était lui le vieux. Et son tour était arrivé.* » La phrase de Buzzati ne cessait de résonner dans ma tête.

Le message qu'Antoine, le médecin, avait envoyé sur ma boîte mail était clair : « Jacques Buri va quitter notre service. Nous nous sommes mis d'accord. Sa maladie a atteint un stade tel que nous ne pouvons plus rien pour lui. Il a quatre-vingt-deux ans. Il doit profiter du peu de temps qu'il lui reste. »

Le secret médical était un mystère à ses yeux, je n'étais pas censé connaître ces informations. Jacques Buri allait mourir, je m'en doutais, d'ailleurs même les femmes de ménage de l'hôpital devaient le savoir. J'étais heureux de lui avoir apporté quelques instants de calme. Ensemble, nous avions lu pour sourire, pour rire, oubliant parfois que nous nous trouvions dans un service de gériatrie. Voyager à travers les mots. Sacha Guitry et ses histoires de champignons mortels lui promettaient encore de beaux moments.

Le reste de la missive consistait en diverses tentatives pour me voir en dehors de l'hôpital. Je devais lui répondre. Le lévrier n'arrêtait pas de pourchasser le leurre, il commençait à fatiguer. Je ne souhaitais pourtant pas stopper ma course. Antoine finirait bien par croiser un autre profil intéressant dans les couloirs de l'hôpital. Je lui écrirais sans doute que Mélanie était partie, parce que moi aussi je pouvais trop en dire à quelqu'un que je connaissais à peine. Je n'avais rien d'original à dire sur mes déboires sentimentaux. Seulement des plaintes minables. On est souvent minable quand on se plaint. Je me souvenais d'un ami, Maxime, à l'université, qui n'arrêtait pas de se répandre en pleurs et en souffle court parce que sa bien-aimée, une étudiante en psychologie animale (tout existe dans les cursus universitaires), l'avait remercié, sèchement. Après un choc, les premiers moments sont essentiels. Un groupe d'amis (une dizaine de personnes) se forma naturellement autour du « blessé ». J'en étais. Seulement, plus les jours passaient, plus nous nous rendions compte que Maxime se complaisait dans sa douleur et que ce qui, au départ, nous touchait, commençait sérieusement à nous agacer. Les mouchoirs offerts avec empathie, les tapes amicales dans le dos, les « ça va aller » et autres « elle finira par revenir » se firent de plus en plus rares. La spécialiste des animaux ne reviendrait pas, nous en étions certains. Et elle avait parfaitement raison. De dix aidants, nous passâmes à huit puis à six. Finalement, Maxime, un soir, se retrouva seul. Et il cessa de geindre.

À bien y réfléchir, donc, j'écrirais à Antoine, mais je ne me plaindrais pas. Je lui conseillerais simplement de participer au recrutement des agents d'entretien. Il y en avait sans doute de très mignons, de très mignonnes, qui postuleraient. Le prestige de l'uniforme, le sien, fonctionnerait à merveille. Il pourrait les séduire, hommes ou femmes, Nicomède ou Cléopâtre, comme César sur son trône.

***

En rentrant de l'hôpital, je reçus un mail étrange me demandant de laisser un numéro de téléphone en vue d'une possible collaboration. Les surprises, les seules dignes ce nom, arrivent quand rien ne les laisse présager. Qui est surpris à Noël de recevoir un cadeau ? Je fus atterré par le niveau d'orthographe de l'émetteur.

« Pouriez vous me lessé un numéro de portable que je vous rapele ? Merci. J'aurais besoin de vous. »

Était-ce un enfant ? Les mots que l'on choisit trahissent toujours notre condition. Dans ce cas précis, je pensais à une personne qui avait quitté très tôt le système scolaire.

Bien sûr, j'ai « lessé » mon numéro. Après tout, y avait-il incompatibilité entre bibliothérapie et non-maîtrise de l'orthographe ? Les plus grands auteurs ne subissent-ils pas l'épreuve de la correction, du correcteur, qui relit, modifie, transforme des passages entiers de leurs œuvres, en restant toujours fidèle à ces dernières, bien entendu ? J'étais curieux de rencontrer cette personne. Mon mail nocturne fut lu dans la minute car mon téléphone sonna presque instantanément. Numéro masqué. Je décrochai instinctivement, au risque de tomber dans les mailles d'une centrale d'appels qui réaliserait un sondage sur l'usage du triple vitrage en climat continental.

— Bonsoir. Vous êtes le bibliothérapeute ?

Cette voix me rappelait quelque chose, elle ne m'était pas inconnue. Une plaisanterie, peut-être.

« Le » bibliothérapeute, l'unique, le seul. Je suis LA bibliothérapie à moi tout seul.

— Oui, bonsoir. Appelez-moi Alex.

Intertextualité magique ! Mon interlocuteur n'en savait rien mais je venais de paraphraser Herman Melville et son « *Appelez-moi Ismaël*[1] ». Mon talent était décidément sans égal… Debout sur le pont, prêt à harponner la baleine, j'attendais la suite.

— Alex, d'accord. Euh, moi, c'est Anthony. Ça vous va ?

— Peu importe votre prénom. Vous avez besoin d'un thérapeute ?

— Oui, enfin, je crois. C'est compliqué.

Tous les patients estiment leur situation complexe. Sinon, pourquoi viendraient-ils me voir ? Je n'imaginais pas l'un d'eux entrer en contact avec moi pour me dire que sa vie était une réussite, qu'il filait le parfait amour avec sa femme et qu'il s'épanouissait dans son travail. Quand tout va bien, on va à la bibliothèque, pas chez un bibliothérapeute.

— Vous souhaitez m'en parler dès à présent ? Ou préférez-vous que nous nous rencontrions ?

— Je vous dérange ?

— Non, pas du tout. Je vous laisse le choix.

En prononçant le verbe « laisser », je revoyais le « lessé » du mail. Il fallait chasser cette « chose » de mon esprit. *Vade retro*. Sinon, comment poursuivre

---

1. Herman Melville, *Moby Dick*, *in Œuvres III*, traduit de l'anglais par Philippe Jaworski et Pierre Leyris, Gallimard, collection « Bibliothèque de la Pléiade », 2006, p. 21.

la conversation sans expliquer à Anthony que la phonétique avait ses limites dans une situation de communication écrite ?

— Vous êtes sympa.

— Je vous en prie, c'est tout naturel. Alors dites-moi : maintenant ou plus tard ?

— Maintenant, s'il vous plaît.

— Très bien.

— Je vis dans un milieu rude, un milieu d'hommes. Ça me plaît. Mais disons que je me sens différent parfois.

— À quelle occââ... sion... pardon. J'ai mal dormi la nuit dernière, c'est toujours comme ça les nuits de pleine lune.

Je n'avais pu refréner un bâillement. Il m'arrivait rarement de travailler si tard. Tôt également. J'étais un travailleur de journée. Horaires de bureau. Un fonctionnaire de la thérapie. Mais l'exceptionnel, l'aventure m'attiraient. Mon corps devait simplement s'adapter à la situation. En tout cas, je lui en intimai l'ordre immédiatement. Il n'aurait pas le choix. Il faut, parfois, savoir s'imposer. Quant à la pleine lune, j'en avais parlé pour trouver une excuse crédible. Il fallait juste espérer que mon interlocuteur ne fût pas astronome.

— Je suis footballeur. Vous comprenez, ça bouge pas mal, ça frotte, ça pousse. On ne se fait pas de cadeaux. Faut tenir tête sinon sa réputation tombe à l'eau.

— Mais en dehors du football, quelle est votre profession ? Pardonnez ma curiosité mais j'ai besoin de détails pour bien comprendre la situation.

— Y'a pas d'mal. Je suis footballeur professionnel. C'est mon métier.

Quand j'étais enfant, lors des anniversaires que nous fêtions à la maison, avec mes amis, ma mère avait la sinistre habitude de nous faire part de sa grande connaissance des concepts littéraires. Cela partait d'une bonne intention, elle souhaitait nous intéresser, nous distraire, plutôt que nous voir anéantir ma chambre. Si elle avait été coiffeuse, elle aurait évoqué les dernières extensions à la mode, si elle avait été médecin, elle nous aurait donné une leçon sur l'art de se laver les mains afin d'éviter la prolifération des microbes. Mais elle était professeur de littérature à l'université.

Le jour de mes dix ans, elle nous avait parlé de la réduplication synonymique, un procédé moyenâgeux qui consistait à répéter la même idée sous une forme différente. Pour insister, donc. Au téléphone, Anthony souhaitait s'assurer que j'avais bien saisi le sens du mot « professionnel ». Ainsi, comme ma mère, il avait répété pour que je saisisse bien son propos.

— Oui, j'ai compris, vous vivez du football.

Triduplication. Après tout, j'avais moi aussi le droit d'inventer des mots. À bien y repenser, c'était vraiment cruel de parler rhétorique lors d'un anniversaire.

— C'est ça.

— Et quels soucis rencontrez-vous ?

— J'accepte mal ma différence.

— En quoi vous sentez-vous différent ?

Malgré ma volonté exacerbée, mon corps rechignait à suivre mon souhait. Les muscles de mon visage et de mon diaphragme se contractèrent à nouveau. Mon corps faisait sécession. On n'est pas toujours maître chez soi. J'avais souvent perdu la face avec cet organisme imparfait mais il me le paierait un jour. C'était certain. Quand je prendrais un abonnement dans une salle de sport par exemple.

— Je vais vous laisser dormir. Je vous appellerai demain en rentrant de l'entraînement. Vers 11 heures, ça vous ira ?

Devant l'insistance de mon interlocuteur, je cédai et acceptai sa proposition. Le foot est un milieu gangrené par le dopage. Pas la bibliothérapie. Quand on est dopé, les performances physiques sont dignes de mutations de l'espèce. On ne fatigue plus. Je ne m'étais jamais dopé. Sauf si le paracétamol avait fait son entrée sur la liste des produits interdits.

***

Cette fois-ci, Anna m'a souri en ouvrant la porte. Ses dents éclatantes trahissaient un amour démesuré pour les soins dentaires. Pour atteindre une clarté pareille, il lui fallait sans doute trois détartrages annuels et deux blanchiments. Ma peur du dentiste en prenait un coup. Moi qui hésitais durant des semaines devant mon téléphone avant de demander un rendez-vous. La moindre excuse (une grève à la RATP, un mauvais présage, une panne de radiateur...) éloignant l'échéance de manière durable. À l'occasion, je l'aurais bien interrogée sur le sujet.

Anna a évoqué le temps, étonnamment doux. La radio faisait des émules et lissait les conversations. Tout le monde parlait de la même chose. Du temps qu'il fait, sujet désespérant de vanité. Elle me guida vers la chambre de Yann. La porte était entrouverte. Anna frappa et m'invita à entrer. Elle resta sur le seuil et ferma la porte dès que je fus à l'intérieur de la pièce.

Yann était assis, je ne voyais que son dos. À sa posture, je devinai qu'il était en train d'écrire. Il se tourna finalement. Je ne laisse personne indifférent. Yann non plus. Son visage portait les stigmates de l'accident. Un visage qui lui donnait l'apparence d'un personnage de cire, rien de l'adolescence. Tout était figé. Aucune évolution en perspective. Seuls ses yeux étaient libres d'exprimer une émotion. La surprise.

Il me tendit sa tablette.

« Je devrai tout écrire. Je ne vous ai pas menti. Vous avez vu comme je suis arrangé. Une sculpture ratée. »

— Vous avez griffonné ces mots en avance. Vous vous attendiez à mon étonnement, mais je remarque que vous êtes vous aussi surpris de me voir. Nous avons donc un point commun, nous ne laissons personne indifférent.

« Vous avez fait une drôle d'impression à ma mère l'autre jour. Elle s'est posé mille questions à votre sujet. Elle vous imaginait autrement, avec une allure plus imposante, en costume. Elle a perçu un côté féminin... Mais elle est trop timide, elle n'a pas osé vous en parler. Ses

parents lui ont appris à ne jamais déranger, à pleurer dans son coin. Elle est glaciale, non ?

Moi, depuis que je ne m'exprime que par l'intermédiaire de bouts de papier ou de ma tablette, je n'ai plus aucun scrupule. J'écris ce que je pense. Vous devez penser que c'est nul. L'avantage du handicap est que l'on m'excuse toujours. »

— Je peux comprendre la surprise de votre mère. Je n'ai pas souvent le déguisement approprié à ma profession. En ce qui concerne mon côté féminin, je l'assume parfaitement, c'est une qualité dit-on. Mais peu importe. Méfiez-vous tout de même de votre statut privilégié. Tout le monde n'a pas la chance d'être handicapé. Pour en revenir à votre mère, je la trouve charmante.

Je ne sais pas si Yann a cru mes propos sur sa mère. C'était peut-être la première fois que quelqu'un la qualifiait de « charmante ». À la vérité, elle n'avait rien de tel. Mais je me voyais mal le dire à son rejeton.

« Vous pensez vraiment pouvoir m'aider ? J'ai vu pas mal de types surdiplômés qui se sont cassé les dents sur mon cas. »

— Je n'ai jamais aucune certitude quand je commence un accompagnement. Le doute fait partie du système. Je ne suis pas médecin. Le médecin ne doit jamais douter. Je voudrais vous lire un texte pour commencer :

La guerre commença dans le plus grand désordre. Ce désordre ne cessa point, d'un bout à l'autre. Car une guerre courte eût pu s'améliorer et, pour ainsi dire, tomber de l'arbre, tandis qu'une guerre prolongée par d'étranges intérêts, attachée de force à la branche, offrait toujours des améliorations qui furent autant de débuts et d'écoles.

Le gouvernement venait de quitter Paris, ou, suivant la formule naïve d'un de ses membres : de se rendre à Bordeaux pour organiser la victoire de la Marne...

Je lus les quinze premières pages de *Thomas l'imposteur* de Cocteau à Yann. Il écouta sans m'interrompre. Il écrivait nerveusement sur de petites feuilles lorsqu'il souhaitait communiquer, parce que sa tablette n'avait plus de batterie. Un bruit agaçant. Le premier texte était essentiel, il permettait de voir à quel point les mots pouvaient pénétrer l'autre. Sa porosité à la littérature. Au départ, on est soit une éponge soit une pierre. Le travail du bibliothérapeute est complexe quand il s'agit de transformer la pierre. Mais quel plaisir d'y parvenir !

Enfin, dans ce cas précis, Yann goûtait aux mots de Cocteau et à cette histoire de menteur ahurissante. Un retour vers l'enfance, quand sa mère, qui n'était pas encore cette âme recroquevillée, lui racontait des histoires au moment du coucher. Pour aborder mes patients je devais les plonger dans un bain de confiance. Les barrières éclatent plus aisément quand on est au chaud, sous une couette, à l'écoute de la personne que l'on aime le plus au monde. Je t'aime, maman. Reste encore un peu. Bien sûr, Yann ne se doutait de rien. Comme les autres, il lui fallait se perdre. Oublier les contingences matérielles pour s'ouvrir pleinement à la littérature.

J'avais choisi Cocteau car il collait parfaitement à la situation de Yann. L'auteur du grand monde à la voix, comment dire… ? Hautaine. Hautaine, oui, c'était ça. Lire du Cocteau dans une belle maison bourgeoise. Il me manquait les gants, le mouchoir dans la pochette et le costume ajusté. Cocteau à la Belle Voix. Une plongée dans les archives de l'INA, sans la poussière.

À la fin de ma lecture, Yann me tendit sa tablette.

« Pourriez-vous continuer la lecture ? »

— Avec plaisir.

Et je repris. Quarante minutes de lecture à voix haute. Le plaisir du texte. Les aventures de Thomas. Le romantisme, la guerre, l'amour. L'espoir de ne pas mourir. Je quittai le sol, soulevé par les mots de Cocteau qui finissaient toujours par l'emporter. Je quittai le sol, jouant (mal) la comédie, exprimant chaque point d'exclamation, chaque point d'interrogation, à la manière d'un professeur qui souhaite impressionner son auditoire adolescent mais qui finit par se rendre compte, perturbé par des mouvements de tête soudains et des soupirs toujours plus nombreux, que la moitié de la classe dort paisiblement.

La tablette vint m'interrompre.

« Je suis fatigué, arrêtons là. J'ai très mal à la tête. »

— Très bien, je suis heureux que ce roman vous plaise. Je vous le laisse. Nous en reparlerons la prochaine fois.

Yann n'avait rien du client parfait. S'il n'avait pas été aussi abîmé, je l'aurais détesté. Comment avait-il osé m'interrompre en pleine lecture ? Peut-être avait-il perçu que j'en faisais un peu trop…

Mais il avait raison sur un point, on pardonne davantage aux gens martyrisés par l'existence. Dans mon esprit, les choses étaient claires, j'espérais le revoir pour tenter de percer le mur qu'il avait construit entre lui et les autres. Et j'avais besoin d'argent. Mélanie partie, un loyer à payer seul et une propriétaire irascible qui logeait sur le même palier que moi. Un être dépourvu de sensibilité littéraire, impossible à émouvoir et qui observait mes allées et venues avec le sérieux d'un berger allemand. Je sentais son souffle derrière la porte. Un souffle désagréable. Je n'aime pas les animaux domestiques. Ils me font peur depuis l'enfance. Depuis ce jour où, invité pour l'anniversaire d'un ami, les bras chargés de cadeaux, je me retrouvai nez à nez (ou nez à truffe pour être plus précis) avec une famille de dalmatiens au grand complet. Des dalmatiens, comme dans le dessin animé, les crocs en plus. Le père de mon ami s'était mué en éleveur professionnel après avoir emmené son fils au cinéma, un dimanche pluvieux et triste. On y jouait le classique de Disney. Le jour de l'anniversaire, profitant de l'arrivée d'un petit camarade qui, lui, n'avait qu'un paquet cadeau fluet, les chiens avaient décidé de m'accueillir personnellement. Il m'avait fallu fuir, sans perdre mes offrandes. Pas facile. Impossible, même. Finalement, pour la survie de mes mollets, j'avais sacrifié les paquets. J'étais rentré chez moi, trempé de sueur, les poils dressés sur les bras. Ma mère, plongée dans sa lecture, ne remarqua pas ma présence, malgré la forte odeur de transpiration qui m'accompagnait. Je décidai de détruire la VHS des *101 Dalmatiens*.

Propriétaire concierge
ou l'oxymore à deux jambes

Sur le palier, je suis sur un fil. Je dois me dépêcher de trouver la clé. M'échapper, me mettre à l'abri. Mais, comme dans les films d'horreur, le héros se fait toujours rattraper. La voiture ne démarre pas. Une voiture neuve ! Comment est-ce possible ? Mes clés tombent. Trop tard ! La lumière s'éteint. Elle sort et la rallume. Son souffle est vraiment désagréable, chaud, malodorant. Elle respire vite. Je me retourne, elle est là. Postée à quelques centimètres de moi. Elle fait partie de ces êtres qui, pour vous parler, se sentent obligés de jeter les mots dans votre bouche de peur qu'ils se perdent durant le trajet. Bon Dieu, on entend avec les oreilles, pas avec la bouche !

— Faudra penser à régler votre loyer !

— Bonjour, madame Farber, ne vous inquiétez pas, j'ai quelques petits soucis passagers mais tout va s'arranger. Je vais vous payer.

— J'espère bien. La vie est dure pour tout le monde.

— La semaine prochaine, je vous promets.

— Et votre amie, elle n'habite plus ici ? Il faut me le dire si vous ne pouvez plus assumer votre loyer seul.

À travers ces mots, je percevais deux sentiments chez mon interlocutrice. Le plaisir de me sentir malheureux. La tristesse de ne plus voir Mélanie.

Mélanie. Une femme. Des formes. Un sourire. Des cheveux. Elle m'aurait volontiers échangé. Mais c'était Mélanie qui était partie. Et j'étais là face à cette femme qui ressemblait à Verlaine sur une vieille photo prise au *Procope*. L'absinthe en moins. La mauvaise haleine en plus.

Marceline Farber ou l'art de recevoir. Le tact incarné. La générosité, aussi. Elle possédait la moitié de l'immeuble et était assujettie à l'ISF. Pourtant, mes impayés semblaient lui gâcher la vie. Soixante-dix ans et pas une once de gentillesse. Marceline, comme la poétesse[1]. Sans la poésie.

— Elle est en déplacement professionnel.

— C'est ça. En tout cas, ne m'oubliez pas. La semaine prochaine donc.

— La semaine prochaine, sans faute. Mes amitiés à votre mère.

— C'est ça, maman n'a pas besoin de « vos amitiés ».

Même si on avait du mal à le concevoir, Marceline avait encore sa maman. Bien au chaud,

---

1. Marceline Desbordes-Valmore (1786-1859), connue pour ses poèmes élégiaques.

hébergée par la septuagénaire. Elle devait sans doute lui payer un loyer pour ne pas finir à la rue. J'éprouvais de la tendresse pour Augustine, sa mère, que j'avais eu l'occasion de rencontrer à deux ou trois reprises, quand elle pouvait encore sortir. J'éprouvais de la tendresse pour Augustine car elle subissait Mme Farber du matin au soir. Une nonagénaire pleine de courage.

La lumière s'éteignit à nouveau. J'étais dans le noir avec Marceline Farber. Il y avait au moins cinquante ans qu'elle ne s'était pas retrouvée dans l'obscurité avec un homme (et, malheureusement, c'était moi). Depuis la mort de son mari, en fait. Quand nous entretenions de bonnes relations, elle m'avait raconté sa vie d'« avant », avec un homme extraordinaire, parti « trop tôt ». À présent, je comprenais cet homme. Il valait mieux la mort que cette mégère.

Elle appuya sur l'interrupteur et ses dents réapparurent. Des dents légèrement écartées pour laisser passer le souffle que je subissais. Mère Nature avait bien fait les choses. Il y a des êtres que l'on subit. Elle retourna chez elle et se posta directement derrière sa porte. Son poste de prédilection, son mirador. Je ramassai enfin la clé et disparus hors de son champ de vision.

Je me rendis dans la salle de bains et je remplis le lavabo. Je plongeai la tête jusqu'aux oreilles. Crier dans l'eau, je n'avais que cette solution pour évacuer ma rage. Crier dans l'eau et comprendre la bêtise du geste. S'étouffer à moitié. Les yeux rougis, les oreilles bouchées. Risquer une inflammation du tympan. Tout cela pour une imbécile. Je n'avais aucun talent pour jouer le désespoir. Je repensai à une amie qui avait tenté, un jour, de mettre fin à ses jours en ingurgitant un paquet entier de yaourts périmés. En vain. Elle avait simplement gagné un désagrément intestinal passager. Le SAMU, que j'avais appelé sur son conseil – elle était courbée face aux toilettes mais pouvait encore parler –, n'avait pas daigné se déplacer. Et je m'étais fait réprimander par le médecin régulateur. Tout ça pour un yaourt. Lorsque je racontai cette histoire à un patient d'une soixantaine d'années (un type agréable qui souhaitait arrêter de manger dix pizzas par jour en lisant, autant dire que mon « ordonnance » ne lui fut d'aucun effet), il me rétorqua que tout se perdait dans notre satané pays et que mon cas était symptomatique de l'égoïsme ambiant. Il ajouta qu'à son époque (laquelle ? je ne le sus jamais), un médecin aurait bondi dans son véhicule et serait venu secourir mon amie peut-être mortellement intoxiquée. Régulez, régulez, y'a plus rien à voir.

Nom du patient : Yann B.

Constat

Yann est indifférent au monde extérieur. Hors du monde. Qui peut lui en vouloir ? Son existence post-traumatique s'est réduite à une accumulation d'humiliations. Il est devenu au fil du temps un champion dans l'art du bouc émissaire. Un type qui prend pour les autres. Il lui a fallu s'extraire pour éviter les coups. Cas extrêmement complexe mais passionnant. Expérience limite pour le thérapeute. Pourtant, ne pas douter de son aptitude. Ne pas douter de la mienne. Étonnantes capacités d'analyse. Il se rendra compte de la moindre de mes faiblesses. Aucune retenue. Langue soutenue. Intellectuellement performant. Si l'identification fonctionne, alors solution envisageable.

Anna : rôle à redéfinir. Elle le surveille comme un petit enfant. Attraction-répulsion à l'idée que Yann retrouve le monde. Mère-tampon qui prend les coups donnés par son fils.

Pistes de travail

Ouvrages conseillés pour Yann :

Jean Cocteau, *Thomas l'imposteur.*

J.D. Salinger, *L'Attrape-cœurs.*

Ouvrage conseillé pour sa mère :

Albert Cohen, *Le Livre de ma mère*… Mais j'hésite car c'est un livre sur l'amour d'un fils pour sa mère…

***

— C'est Anthony.

— J'avais reconnu votre voix. J'ai réfléchi à votre situation.

— Vous avez changé d'avis ? Vous ne voulez plus vous occuper de moi. Je comprends...

Anthony parlait comme un petit garçon à qui on a promis quelque chose pour mieux le tromper.

— Non, non, rassurez-vous. Je n'ai pas changé d'avis. Quand je vous dis que j'ai réfléchi à votre situation, c'est que j'ai une idée de texte.

— Parfait ! Et on peut continuer par téléphone ?

— Pour être franc avec vous, je préférerais que l'on se rencontre pour travailler.

— Ça va être très compliqué, j'ai peu de temps. Je sors rarement et j'aime la discrétion. Au téléphone, nous serons plus tranquilles. Je vous en demande trop, peut-être.

— Disons que je ne suis pas convaincu par la thérapie à distance. Nous devons nous rencontrer.

— Je sais, je sais... Je vous promets de venir à votre cabinet. Vous avez pensé à un texte alors ?

— Oui, l'*Odyssée* d'Homère. Cette épopée vous ira à merveille. Fixons un rendez-vous.

— Les aventures d'Ulysse, c'est ça ?

— Oui, parfaitement. La semaine prochaine ?

— J'ai lu ça à l'école quand j'étais gosse. Attendez un instant.

J'ai entendu des bruits de papiers froissés comme si on enfermait le téléphone dans une poche. Ensuite, des voix masculines fortes ont résonné. Des rires. « Qu'est-ce que tu fiches encore ? » « Tu viens avec nous ? » Des voix qui me rappelaient celles que j'entendais lorsque, adolescent, je m'étais essayé au handball. Six mois d'enfer à tenter de marquer un but, en vain. Je ne tirais jamais assez fort, le gardien arrêtait la balle que je lui envoyais comme si je souhaitais simplement lui faire une passe. Aucun effort à produire pour lui. Pour moi, une dépense énergétique consistante. Pas un but en six mois. Le plus mauvais joueur de hand de l'histoire. Mon entraîneur, un fin pédagogue, m'avait pris à part un soir après l'entraînement pour soulever le problème. « Alex, on a un petit souci avec toi. » J'avais fait mine de ne pas saisir. « Tu ne marques jamais et tu veux jouer toujours plus longtemps en match, ce n'est pas possible. » Je lui rétorquai que, mathématiquement, une présence plus importante sur le terrain me permettrait à coup sûr d'augmenter mes chances de scorer. C'est le terme hideux qu'il employait. Quand il le prononçait, j'entendais « scories », soit à peu de chose près « déchets ». Notre discussion dura sans rien apporter d'intéressant à ma situation. Pour finir sur une note positive, il me proposa de tirer dans le but vide afin de voir l'effet que produisait la pénétration de la balle dans la cage. Je m'exécutai, non sans mal car j'étais épuisé. Ma carrière de handballeur prit fin juste après la douche. La voix d'Anthony réagissait sur un ton qui n'était pas le sien quand il s'adressait à moi. « Oui, j'arrive. T'as la dalle à ce point ? Attends deux minutes, je prends mon sac et j'arrive. » Des rires sans la moindre retenue achevèrent l'échange.

— Ulysse, je n'y aurais pas pensé.

— Vous pouvez parler ?

— Non, pas vraiment.

— Procurez-vous ce texte pour la prochaine fois et commencez-en la lecture. Je vous expliquerai mon choix. Vous comprenez que par téléphone, tout sera plus compliqué.

— Je comprends. Je vous rappelle.

— Quand ?

— Je ne sais pas.

— Je vous l'ai dit, nous devons fixer des rendez-vous précis.

La même voix forte revint nous interrompre. « Magne-toi, Anthony. »

— Alex, je dois vous laisser. Ne vous inquiétez pas. À bientôt. Ulysse, donc.

— L'*Odyssée*, Anthony. Pas Ulysse. À bientôt.

Cette découverte de la clandestinité attisait ma curiosité. Je devrais traiter discrètement le cas d'Anthony et cela était nouveau pour moi. Il faudrait sans doute jouer des coudes pour arriver à m'imposer dans son existence car son entourage semblait pour le moins assez éloigné de l'univers de la fiction. Des gens ancrés dans le réel. Les pieds cloués au sol. Avec des crampons pour faciliter la prise. Des footballeurs. La tête existait dans ce sport mais elle était largement minoritaire. Elle rencontrait la balle parfois. Presque par erreur, pour mieux revenir au sol.

En tout cas, mon métier m'offrait des nouveautés surprenantes. Après la thérapie à domicile, je m'essayais à la thérapie par téléphone. Il fallait vivre avec son temps... Et travailler !

★★★

Comme d'habitude, j'ai lu pendant des heures. Une overdose verbale. Les yeux explosés. Mal à la tête. Trop lire rend malade mais ne tue pas. J'en suis la preuve vivante. A-t-on déjà entendu parler d'un être humain mort d'avoir lu tout Zola en une semaine ? Les textes de jeunesse, les nouvelles, les romans, le théâtre, la correspondance... Non, on ne mourait pas de lire, on devenait juste un peu plus misanthrope.

De la mesure, voilà ce qu'il me manquait parfois. Quand j'étais enfant, mes camarades venaient frapper à la porte de la maison cossue où nous logions. Je refusais de sortir pour jouer avec eux. Ma mère devenait folle. Pourquoi ne veut-il jamais sortir ? Parce que je lisais. Et l'addiction s'est étendue. Il fallait tout lire, un désir impossible. Des journées entières à la bibliothèque municipale. La vie d'un reclus. Non pas celle d'un religieux, je n'aurais pu vivre sans toucher le corps d'une autre. Mais maman ne le savait pas et je laissais planer le doute. Je prenais plaisir à lui faire croire que seuls les livres m'intéressaient. En fait, j'étais amoureux de toutes les jeunes filles que je croisais. Quand je les abordais, je ne pouvais m'empêcher de citer tel ou tel auteur, c'était pour moi une façon d'exister à leurs yeux. Je me trompais. La littérature les ennuyait. Elles cherchaient un amoureux fougueux, courageux, dont elles pourraient être fières, pas un garçon capable de déclamer du Racine au bord de la piscine où les autres mâles exécutaient des saltos avant.

Ma mère aussi aimait les livres mais sans addiction, sans que cela ne trouble sa vie sociale. Je me retrouvais en Yann, coupé du monde. Les visites des amis se sont espacées. L'amitié est une présence, un contact. S'effleurer, rire, voir l'autre dans ses moindres détails.

Bientôt, je ne vis plus personne. Jusqu'au jour où j'ai compris que la lecture pouvait rétablir un équilibre, apaiser, aider ceux qui souffraient. C'était la bibliothérapie. Et j'en ai fait mon métier. Puisque les mots pouvaient anéantir et que chaque chose sur cette planète portait en elle un axe positif et un autre négatif, il y avait une portée salvatrice dans la lecture de certains textes.

Quand j'ai prononcé le mot « bibliothérapie » devant ma mère, elle a cru que j'avais été enrôlé dans une secte. La dianétique. Les œuvres complètes de L. Ron Hubbard. Le développement personnel comme genre littéraire. *Les lois de la réussite*, *Le bonheur partout*, *Deviens ce que tu es*…

Non, je ne souhaitais pas m'occuper de ce genre d'écrits. Seulement de littérature. Il n'y avait donc aucun risque de sombrer dans la folie sectaire. Mais les mères sont toujours soucieuses. Je n'étais pas mère. Ni père d'ailleurs. Mélanie voulait un enfant, or je ne savais rien de moi. Je ne pouvais pas. Être à l'origine d'une vie sur terre m'angoissait terriblement. Et si mon enfant était laid ? Imposer sa vision aux autres. À lui-même, à travers la psyché. Cela ne me motivait pas. Et s'il avait été idiot ? Un passionné de hand aux gros bras par exemple. De quoi aurions-nous parlé ? De ses dix buts par match ? De ma nullité absolue dans cette discipline ?

Des disputes, des promesses vaines quand je désirais obtenir quelque chose, voilà ce que la paternité hypothétique nous donnait à vivre. Et Mme Farber qui écoutait sans doute à notre porte. Elle savait tout de nous. Qui sait si elle n'avait pas truffé l'appartement de caméras miniatures. Dans la cuisine pour vérifier que nous n'abîmions pas son revêtement de sol. Dans la salle de bains pour vérifier que j'étais bien un homme. Et dans la chambre pour nous apercevoir faisant l'amour. Me regardait-elle à présent ? Moi, tout seul, dans l'appartement qu'elle me louait, envahi de livres.

Mélanie m'obligeait à les ranger. Elle était l'ordre. Elle ne lisait jamais. Comment pouvais-je aimer une femme qui ne lisait pas ? Peut-être parce que nous deux réunis formions quelque chose de valable. Un tout. L'été, elle me réclamait une liste de livres « incontournables ». Je prenais mon bloc-notes et commençais à inscrire un titre, puis un autre, et ainsi de suite jusqu'à ce que la feuille disparaisse sous les mots. Incapable de choisir, je lui proposais alors de prendre un roman au hasard dans la bibliothèque, ce qu'elle ne faisait jamais. Il y avait les valises à sortir, le linge à repasser, les produits solaires à ne surtout pas oublier. Des activités qui lui semblaient interdites aux hommes. Sans raison. Le féminisme assassiné, sur l'autel de la capacité à « bien préparer le départ en vacances ».

Quand elle n'arrivait pas à dormir, elle me demandait de lui raconter mes lectures. Des résumés à la chaîne. Je broyais les classiques pour qu'ils nous permettent de trouver le sommeil. Marceline Farber avait-elle subi ça ? *Boule de suif* et ses doigts comme des saucisses, la bouche de Gwynplaine[1] ouverte jusqu'aux oreilles... Je l'espérais !

Plein de mots, j'ai voulu envoyer par texto quelques vers de Verlaine à Mélanie. Ma situation collait bien avec cet alcoolique de poète et son sosie. J'ai recopié des passages de « L'amour par terre », *« Le vent de l'autre nuit a jeté bas l'Amour / [...] et des pensers mélancoliques vont / et viennent dans mon rêve où le chagrin profond / évoque un avenir solitaire et fatal[2] ».*

---

1. Personnage principal de *L'Homme qui rit* de Victor Hugo.

2. Paul Verlaine, « L'amour par terre », *Fêtes galantes*, Le Livre de Poche, collection « Les classiques pédago », 2015, p. 62.

Cette fois-ci, j'ai eu la force d'appuyer sur « Envoyer ». Et l'envie immédiate de rattraper mon message. Mais où ? Où était ce message ? Je pouvais attendre la levée du courrier en vain. Impossible de demander au facteur la permission de récupérer une lettre que je ne souhaitais plus transmettre. Je l'avais déjà fait à dix reprises au moins. Il me connaissait.

« Bonjour, Alex, je vous ouvre la boîte, comme d'habitude ? »

J'étais si maladroit avec les mots des autres. Verlaine était trop triste, trop misérable. Trop saoul. Et moi, incapable de créer l'application qui révolutionnerait les rapports humains : la fonction « Annuler » après l'envoi d'un message. Celui qui la mettrait au point entrerait immédiatement au Panthéon des inventeurs essentiels. Mais ce ne serait pas moi. Il fallait une formation en mathématiques très poussée pour fabriquer ce genre de chose. La mienne avait pris fin en sixième.

Mes regrets interminables (et la question sans réponse : pourquoi n'avais-je jamais écouté mes professeurs de mathématiques ?) furent stoppés par l'apparition d'une petite enveloppe sur mon téléphone portable. Nouveau message. Le pictogramme était simple, compréhensible par tous. On était loin de la poésie symboliste.

Mélanie d'habitude si lente à répondre avait sans doute été effrayée par les mots du poète. Nous allions enfin reprendre contact. Parler. Prendre un verre peut-être. Dîner. C'était bon de penser à ça. J'ai ouvert le message :

« Alex, je vous attends aujourd'hui à 15 heures. J'aime beaucoup Thomas l'imposteur. *Yann. »*

Bonne nouvelle pour Mme Farber. Mauvaise pour mon cœur. Quand on attend un appel, un message d'une personne bien précise, qui comblera notre attente, alors on est agacé par tous ceux qui s'interposent. Même nos plus proches parents. Ou, dans ce cas précis, Yann et l'argent qu'il me rapporterait.

J'avais besoin d'amour. Plus de fiancée mais un téléphone portable dans la main.

Les réseaux sociaux n'ont pas été créés pour communiquer mais pour réconforter l'être humain malheureux, celui qui a perdu son travail comme celui qui a été raté par son coiffeur. J'avais un travail plutôt valorisant (n'est pas thérapeute qui veut) et mon coiffeur était un type plutôt sympa si l'on exceptait qu'il avait installé une boule à facettes dans son salon et qu'il dansait pour passer d'un fauteuil à un autre. Ses coupes me donnaient satisfaction, même si elles ne lui demandaient pas plus de dix minutes de travail. Comme je l'avais vu deux jours auparavant, je décidai de poster sur mon réseau social de prédilection un autoportrait tranchant. La volonté d'être aimé en retour. Plan moyen. Dos au miroir. Norman Rockwell avait fait quelque chose dans le même style mais qui s'en souvenait ?

Deux minutes plus tard, les notifications commencèrent à tomber. *Trop beau, magnifique, mignon*… J'étais sur le tapis rouge, un soir à Cannes, les spectateurs criaient mon nom pour attirer mon attention. Les photographes aussi. *Trop beau* encore une fois. Il est vrai que mon visage, malgré les ennuis, respirait la santé, pour reprendre une expression étrange venue d'un autre temps. Mes amis, hommes et femmes, ne tarissaient pas d'éloges sur ma face. *Toujours aussi beau.* Merci. Le manque de sommeil, le manque de soleil, tout disparaissait avec l'utilisation d'une lumière lissante. Mon portable corrigeait les problèmes. *Incroyable.* Mais si, croyable ! Je suis bien vivant ! En pleine possession de mes moyens. Au centre de l'attention pour quelques minutes. J'en profite. Un déluge de compliments façonné par des personnes que je connais à peine ou qui n'oseraient jamais me dire en face toute la beauté que je leur inspire. Une muse 2.0. Ronsard, s'il avait eu la chance de me connaître, m'aurait sans aucun doute célébré dans un sonnet. Mais je n'aurais jamais cédé à ses avances. Je ne mange pas de ce pain-là.

Sonnets pour Alexandre.

Le titre faisait un peu mièvre et me rappelait celui d'un morceau, *Ballade pour Adeline*[1], qui avait

1. Composée par Paul de Senneville en 1977, cette ballade connaît le succès l'année suivante grâce à l'interprétation au piano de Richard Clayderman.

fait la gloire d'un pianiste trop bien coiffé pour être un bon musicien.

Les notifications destinées à Alexandre Pantocrator commencèrent à se faire de plus en plus rares. Les amis avaient bondi sur leur clavier comme des félins affamés, à présent ils se reposaient au soleil. Jusqu'à la prochaine photo. J'hésitai à faire un nouvel autoportrait. Trouver un nouvel angle, un nouveau décor me semblait difficile dans un appartement comme le mien. Je ne souhaitais pas montrer mon intimité à la terre entière. Juste mon visage.

T'as pas un peu maigri ?

Ces quelques mots d'un ami inconnu, un garçon que j'avais rencontré une fois lors d'un repas chez des amis d'amis, me glacèrent. Maigri ? Je ne me pèse jamais. Toucher le pèse-personne du bout des pieds, attendre que le 0 s'affiche, monter, attendre que le chiffre apparaisse est beaucoup trop stressant. Et faire confiance à ce type de machine est risqué. On n'est jamais sûr du résultat. Rien ne vaut la balance Roberval qu'on employait en cours de sciences physiques. De vieilles balances rouillées.

Je fonçai sur la psyché pour vérifier l'évolution sous-entendue de ma corpulence. Il n'y avait rien d'évident. De quel droit pouvait-on faire douter les autres ? Maigrir c'est commencer à disparaître. Et quand il ne reste plus rien à faire disparaître… Ronsard revenait.

Je n'ai plus que les os, un squelette je semble,
Décharné, dénervé, démusclé, dépulpé,
Que le trait de la mort sans pardon a frappé,
Je n'ose voir mes bras que de peur je ne tremble[1].

Les réseaux sociaux ont été créés pour tenter de réconforter les malheureux.

---

1. Pierre de Ronsard, « Je n'ai plus que les os », premier sonnet du recueil *Derniers vers*.

Un peu d'onomastique

Alexandre, Alex.

Mes parents m'ont appelé Alexandre. Je devais m'appeler Alexandre. Il n'y avait pas d'autre choix. Si j'étais né fille, je me serais aussi appelé Alexandre. Mes parents auraient trouvé un accord avec l'officier d'état civil. Il ne pouvait en être autrement. Ma mère, à cette époque, préparait une thèse sur Alexandre Dumas : *Personnages historiques et personnages fictifs dans l'œuvre d'Alexandre Dumas.* Elle hésitait entre fiction et réalité. J'étais une fiction avant de faire une entrée fracassante dans la réalité.

Je suis né dans le flou et la littérature. Le prénom Alexandre passait devant ses yeux des centaines de fois par jour : Alexandre, Alexandre, Alexandre, Alexandre…

Il a fini par envahir mes chromosomes, les perturber et enfin les perdre. Pauvres chromosomes ! XX. XY. Mélange incertain.

Finalement, professionnellement, maman s'est orientée vers le réalisme. Mais il me semble qu'elle préfère toujours l'Alexandre fictif qui vivait dans sa tête avant ma naissance. Celui dont elle rêvait. Un fils viril aux grosses joues, aux cheveux abondants. Un auteur, peut-être. Un type capable d'écrire des pavés de cinq cents pages. Et pas seulement de les lire !

Donc, je m'appelle Alexandre. J'ai choisi, pour reprendre un peu le contrôle sur ma vie, de me faire nommer Alex. Diminutif. Réduction de la toute-puissance maternelle. Ma mère n'a jamais accepté le symbole, ni ce nom raccourci d'ailleurs. Elle prononce « Alexandre » en appuyant si fort sur la dernière syllabe qu'elle donne l'impression de s'exclamer : Alexandreu !

S'exclamer, c'est forcément exprimer un sentiment. J'opterais dans ce cas précis pour la déception.

Elle était déçue de mon rapport aux livres. Je ne comptais pas les occurrences de tel ou tel mot dans un roman, je ne cherchais pas forcément le sens d'un livre, je ne contredisais personne quant à l'interprétation d'un texte. Je cherchais son pouvoir et l'émotion. L'exclamation du texte !

Je m'appelle Alex et je n'écris pas. Je n'écrirai jamais. Pauvre maman ! Déçue par son fils définitivement à la marge qui, un jour, crime de lèse-majesté, avait vendu un exemplaire rare de *Vingt ans après*[1] à un brocanteur filou pour s'acheter des chaussures de handball aux semelles marron. Des

---

1. Suite qu'Alexandre Dumas a donnée à ses *Trois Mousquetaires*.

chaussures spéciales, techniques, dont je me servis à deux reprises seulement tant elles avaient tendance à massacrer mes orteils. Des chaussures qui se trouvaient encore dans la demeure familiale et qui ravivaient les pires rancœurs quand ma mère les apercevait au fond du vieux placard où l'on entassait par tradition tout ce qui ne servait plus à rien. Une antichambre de la déchetterie.

« Noël approche, n'oubliez pas que La Poste a ouvert son bureau du Père Noël. Il répondra à toutes les lettres, celles des enfants mais aussi celles des plus grands. Les chiffres du chômage sont encore à la hausse. Le Premier ministre devrait les commenter dans sa conférence de presse demain. Sports, Anthony Polstra, le capitaine de l'équipe de France, n'a pas rejoint son club après la victoire face à l'Angleterre. Il entame un bras de fer avec Paris car il souhaite changer d'air. Interview exclusive en fin de journal. »

Je n'ai pas l'oreille absolue mais je reconnus assez aisément la voix de mon patient footballeur. Anthony était Anthony Polstra.

J'ai consulté sa fiche internet afin de faire plus ample connaissance.

« Joueur français né en 1985 à Saint-Étienne. Débute sa carrière dans sa ville de naissance avant de rejoindre le club de la capitale. Capitaine de l'équipe nationale, il en est le buteur attitré. »

Mince description qui m'éclairait peu quant aux relations d'Anthony avec ses coéquipiers et encore moins avec la lecture. Cette biographie succincte précédait une kyrielle de photos du joueur. Autant de clichés que de coupes de cheveux. Cheveux longs, cheveux courts, attachés, lissés, rasés à blanc, bleus, rouges… qui me rappelaient nombre d'adolescents rencontrés dans la rue. Finalement, les footballeurs avaient remplacé les écrivains. Au XIXe siècle, les poètes faisaient tous du Baudelaire, les romanciers du Flaubert, puis du Zola. Au XXe, les phrases interminables avaient envahi les textes à la manière de Proust avant d'être hachées par les points de suspension céliniens. Les adolescents se fichaient de l'apparence de leurs modèles. Rimbaud ne s'habillait pas comme Baudelaire quand il le copiait. Maupassant ne rêvait pas de la bedaine de Flaubert. Heureusement. Polstra influençait la mode en matière de cheveux et, franchement, son apport ne me semblait pas essentiel. Les centres d'intérêt avaient beaucoup changé au fil du temps.

***

Nom du patient : Anthony Polstra

Constat

Rien n'est facile quand on est riche, beau, célèbre et en bonne santé ! Ce pourrait être le début d'un sketch. Polstra n'a pas conscience de sa puissance, de son influence, de sa place dans une société en quête de héros. De nombreuses questions l'obsèdent (trop, pour un footballeur ?).

Pistes de travail

Ouvrages conseillés :

Homère, *Odyssée*.

Un roman de chevalerie : un Chrétien de Troyes, un Walter Scott ? Des poursuites à cheval, des duels, des victoires, des jeunes femmes enamourées, Polstra adorera.

Il ment quand il écrit qu'il va mieux

Ma deuxième rencontre avec Yann commença par la lecture d'un texte qu'il avait rédigé sur sa tablette.

« Je parle rarement de moi. Je sais, vous allez vous marrer, je parle... j'écris plutôt. La langue française est mal fichue. Ou bien fichue, je ne sais pas. Elle permet de dire des choses impossibles.

Il paraît que les amputés sentent encore leur membre alors même que ce membre a été brûlé dans l'hôpital le plus proche. Moi, parfois, dans ma tête, je m'entends parler. Dans mes rêves aussi, je parle. Je me mens. Voilà pourquoi la lecture de Thomas l'imposteur *me plaît bien. Nous sommes des menteurs chroniques. Vous aussi d'ailleurs. Les malades chroniques se reconnaissent entre eux. Yann l'imposteur. Alex l'imposteur.*

Je mens quand j'écris que je vais mieux.

Je mens quand je pense que ma vie redeviendra celle qu'elle a été.

Je mens quand je ne pleure pas.

Je mens quand je fais croire à ma mère que je la déteste.

Je mens quand je dis que je ne souffre pas de ne jamais voir mon père.

Mon défi avec vous est de dire la vérité, pour une fois. »

Je savais que Yann était un personnage complexe. Le sentir me jauger ainsi me laissait perplexe. Il avait raison de dire que je mentais moi aussi. Mais je ne venais pas chez lui pour parler de moi. Il souhaitait que je lise encore à voix haute le texte de Cocteau. Puisqu'il avait bien avancé dans sa lecture personnelle, nous arrivions bientôt à la fin du roman.

— Votre volonté de vous montrer tel que vous êtes me touche. Dans le cas contraire, notre collaboration n'aboutirait à rien. Je peux vous dire que vous avez une perception très fine des gens qui vous entourent.

« C'est parce que je ne me perds pas en paroles. J'ai le temps d'observer. Et le mal-être fait tant partie de moi que je le perçois assez aisément chez les autres. Le choix du roman de Cocteau est parfait pour quelqu'un dans mon genre. Un déclassé qui n'a que l'illusion pour exister. Parce que c'est ça, l'histoire de Thomas. Et c'est la mienne également. Alors je vous remercie de m'avoir donné ces pistes de réflexion. De Cocteau, je ne connaissais que La Belle et la Bête. *Un vieux prof à moitié fou nous l'avait fait étudier. Jean Marais mal grimé en fauve. Avec des cuisses de danseuse. »*

— Je savais que ce livre vous toucherait. Enfin, je le souhaitais. Je fais des paris.

« Nous en faisons tous. De mon côté, je parie en ligne. C'est une occupation comme une autre. »

— Je n'en doute pas. Vous connaissez le pari pascalien ?

« Non, pourquoi ? »

— Juste pour dire que les hommes parient depuis des lustres et dans tous les domaines.

« Pascal était un bookmaker ? Je ne savais pas. »

— En quelque sorte.

« Et il gagnait ses paris ? »

— Il n'est pas là pour nous répondre. Car lui seul le pourrait. Il pensait que croire en Dieu était une solution statistiquement plus avantageuse que de ne pas y croire. Alors, je ne sais pas s'il a gagné…

« Moi, oui ! J'ai misé sur la victoire de l'équipe de France contre l'Angleterre. Personne n'y croyait. Polstra est un joueur incroyable. Un artiste. Comme un peintre, il dessine sur le terrain en se déplaçant, en transmettant le ballon. Chaque chose à sa place. Tout a du sens. Comme dans un tableau de Pinturicchio. »

— Vous attisez ma curiosité au sujet de ce joueur.

Je ne pensais pas, un jour, parler football avec mes patients. Mais il fallait se rendre à l'évidence que ce sport faisait partie intégrante de la société et que vouloir éviter ce sujet, c'était s'empêcher de la comprendre.

À la maison, j'ai cherché une biographie d'Albert Camus. Sur la photo de couverture, il arborait l'équipement d'un sportif. Albert Camus était gardien de but de l'équipe du Racing universitaire algérois. Caution intellectuelle vite trouvée. Un homme complet. La tête et les jambes. À en faire pleurer les intellectuels effarouchés par le moindre effort physique. Je feuilletai le livre que je n'avais jamais vraiment lu. Un de ces textes achetés et rangés aussitôt. Au début d'un chapitre, une citation du philosophe-romancier-footballeur-dramaturge : « *Vraiment le peu de morale que je sais, je l'ai appris sur les terrains de football et les scènes de théâtre qui resteront mes vraies universités*[1]. »

Le football était donc à la base de la formation intellectuelle de Camus. Moi qui zappais à l'apparition d'une pelouse sur ma télé… Le sport le plus pratiqué au monde ne l'était certainement pas par hasard. Il y avait du sens en toute chose. Dans les déplacements de Polstra sur le terrain, dans ses transversales, dans les petits mots de Yann, dans ses paris, dans sa lecture de *Thomas l'imposteur.*

***

> Une balle, se dit-il. Je suis perdu si je ne fais pas semblant d'être mort.
>
> Mais, en lui, la fiction et la réalité ne faisaient qu'un. Guillaume Thomas était mort.

Le roman fini, je levai les yeux vers Yann qui n'avait pas cessé de me fixer durant ma lecture. Il faut se concentrer pour ne pas abîmer le texte, jouer les sentiments… La face figée de l'adolescent m'effrayait. Ces yeux, depuis notre première rencontre, avaient pris l'habitude de ne plus rien

---

1. Albert Camus, « Pourquoi je fais du théâtre » [1959], *Œuvres complètes*, t. IV, Gallimard, collection « Bibliothèque de la Pléiade », 2008, p. 607.

exprimer. Yann était caché. Les secondes n'en finissaient pas de s'écouler dans le silence. Ma gêne. Il ne saisissait pas sa tablette, ne bougeait pas. Je me décidai à rompre le silence.

— Avez-vous bien saisi la fin du roman ?

Toujours aucun mouvement. Peut-être avais-je mal articulé ma question. Je la répétai.

— Avez-vous bien saisi la fin du roman ?

L'adolescent restait immobile. Il était sans doute victime d'un malaise. Je me décidai à appeler sa mère.

Elle entra quasi immédiatement, comme si elle écoutait à la porte. Mes yeux la dévisagèrent puis revinrent se poser sur son fils qui n'avait pas réagi.

— Que se passe-t-il ? dit Anna.

— Votre fils se sent mal, lui répondis-je.

Yann me regardait toujours. Sa mère s'approcha sans paniquer et prit la main de son fils. La mère et le fils. Ce dernier, à la manière des robots pour enfants dont on vient de recharger la batterie, se réveilla alors instantanément et tapa quelques mots pour sa mère : *« Laisse-nous, maman, tout va bien. Je pensais à quelque chose. »*

Anna repartit donc avec le message de son fils comme si de rien n'était. J'imaginai alors que Yann allait m'expliquer ce qu'il s'était passé. Il n'en fut rien. Il reprit sa posture de glace.

— Nous allons en rester là pour aujourd'hui. Je vous propose de revenir dans deux jours.

Il tapota sur son clavier des mots qui s'affichèrent sur l'écran gigantesque accroché au mur.

« OK. À jeudi. »

Sa mère m'attendait dans le couloir. Elle me dit que, depuis son accident, il arrivait à Yann de sombrer durant quelques instants dans des états semi-comateux. Son corps était présent, pas son esprit. « Moi sans moi », comme l'écrit Mallarmé dans *Le Tombeau d'Anatole*. Mais là, je n'étais plus dans un recueil. J'avais « goûté » à cette disparition effrayante de l'être.

— Yann devient une sorte d'objet dans ces moments. Une machine qui respire. Les médecins pensent que des états de tension, de stress provoquent ces situations. De quoi parliez-vous juste avant ?

— Je lui ai simplement demandé s'il avait compris la fin du roman que nous avons lu ensemble. Voilà tout.

Il fallait faire avec. Rien d'autre. La médecine ne pouvait rien pour Yann. Elle, pourtant si puissante, si performante, ne lui proposait aucune solution. Le désespoir de ne pas avoir la chance d'avoir un mal curable. Son cerveau, de temps à autre, se mettait en pause pour se protéger. Comme un appareil en surchauffe. J'ai écouté Anna me parler de son fils, j'ai cherché des références littéraires pour l'aider, pour appuyer son discours. J'en ai trouvé plusieurs, mais j'ai préféré les taire. Anna n'était pas ma patiente.

Le retour de la douleur, étymologie

Le cerveau vit encore quelques minutes après l'arrêt du cœur. Cette constatation scientifique explique que ceux qui ont vécu une expérience de mort imminente déclarent avoir vu défiler les étapes essentielles de leur vie en accéléré. Un vieux magnétoscope qui s'emballerait. Des images abîmées, des sons inaudibles. Parce qu'il faut aller vite. Après, il n'y a plus rien. Notre cerveau le sait.

Quelles images surgiront dans le mien ? Des livres et Mélanie, sans doute. Elle est partie aussi parce que je ne l'ai jamais mise en première position. Recommençons. Quelles images surgiront dans le mien ? Mélanie et des livres, sans doute.

Mélanie et sa chaleur, toujours. Ses mots, ceux qu'elles répétaient sans cesse, « Ça va aller », même quand dans les rues de Paris des milliers de manifestants criaient leur haine. Parce que je la suivais partout. Il me plaisait de penser qu'une présence masculine, la mienne, la rassurait. En fait, je n'avais aucune certitude. Disons que je faisais partie de son kit de manifestante au même titre qu'un K-way ou une bonne paire de chaussures.

Mélanie s'engageait pour tout, pour tous. Le mariage gay, l'accueil des migrants, la régularisation des sans-papiers. Cela m'épuisait. Non que je ne soutinsse pas ces causes, au contraire, mais simplement parce que se préoccuper de tout le monde, c'était au final ne s'occuper de personne. Il y avait trop à faire. Et les manifestations finissaient souvent par une fuite parce qu'elle ne choisissait que des causes où deux camps s'opposaient. Cela pimentait notre existence et les soirées entre amis au cours desquelles nous pouvions raconter comment nous avions échappé à un groupe de skinheads en nous dissimulant dans un conteneur rempli des déchets d'un restaurant asiatique. Une expérience qui m'avait définitivement fâché avec les nems et autres porcs au caramel.

Mélanie me faisait penser à ces peintres amateurs qui, un jour, décident de changer les couleurs de leur maison. On mettra du bleu ici, du rouge là, du vert sur ce pan, du gris pas trop foncé ici pour ne pas « réduire » la pièce (mais comment pouvait-on réduire une pièce sans ajouter une cloison ?), du mauve, du taupe. Une fois les protections posées partout dans la maison, trois heures plus tard, plus personne ne se sent capable de peindre quoi que ce soit. Il y a trop à faire. Il faut savoir se donner des objectifs réalisables même s'ils semblent, a priori, minables. Dans le cas des causes trop nombreuses à défendre, j'avais demandé à Mélanie de parrainer une chevrette, dans le Larzac. Cela me semblait réalisable et courageux. Personne ne s'intéresse à ces petites bêtes. En outre, on nous promettait des photos envoyées régulièrement, histoire de voir l'évolution de notre filleule. Mélanie avait refusé sèchement. Durant de longues semaines, le fromage de chèvre fut prohibé dans le réfrigérateur. Mélanie le considérait comme une provocation. Personnellement, j'y voyais un souvenir plein de douceur.

« Ça va aller. » Donc Mélanie. Notre histoire à toute vitesse, sans la fin.

Et des livres. D'autres mots que les siens. Ceux d'Albert Cohen, tous. L'amour, l'arrogance, la pitié, la beauté. Tout Cohen ? Non, il fallait choisir. Le cerveau avait peu de temps. *Solal.* Proust aussi, mais il était si long. Comment choisir ? Plutôt un poète alors. Supervielle. Les chevauchées dans la pampa. L'océan. Le silence. Et le vide.

> Je ne vais pas toujours seul au fond de moi-même
> Et j'entraîne avec moi plus d'un être vivant[1]...

***

Je ne me suis pas rendu au rendez-vous fixé avec Yann. Je l'ai repoussé de deux jours pour que le garçon comprenne que je n'étais pas à son service. J'avais du mal à digérer notre dernière séance. Et je n'étais pas un simple lecteur,

---

1. Jules Supervielle, « Un poète », *Les Amis inconnus*, Gallimard, Paris, 1934.

je souhaitais partager, échanger au sujet des livres que je proposais aux autres. Je pouvais d'autant plus faire réfléchir Yann que j'avais été contacté par un homme d'une cinquantaine d'années pour commencer une collaboration. « Collaboration » était le terme juste, travailler avec. Une nouvelle rencontre, un peu d'argent si tout se passait bien. Je pourrais peut-être payer Mme Farber qui venait de m'adresser une lettre recommandée avec accusé de réception pour me signifier la somme que je lui devais. Mais je la connaissais cette somme, 1 800 euros. Deux mois d'arriérés. Une montagne à franchir. Ma propriétaire avait déboursé 5 euros pour cette missive agressive qu'elle aurait pu glisser sous ma porte sans frais. Plaisir d'offrir.

Anna avait assez mal pris la nouvelle de mon empêchement. « Deux jours ? Mais Yann était si heureux de vous voir. Alex, soyez sincère, vous allez revenir, n'est-ce pas ? Je sais que la dernière rencontre s'est mal passée mais je vous assure que cela ne se reproduira plus. Ne nous laissez pas. »

Elle redoutait que j'arrête ma mission. Se retrouver toute la journée seule, avec son fils, dans cette maison glaciale. Chez Kafka. Restauration froide. Ne rien goûter du monde extérieur. Ne plus en connaître les bruits, les odeurs.

« Bien sûr que non, lui avais-je répondu. Je n'abandonne jamais personne en chemin. J'ai un impératif de dernière minute, mais ne vous faites pas de souci, je reviendrai. »

Anna ne savait pas que depuis toujours j'avais pris à pleines mains le rôle de l'abandonné. Il collait à ma peau comme un costume parfaitement ajusté. Je pouvais même dire qu'il faisait partie de ma peau, qu'il l'avait pénétrée pour ne faire qu'un avec elle.

Avant Mélanie, il y avait eu Héloïse. Un nom merveilleux. Tout Rousseau en sept lettres. *La Nouvelle Héloïse*. Je l'avais aimée sans la voir. Quand le professeur à l'université l'avait nommée pour lui remettre sa copie. Héloïse. Le tréma magnifique qui vous prend dans ses bras. Le nom des héroïnes littéraires (encore un tréma) m'a toujours fasciné. Tahoser, Bérénice, Esmeralda, Cunégonde[1]... Enfin, seulement au début du conte de Voltaire.

Absente ce jour-là, ma belle Héloïse (j'étais persuadé de sa beauté) ne put descendre les marches de l'amphithéâtre et s'offrir à mes yeux. Je me fis alors passer pour un ami afin de récupérer la dissertation et la lui remettre plus tard. L'universitaire accepta et accompagna la copie d'une phrase magnifique de par son hésitation : « Je vous fais confiance, jeune... homme. » Héloïse. Tout ça pour un prénom. Quelques jours plus tard, je lui remis sa dissertation. J'avais fait circuler un petit mot dans l'amphithéâtre afin de la prévenir qu'un inconnu avait récupéré sa copie et souhaitait la lui

---

1. Héroïnes respectives du *Roman de la momie* de Théophile Gautier, du drame racinien éponyme, de *Notre-Dame de Paris* de Victor Hugo et de *Candide* de Voltaire.

rendre. J'étais posté tout en haut de la salle, histoire de voir quelle jeune fille se retournerait pour y chercher l'inconnu. C'était aussi une précaution car si l'étudiante se révélait particulièrement laide, j'aurais pu baisser les yeux et me montrer absolument étranger à toute cette histoire. J'aurais laissé la copie en sortant à pleine vitesse. Mais Héloïse était belle. Aussi belle qu'une jeune fille dans un tableau de Vermeer. Notre histoire débuta donc par la remise d'une dissertation sur *La Chartreuse de Parme.* Clélia.

Une histoire terriblement banale, au final. Nous devions finir nos jours ensemble. Et tout le reste. Il n'y eut jamais de reste. Un repas trop bon en somme, nous en avions dévoré les mets avec un appétit effréné. Un matin, nous nous aperçûmes que la table était vide, le réfrigérateur aussi. Héloïse partit faire les courses et ne revint jamais. Impossible de racheter l'amour quand il n'y en a plus. J'ai gardé la dissertation des années durant, enfouie sous des kilos de livres. Rousseau certainement. 3/20. Et en rouge la remarque du vieux professeur, si vieux qu'il donnait l'impression de mourir au bout d'une heure de cours : « Il ne suffit pas d'avoir un nom d'héroïne littéraire pour disserter agréablement et intelligemment. »

Il ne faudrait jamais laisser la littérature décider de nos vies mais c'est impossible pour qui vit en elle. Ma mère a longtemps tenté de me préserver de cet écueil, elle a échoué. Quand l'enfant se rend compte que ses parents sont faillibles, il sent le sol se dérober sous ses pieds.

Mélanie désirait tant avoir un enfant. Moi, je redoutais ce moment où notre enfant poserait cette question à sa mère. J'évitais le sujet. Nous n'étions pas pressés. *La Vie devant soi*. Tellement devant qu'elle devenait insaisissable.

La petite vieille et le footballeur au supermarché

Quand mon téléphone a sonné, je me trouvais au supermarché. Puisque le livre comestible (d'ailleurs une idée à creuser) n'avait pas encore été inventé, je devais me nourrir comme tout un chacun. Le nom d'Anthony s'inscrivit sur l'écran. Deux options s'offraient à moi :

• Ne pas répondre et recontacter Anthony plus tard. De toute manière, je n'avais pas mon planning pour fixer un rendez-vous à mon cabinet.

• Répondre et risquer d'être dérangé par une vieille femme qui me réclamerait de l'aide pour attraper les rouleaux d'essuie-tout haut perchés. Il y a toujours une mamie pour demander quelque chose.

En fait, ma décision fut vite prise. Les gens qui, dans la vie, ont vraiment le choix ne sont pas légion. Tous les autres, comme moi, font illusion, miment le doute, la réflexion alors que leur décision est prise en un instant. C'est très anti-sartrien comme concept, enfin, si j'ai bien compris Sartre.

J'ai répondu.

— Je ne vous dérange pas, Alex ?

— Absolument pas, Anthony. Je sors d'un colloque de bibliothérapie.

— Vous avez deux minutes à m'accorder ?

— Bien sûr. C'est pour fixer un rendez-vous ?

La fonction caméra automatique ne serait pas une avancée pour les millions de menteurs et de menteuses qui possèdent un téléphone portable. Le mot colloque sonnait plus sérieux que supermarché. Mes yeux cherchèrent un refuge.

— Entre autres. Bon, j'ai lu d'autres aventures d'Ulysse. Il est vraiment bluffant.

— Intrépide, fougueux, déterminé. Ça ne vous rappelle personne ? Mais nous reparlerons de tout cela quand nous nous rencontrerons, Anthony.

— Un autre personnage de livre ?

— Non, non. Dans la vraie vie.

Je me mis à l'écart, au rayon aliments pour animaux. À cette heure-ci, les maîtres promenaient leur bestiole et ne pensaient pas encore au dîner. J'avais deux minutes devant moi avant l'arrivée du vigile. Dans un supermarché, un client qui tourne en rond dans le même rayon durant plusieurs minutes est sans doute un voleur.

— Je ne sais pas trop.

— Les sportifs ! Vous, Anthony ! Les héros des épopées modernes.

— Vous y allez fort.

— Je ne pense pas. Vous jouez le même rôle que ces héros antiques.

Le vigile fit son entrée dans le rayon. Si j'avais été à sa place, j'aurais fait la même chose. Rien ne m'intéressait ici. Je déteste les animaux domestiques. Leur odeur, leurs frottements, les chiens qui donnent la patte, les chats qui rapportent des oiseaux, les rongeurs qui courent toute la nuit.

Je migrai vers un autre rayon. Petit déjeuner. Une main se posa sur mon épaule. Tout en continuant à évoquer Ulysse, je reconnus Mme Beltrant, ma voisine du dessous. Ulysse et sa force. Mme Beltrant et ses quatre-vingt-dix ans.

— Bonjour, Alex, pourriez-vous m'attraper ce pot de confiture, là-haut ?

Bien sûr, elle me dérangeait mais je me voyais mal ne pas accéder à sa demande.

— Anthony, une seconde s'il vous plaît. Un collègue me pose une question.

— Je patiente.

Le pot de confiture désiré se trouvait au dernier étage du rayon, plus près du plafond que du sol.

— Bien sûr, madame Beltrant.

Le grand âge de ma voisine avait sans doute gâté sa perception de la réalité. Pour saisir l'objet, il fallait mesurer un mètre quatre-vingt-dix.

Quatre-vingt-dix ans, un mètre quatre-vingt-dix. Tout collait. Je montai sur le premier rayonnage afin de prendre appui. J'étirai le bras au maximum et mes doigts atteignirent ce que je pensais être le Graal. Dans un effort ultime et une position plus qu'inconfortable, je me retournai et lançai à Mme Beltrant :

— C'est celui-là ?

— Non, pas la framboise, la poire, juste à côté.

Les performances des plus grands athlètes semblent faciles à accomplir lorsqu'on les regarde dans son fauteuil sur un écran télé. Déposer un ballon orange directement dans un panier à trois mètres de hauteur, servir à deux cents kilomètres par heure, dribbler cinq défenseurs avant d'inscrire un but...

J'étais l'athlète, ma voisine, la spectatrice. Je la regardai, faisant mine d'accepter son assertion. Je poursuivis mon ascension en disposant mon pied sur le deuxième rayonnage. Cette fois-ci, j'allais m'emparer de la poire. Un très bon produit, qui ne méritait pas tant d'efforts. J'espérais que Mme Beltrant me récompenserait en m'invitant à la goûter. Elle excellait dans la réalisation des crêpes. Parfois, lorsqu'elle avait mal mesuré sa préparation, que ses petits-enfants lui avaient fait faux bond, ou tout simplement parce qu'elle me trouvait agréable, elle m'en offrait quelques-unes. Il n'y avait pas à douter, je serais récompensé.

— C'est bien la poire que vous voulez ?

— Oui, c'est ça, me répondit-elle avec gourmandise. Alex, pardonnez-moi, je vous ai ennuyé.

— Il n'y a pas de mal.

— Mes petits-enfants viennent pour le goûter, je leur ai promis des crêpes.

— J'en étais sûr...

— Comment ?

— Non, rien. Je n'arrive pas à attraper le pot. Je suis désolé. Demandez au vigile.

Je descendis de mon piédestal. Il fallait savoir mesurer les risques. Je n'étais pas Ulysse.

— Je ne voudrais pas que vous vous blessiez, me dit la vieille dame.

— Ce serait dommage, je ne pourrais plus travailler. Bonne journée, madame Beltrant.

— À bientôt, mon petit. N'hésitez pas à passer à la maison.

Je n'allais pas hésiter un instant. J'irais la trouver dès que l'odeur des crêpes parviendrait jusqu'à mes narines. En attendant, une petite voix appelait depuis ma poche de pantalon. Un petit génie enfermé.

— Alex, Alex…

C'était Anthony. Aucunement un génie. Aucunement enfermé.

— Pardon, Anthony, je ne vous ai pas oublié. Reprenons. Donc, je disais que le sportif que vous êtes est la forme moderne du héros antique. Celui qui accomplit les exploits dont le peuple rêve. Vous êtes toujours là ?

— Oui, je suis là. OK pour les exploits mais en quoi cela va-t-il m'aider de savoir que je suis un Ulysse moderne ?

— Soyez patient, il faut construire les notions. Ulysse est un personnage complexe. Bien plus complexe que ce que l'on en dit traditionnellement. Vous comprendrez.

— Je le souhaite.

— Vous allez changer de club ?

— Je ne sais pas.

— Je vous ai entendu à la radio. Vous avez une voix qui passe très bien.

— Allez dire ça à mon président.

— J'imagine que vos rapports doivent être assez tendus.

— C'est le moins qu'on puisse dire.

— Vous désirez quitter la France.

— Possible.

— Je ne suis pas journaliste, vous pouvez parler.

— Je suis un peu méfiant, mettez-vous à ma place.

— Le secret professionnel, Anthony, le secret professionnel.

Pour être franc, c'était davantage de la curiosité qu'un impératif dans le cadre de notre collaboration. J'avais au bout du fil l'homme qui accaparait les médias français et il était à deux doigts de me dire où il allait jouer la saison suivante. Le scoop ! S'il ne réagissait pas à mes idées de lecture et s'il lui venait l'idée de me remercier d'une façon un peu cavalière, alors j'aurais une excuse merveilleuse pour contacter une chaîne info. Et gagner un peu d'argent de manière honteuse ne me ferait pas de mal. Je deviendrais une sorte de Rimbaud de la bibliothérapie, un mauvais garçon. J'écrirais moi aussi à un ancien professeur (mais lequel ?) que je désirais « m'encrapuler », comme dans la *Lettre du Voyant*. Malheureusement, mon désir de rébellion envers mon état d'honnête homme fut balayé par une phrase de Polstra. Je n'avais jamais su résister aux compliments.

— Je sais que vous êtes un vrai professionnel, Alex. Ma femme adore l'Espagne. Nous irons peut-être là-bas.

— Au moins vous aurez beau temps.

— Mais il ne fait pas si mauvais à Paris en ce moment.

— C'est vrai mais je crains que cela ne dure pas. En tout cas, pour en revenir à notre lecture, il faudrait que vous lisiez le passage chez Circé et chez Calypso.

— Je le ferai.

— Et peut-être un poème également. « Heureux qui comme Ulysse », de du Bellay.

— Envoyez-moi les références par texto, je n'ai pas de quoi noter.

— Voyons-nous dans deux jours.

— Vous ne direz rien à mon sujet ?

— Que dire ? Que votre femme aime l'Espagne ?

— Vous m'avez compris.

— Je peux dire que vous appréciez l'*Odyssée* ?

— Oui, sans problème. Enfin non, ne parlez pas de moi. Si la presse apprend que je suis une thérapie…

— La moitié des Français en suit une.

— Mais sans le dire.

— C'est vrai. Dans deux jours, Anthony ?

— À quelle heure ?

— 17 heures, à mon cabinet.

— Chez vous, ça ne m'arrange pas.

— Faites un effort, c'est essentiel. Il en va de la réussite de notre collaboration.

— Très bien, je viendrai.

— Et continuez votre lecture. Je voudrais parler avec vous de l'épisode des sirènes.

Polstra avait raccroché, je ne savais pas s'il avait entendu la fin de ma phrase.

À la caisse, ma voisine me précédait. Un pot de confiture. Un litre de lait. Une salade individuelle. Deux tranches de jambon. Un steak haché. La solitude des êtres humains les poursuivait jusqu'au supermarché. À regarder le tapis défiler sous nos yeux, on comprenait qui poussait le Caddie. Les familles et leurs yaourts en quantité. Les couches. Des produits colorés. Aux gens seuls, on réservait les produits plus ternes. Il n'y avait personne d'autre à séduire dans la maison.

J'ai posé mes provisions : six litres de lait, des gâteaux, des boissons trop sucrées, des poissons panés, des lots de tout et n'importe quoi. De la quantité. Le caissier me fit un sourire complice, l'air de dire : « Ah, quand on a une famille, les courses, c'est quelque chose. » Il ne savait pas que je vivais seul. Enfin, plus si seul que ça, avec tous ces produits à déballer et à ranger.

Pendant que je déposais toutes ces provisions dans mon Caddie, je repensai à Polstra : il avait réussi à commencer une séance de bibliothérapie en plein supermarché. Quand on me posait des questions sur les livres, j'avais un mal fou à ne pas y répondre.

Un peu de hauteur

J'ai rapporté deux choses de mon séjour au Canada : un diplôme de bibliothérapie presque invisible en France, et un amour particulier pour la lecture en altitude. Lire sur les toits. Le genre d'activité qui vous met à l'écart des imbéciles. Jeff, un Québécois pure souche, dérangé (sans que cela n'ait de rapport avec son origine américaine), dévoreur de poutine, le plat le plus abject de l'histoire de l'humanité, m'avait initié. Lui faisait des photos de la ville. S'élever pour fixer les vertiges, encore une résurgence rimbaldienne. Il était mignon comme Rimbaud mais n'écrivait rien. Un Rimbaud deuxième génération, celui qui vendait des armes en Abyssinie. Un Rimbaud plus épais aussi. Jeff m'aimait bien et j'aimais bien ses photos. On y voyait des autoroutes qui ressemblaient aux bonbons ficelle multicolores que je mangeais enfant. Le risque de caries en moins. Un juste retour des choses puisque ces bonbons étaient confectionnés à partir de dérivés du pétrole. Bref, Jeff m'apprit à me faufiler sur les toits les plus hauts de la ville. J'apportai ma touche personnelle à l'exercice en trimballant des livres dans mes poches. Nous nous retrouvions tous les deux, sur les toits, seuls au monde. L'amitié en altitude. Montaigne et La Boétie. L'amitié méfiante aussi, en permanence. Jeff m'inquiétait parfois lorsqu'il se lançait dans de longs soliloques pseudo-poétiques. Il claironnait aux oiseaux, aux nuages, aux cheminées ses idées les plus farfelues avec un mot d'ordre constant : l'absence de signification. Jeff était une sorte de cadavre exquis sur jambes qui allait crescendo dans l'autoexcitation verbale. Il finissait en hurlant. Je redoutais alors qu'il me jetât par-dessus bord, histoire de clore en beauté son discours. Point final surréaliste. Je ne manquais pas de m'éloigner de mon ami quand je sentais l'issue proche.

Quand je fus capable de me débrouiller sans lui pour accéder aux sommets, je passai des heures à lire sur les toits. Personne ne me dérangeait. Sauf parfois un oiseau, le même peut-être qui avait subi Jeff, surpris de rencontrer un être humain. Mais chacun respectait le désir de tranquillité de l'autre. Je ne criais pas. J'ai fait prendre de la hauteur à des livres qui n'en valaient pas la peine. Des livres que je laissais aux oiseaux.

De retour à Paris, j'ai gardé l'habitude de monter sur les toits. Mais tout était plus difficile – spécificité française, sans doute – et accéder aux toits parisiens paraissait plus compliqué que faire un gymkhana devant l'entrée de l'Élysée. C'était bon de tromper la vigilance des gardiens ou des habitants et de mettre mes pieds au-dessus de leurs têtes.

Lire pendant qu'ils déjeunaient, faisaient l'amour, se disputaient. Je ne les dérangeais jamais ni ne cherchais à les épier. Les regarder ne m'intéressait pas. Les savoir présents me suffisait. Ce qui semblait incroyable à ceux qui me repéraient dans les immeubles. Comme si se mettre en hauteur signifiait forcément être un voyeur. Il y a toujours une idée malsaine à être différent. L'originalité est parfois perçue comme un vice.

Assis devant un océan de grisaille, une géométrie de zinc, je laissais le soleil changer la couleur de mes pages en une danse langoureuse.

La danse du soleil sur les toits de l'Opéra, un souvenir inoubliable. La danse du soleil sur mon exemplaire des *Souffrances du jeune Werther*. Lotte. Pas le poisson, l'héroïne.

> Lorsqu'en parlant elle pose sa main sur la mienne, que dans la conversation elle se rapproche de moi, que son haleine divine peut atteindre mes lèvres : je crois sombrer, comme si j'étais frappé de la foudre[1].

Ensuite la course. Le service de sécurité. « Il veut tuer les danseuses. » Je ne suis ni « Il » ni un terroriste. Je suis bibliothérapeute. Je ne tue personne. Les danseuses m'indiffèrent, sauf dans les toiles de Degas, et encore. Hors de prix. Vieillottes. Je

---

1. Johann Wolfgang Goethe, *Les Souffrances du jeune Werther*, traduit de l'allemand par Pierre Leroux, Le Livre de Poche, 1999, p. 82.

préfère le bâtiment somptueux aux corps torturés. S'expliquer au poste de police. Montrer mon arme. Un livre de 220 pages. Non, je ne suis pas fou. Oui, c'est bien moi sur ma pièce d'identité. Je la place à côté de mon visage. Regardez ! C'est moi ! Je sais, j'ai beaucoup changé. Les policiers ne sont pas tous physionomistes. Des heures de vérifications. Ils prennent ma photo et la disposent contre ma tempe, on appelle un spécialiste de l'identification. On me regarde en souriant. Bientôt, lumière sera faite, je murmure dans ma barbe naissante : *« Je suis belle, ô mortels ! comme un rêve de pierre*[1]. »

— Comment ?

— Rien.

— Si, j'ai entendu, vous avez dit quelque chose.

C'est le spécialiste qui parle. Celui qui devait d'un simple coup d'œil comprendre que je n'étais pas le type sur la photo. Ou le contraire. Un spécialiste qui ne devait pas reconnaître ses enfants déguisés au carnaval. Comment ne pas voir que je suis moi ?

— Je citais Baudelaire. Un poème. « La Beauté ». C'est puni par la loi ?

— Réciter ! Vous n'êtes pas à l'école ici. Mais répétez voir, je veux entendre.

— *« Je suis belle, ô mortels ! comme un rêve de pierre. »*

---

1. Charles Baudelaire, « La Beauté », *Spleen et Idéal*, *Les Fleurs du mal*, Le Livre de Poche, 1999, p. 66.

— Et ça veut dire quoi ?

— Je ne sais pas trop.

— Alors comme ça on dit des choses que l'on ne comprend pas. C'est malin. Vous vous moquez de nous ?

— Aucunement. Je me détendais simplement pendant que vous me dévisagiez.

— Vous connaissez la suite ?

— Ce qu'il va m'arriver ?

— Non, la suite du poème. Vous ne comprenez rien.

— *« Et mon sein, où chacun s'est meurtri tour à tour, Est fait pour »…*

— Allez, Baudelaire, ça suffit, on t'a assez entendu.

Des heures assis dans une cellule de dégrisement, les autres cages étant déjà prises. Je ne bois que rarement de l'alcool et je n'ai pas mal à la tête. Le comble. Vérifications faites, on décide de me rendre ma liberté. Enfin, manière de parler parce qu'on ne me rend rien en fait, on me pousse vers la sortie. Deux heures avant, on me refusait de faire un pas seul. Deux policiers en mal d'aventures m'escortaient. Avec moi, ils pouvaient se faire plaisir et jouer au plus fort.

— Je peux récupérer mon livre ?

— Ah oui, votre livre. Je ne sais pas où on l'a mis. Revenez le chercher plus tard, j'ai des auditions à faire. Je suis débordé.

— Je tiens à ce livre.

— Calmez-vous. Vous n'allez pas faire une histoire pour un bouquin. En sortant, arrêtez-vous à la Fnac. Y'en a des bouquins là-bas.

À bien y réfléchir son argument ressemblait à celui que j'avais opposé à maman après avoir vendu son exemplaire rare de *Vingt ans après* pour m'acheter des chaussures de hand. La vie se charge toujours de nous punir.

Un homme de bonne volonté

On frappe.

J'ouvre la porte. Départ pour l'inconnu. Je ne laisse personne indifférent. Un moment d'hésitation. L'homme qui se tient face à moi ne réagit pas. À la manière d'un ordinateur qui bogue, je sens que des choses s'agitent à l'intérieur. Bruit du radiateur. Sur son visage, des gouttes de sueur. Il faut me mériter ou être absolument désespéré. Quatre étages. Il flotte dans un costume trop large. Gris. Un costume de commercial en quête de ventes. Une allure à conduire torse nu durant les chaudes journées d'été dans la capitale. D'ordinaire, je réponds « Je ne suis pas intéressé » mais pas cette fois. Je suis intéressé, s'il se décide à démarrer.

— Bonjour, je suis Robert Chapman. Excusez mon essoufflement mais il fait si chaud dehors. Je ne suis plus habitué à faire de l'exercice.

— Bonjour, monsieur Chapman. Entrez, je vous en prie.

Il sortit un mouchoir en tissu de sa poche et s'essuya le front. Un nid à microbes que ces mouchoirs dont je pensais la disparition actée depuis une dizaine d'années. Ils survivaient pourtant discrètement dans quelques poches. La société secrète des mouchoirs en tissu.

Robert Chapman. Un nom qui me fit tout à coup penser à un tueur en série du XIXe siècle. George Chapman. Un type qui avait la mauvaise habitude d'empoisonner ses compagnes. Elles se plaignaient de maux d'estomac constants. Personne n'en faisait vraiment cas. Tout le monde a mal à l'estomac. Sauf George. Un type pendu.

Enfin, « mon » Chapman ne semblait pas agressif pour un sou. Juste un peu fatigué.

Donc, « mon » Chapman m'avait contacté parce que l'un de ses amis avait déjà tenté l'expérience de la bibliothérapie. Avec succès. Il venait à ma rencontre pour évoquer le stress qui rongeait son existence depuis qu'il consacrait la plupart de son temps à travailler. Burn-out, en anglais. Épuisement professionnel, en français.

Je l'installai confortablement dans le merveilleux fauteuil Ikea que Mélanie m'avait laissé. Elle y tenait beaucoup, pourtant. Peut-être reviendrait-elle le chercher un jour. Peut-être reviendrait-elle me chercher un jour. En attendant, elle n'avait toujours pas répondu à mon message.

Je commençai par demander à Chapman de me raconter une journée type de sa semaine.

— Je dois être levé à 5 h 30, histoire de consulter mes mails, mes dossiers avant le réveil des enfants. Départ à 7 h 30 pour le bureau. Je commence à 8 h 30 mais il vaut mieux arriver en premier. Mon supérieur n'aime pas les retardataires. Il valorise ceux qui viennent tôt. Travail jusqu'à midi. Pause déjeuner : 20 minutes. Retour au bureau jusqu'à 19 h 30. Si mes dossiers sont bien avancés, je rentre. Sinon, il m'arrive de rester jusque tard dans la nuit. Vous n'allez pas me croire mais il m'est arrivé de dormir dans ma voiture. Rentrer à 4 heures du matin pour se lever une heure et demie plus tard n'a aucun intérêt. J'ai un monospace. On peut s'allonger aux trois quarts. Ma femme pense que je la trompe. Ses collègues aussi. Difficile de ne pas imaginer l'adultère dans pareille situation. Mais je ne la trompe pas. Comment le pourrais-je d'ailleurs ? À quel moment ? Et je tiens à elle, même si je passe le plus clair de mon existence au bureau. Quand je rentre à la maison, il fait nuit. Je me demande si j'ai déjà vu mon salon à la lumière du jour. Je n'ai pas la force de parler. Je regarde sans cesse mon smartphone. Ma bouteille d'oxygène. Ou plutôt l'oreiller qui m'étouffe. Je dors très peu. Toujours un œil sur le téléphone. Le point rouge qui annonce les messages.

— Vous avez bien fait de venir me voir, monsieur Chapman, la bibliothérapie offre de bons résultats dans des cas comme le vôtre. Nous allons vous aider.

Quand je dis « nous » alors que je suis seul pour tenter de soulager ce malheureux, c'est pour me donner un peu de consistance, un peu d'importance. Un « nous » est toujours rassurant. Comme un deuxième tee-shirt. En le prononçant, j'avais l'impression de travailler avec une équipe de quinze collaborateurs. Et d'obtenir des résultats en toutes circonstances. Ce qui était partiellement vrai. Rien n'est sûr dans mon domaine. Tout ce qui touche au mental est toujours incertain. Mais cela, Chapman n'était pas censé l'entendre. Il lui faudrait donner du temps, ce qui constituerait sa plus grande difficulté. La lecture est chronophage et Chapman avait dévoré la moitié du sablier. Je ne lui parlai pas immédiatement de l'ouvrage que je souhaitais lui faire lire. Un pavé. Au fil des années, j'étais devenu un menteur assez doué. On trouve la fierté où l'on peut. Finalement, j'avais de nombreux points communs avec un commercial en mal de ventes. Il me manquait simplement le costume.

— Je vous fais confiance. Je ne souhaitais pas entrer dans un processus trop médicalisé. J'ai toujours eu peur des docteurs. Mon père était médecin. Je peux vous dire qu'il me « soignait » de manière très originale. Des coups sur ordonnance. Un médecin de famille, comme on dit, mais de la famille des autres. Pas de la sienne. J'avais moins d'importance à ses yeux que les vieillards dont il s'occupait. Il était médecin, pas père. D'ailleurs, il portait constamment une blouse blanche, même quand il n'était pas en « service ». Voilà pourquoi je me suis tourné vers la bibliothérapie. Je savais que je ne verrais jamais une blouse.

— Ah ça, aucun risque avec moi. Pas de blouse blanche ! Et je ne propose pas de médicaments chimiques. Simplement des mots. Une suite de mots qui, je l'espère, résonnera en vous. Je voudrais vous faire lire un texte aujourd'hui mais avant, permettez-moi de vous poser une question : quel est votre rapport à la lecture ?

— J'ai été un grand lecteur. Je ne le suis plus. Comme je vous l'expliquais tout à l'heure, je n'ai que peu de temps. Mais je veux changer ! Je souhaite vraiment me replonger dans la lecture.

— À quelle époque avez-vous été un grand lecteur ?

— De quinze à vingt-cinq ans précisément. Quinze ans parce que j'avais cet âge quand ma mère est morte. J'ai lu *L'Étranger*. *« Aujourd'hui, maman est morte*[1]*. »* Une période double pour moi. La perte de la personne qui comptait le plus à mes yeux et la découverte de la littérature. Les livres m'ont aidé. Je lisais tout ce qui me passait sous la main. C'était une façon de m'extraire du monde, de couper avec les idées noires. Et à vingt-cinq ans, j'ai trouvé un travail sérieux. Dans le commerce. Les montres de luxe. À partir de ce moment, j'ai laissé tomber les livres. On lit peu dans l'horlogerie de luxe. Les clients, des gens aisés, ne lisent pas non plus. Je n'avais plus grand intérêt à parler littérature. Vous avez remarqué que les gens riches ne lisent presque jamais ?

1. Albert Camus, *L'Étranger*, Gallimard, collection « Folioplus », 2005, p. 9.

— Je n'en connais que très peu. Je ne saurais vous répondre. Comment expliquez-vous ce constat ?

— Les livres ne rapportent rien ! Regardez un peu la misère des écrivains. Depuis des siècles ils se plaignent de leur condition misérable. Je propose des montres qui valent trente ou quarante mille euros. Quelqu'un paierait-il autant pour un livre ? Je ne le pense pas.

— Des collectionneurs peut-être. Enfin, laissons de côté la détresse pécuniaire des artistes. Voici quelques feuillets que je vous ai préparés. Vous les lirez au calme et nous verrons ensuite ce que nous pouvons en tirer.

Je lui tendis alors les feuilles A4 imprimées en espérant qu'elles l'intéresseraient. L'encre est le liquide le plus cher du monde. Le vrai or noir. L'or de toutes les couleurs. Acheté avec ce qu'il me restait d'argent pour finir ce mois de novembre interminable.

— Pardonnez-moi mais j'ai les mains un peu humides. La chaleur, le stress. Je ne voudrais pas endommager ces feuilles. Je vais les lire dans le métro. Quand nous revoyons-nous ?

— Lisez tranquillement et revenez d'ici une semaine. Nous échangerons au sujet de ce texte.

— Une semaine ? J'aurai le temps de faire mes devoirs, parfait. Je viendrai vers 20 heures.

— 20 heures ?

— Impossible avant. J'ai pu me libérer exceptionnellement aujourd'hui. Mon supérieur pense que je suis chez le chirurgien. J'ai acheté un faux justificatif sur un site spécialisé.

— Je ne savais pas que des sites de ce type existaient.

— 20 heures alors ?

— 20 heures. Bonne lecture.

J'imaginais déjà la mine de Mme Farber, cachée derrière sa porte. Recevoir des patients aussi tard, elle penserait peut-être que j'avais intégré un groupuscule séparatiste quelconque, une société secrète. Ou que je vendais des substances illicites, moi qui avais passé une nuit aux urgences après avoir fumé une Marlboro light adolescent. Marceline allait enquêter sur le sujet. Je pourrais peut-être demander un justificatif sur un site internet spécialisé.

« M. Alex T. a reçu à 20 heures la visite de M. Robert Chapman dans le but de se procurer un peu d'argent afin de régler ses impayés auprès de son bailleur. »

Avec le cachet « Certifié conforme » bien évidemment.

— On ne finira pas trop tard ?

— Je ne sais pas, c'est vous qui souhaitez un rendez-vous nocturne.

— C'est qu'il y a un match de football que je ne manquerais sous aucun prétexte. À 21 heures.

— Nous ferons vite.

— Peut-être le dernier match de Polstra en France.

— Encore Polstra…

— Vous le connaissez ?

— De nom seulement.

Nous connaissons tous des gens « de nom ». Jeff, le Québécois haut perché, à qui j'avais un jour demandé s'il connaissait Hugo (le verbe connaître signifiant ici « lire ») m'avait répondu : « Oui, de nom. » Réponse étrange, qui me terrifia. Le verbe connaître est dangereux. Et je repensai à son acception biblique, encore moins appropriée dans pareille situation.

« Adam connut encore sa femme ; elle enfanta un fils[1]*… »*

Si j'avais dit à Chapman que Polstra figurait au rang de mes patients, il ne m'aurait plus lâché. Il m'aurait proposé de dîner, à moitié avachi sur mon canapé, espérant une visite surprise du footballeur. Les adultes redeviennent des petits garçons quand il s'agit de foot. Un petit garçon avec un nom d'assassin.

★★★

Sur le palier, Chapman faillit trébucher à cause de ses lacets défaits. Il n'avait jamais su les nouer correctement. Quatre, cinq fois par jour, il lui fallait se pencher pour reproduire le geste imparfait, un geste de substitution qu'un ami, désolé par son manque de dextérité, lui avait appris quand il était adolescent. « Tu fais deux boucles, tu les croises et le tour est joué. » Le mauvais tour. Chapman avait remarqué assez rapidement que cette technique,

1. Genèse 4, 25.

même si elle semblait une copie conforme de la formule académique, n'était en fait qu'un ersatz. La margarine n'aura jamais la saveur du beurre. Alors qu'il s'affairait, la lumière s'éteignit. À tâtons, il chercha l'interrupteur. Il finit par trouver un bouton sur lequel il appuya. C'était la sonnerie. Alex ouvrit la porte et la lumière de son appartement envahit le palier. Les yeux de Chapman se crispèrent.

— Vous avez oublié quelque chose ?

— Non, je suis désolé, je cherchais l'interrupteur.

— Ce n'est pas grave. Il est très mal placé, vous n'êtes pas le premier à rencontrer ce genre de difficulté.

Alex sortit et alluma. Il passa à côté de Chapman, toujours au sol. Il était rare de croiser une personne dans cette posture.

— À la semaine prochaine.

Chapman termina sa besogne et, en se relevant, fit tomber une enveloppe qu'il gardait dans sa poche de veste. Par chance, il s'en rendit compte. Il serra fort l'enveloppe et sourit de contentement. Elle comptait à ses yeux.

Sur la porte étaient inscrits deux noms :

Mélanie Attal / Alex Dru

À son arrivée, il n'avait pas perçu que ces mots dissonaient dans sa petite tête. Comme un disque rayé.

Étrange de s'appeler Alex. Oh, il n'y avait pas de mal à ça, mais ce prénom trop court était comme une amputation. Pour Chapman, il manquait quelque chose.

La lumière s'éteignit à nouveau. Chapman, accaparé par ses réflexions onomastiques dignes du plus mauvais Proust, n'avait pas eu la présence d'esprit de penser que la minuterie fonctionnerait encore. Cette fois, il n'eut aucun mal à appuyer sur l'interrupteur. Son cerveau avait mémorisé son emplacement. Il relut plusieurs fois « Mélanie Attal », ces deux mots allaient bien ensemble, pensa-t-il. Il ne manquait rien.

Si les boîtes à lettres privées se sont généralisées au XIXe siècle, certains n'ont, semble-t-il, pas reçu l'information. Je détestais cette manie de glisser le courrier sous la porte. Quelqu'un s'était approché si près de mon appartement qu'il avait presque pu y insérer une lettre. Tout était dans « presque ». À moitié chez moi, à moitié sur le palier. À moitié intacte, à moitié déchirée. Une lettre pour Mélanie dont le nom apparaissait encore sur la porte. L'enlever, c'était anéantir tout espoir de retour. Le destinateur ne savait donc pas non plus qu'elle m'avait quittée. Qui était-il d'ailleurs ? Aucun tampon. Le mystère. Le suspense.

Je mis la lettre de côté. Une occasion de la revoir. Bien sûr, elle me penserait responsable de la dégradation du courrier. Peu importait. Un grief de plus. Heureusement, le bagne de Toulon n'était plus en activité. Je n'avais jamais été jaloux. Grâce à Dieu. Grâce à Proust. Courir Paris toute la nuit à la recherche de Mélanie, quelle misère ! La questionner des heures durant pour connaître son emploi du temps, très peu pour moi. Et même si elle ne me croyait pas quand je formulais cette affirmation, je ne savais vraiment pas ce que représentait ce sentiment. Je ne ressentais donc nulle envie de décacheter la lettre. Un prétendant à l'intérieur ? Un courrier injurieux ? Tout était possible.

***

Nom du patient : Robert Chapman

Constat

Épuisé. Lire sera sa rééducation. Apprendre à reprendre son temps. Ne pas s'arrêter sur ses remarques étonnantes. Il y a forcément une forme de sensibilité en lui. Volontaire dans cette démarche qu'il sait pourtant douloureuse.

Pistes de travail

Ouvrages conseillés :
Ivan Gontcharov, *Oblomov* : une évidence !
Milan Kundera, *La Lenteur*, peut-être. À cheval avec Vivant Denon.
Michel de Montaigne, *Essais*. Prendre son temps.

***

« Attentifs ensemble. Pour la sécurité de tous, nous vous invitons à surveiller vos bagages et à les garder près de vous. N'hésitez pas à nous signaler tout paquet qui vous paraîtrait abandonné. »

Station Porte Maillot

Chapman s'était rendu compte le matin même que le lave-linge familial ne fonctionnait plus. Il s'était rendu dans le cellier pour récupérer ses pantalons fraîchement lavés. Ils étaient secs car la machine n'avait pas fonctionné. La chaleur extérieure peut-être. Inattentif à cette heure matinale, il avait marché sur un des pièges à souris parsemés à travers la pièce. Clac ! Satané rongeur qu'il n'arrivait pas à débusquer malgré un arsenal guerrier. Des semaines de lutte face à un ennemi invisible. Des fils rongés, des déjections retrouvées çà et là. Les pièges, désespérément vides, laissaient penser à Chapman qu'une mutation de l'espèce s'était opérée. Les souris savaient qu'il ne fallait pas approcher de ces appâts.

Tout était détraqué. Rien ne durait plus, sauf les souris. Les saisons s'enchevêtraient les unes aux autres. On n'arrivait plus à différencier les hommes des femmes. La rame s'arrêta sur le quai. Chapman remarqua une publicité gigantesque qui vantait les mérites d'un appareil révolutionnaire, « Un seul verre d'eau suffit ». Quelle invention ! Il faudrait s'y intéresser de près. Un seul verre d'eau pour nettoyer cinq kilos de linge ! La chance lui souriait. Les murs l'aidaient dans sa quête. Un seul verre d'eau ! Dérisoire. Un être humain en consommait bien plus en une journée. La science progressait chaque jour. Des ingénieurs travaillaient à réduire la consommation d'eau, quelle mission salutaire.

Chapman, satisfait de sa trouvaille, nota sur son smartphone la marque du lave-linge.

Station Argentine

Unicef

« 780 millions de personnes n'ont pas accès à l'eau potable. »

Trop occupé par la connexion défaillante de son mobile, Chapman ne vit pas l'affiche.

Station Charles de Gaulle-Étoile

Le métro rassemble la plupart des vices humains. Un condensé de misère, comme une essence de parfum. Eau de vice. Il y a ceux qui cherchent à attirer le regard de leur voisine dans l'espoir d'engager une conversation insignifiante. D'autres sont là pour entrer en contact direct. Un peu de chaleur humaine imposée. Du frottement naissent l'énergie et la vie. Les voleurs à la sauvette. Les illuminés qui s'estiment victimes d'un complot mondial.

Station Franklin D. Roosevelt

Les lecteurs sont dans leur bulle. Ceux qui ne possèdent pas de livres tentent par tous les moyens de voir le titre, qui est forcément écrit trop petit sur la couverture. Il faut plisser les yeux discrètement pour ne pas attirer l'attention. Le lecteur peut s'agacer et ranger son ouvrage ou en changer l'inclinaison afin de compliquer la tâche aux curieux.

Mais il peut lui aussi être vicieux et user de la littérature pour attraper les cœurs.

Station Concorde

Chapman ouvrit son attaché-case et commença la lecture des feuillets qu'Alex lui avait laissés. La jeune femme assise à ses côtés dirigea aussitôt ses yeux sur le texte :

> Dans la rue des Pois, dans un des grands immeubles dont la population aurait suffi à occuper un chef-lieu de district, un matin, dans son appartement, Ilia Ilitch Oblomov était étendu sur son lit.
>
> C'était un homme de trente-deux, trente-trois ans, de taille moyenne, à la physionomie agréable, aux yeux gris foncé ; cependant, toute idée particulière, toute concentration étaient absentes des traits de son visage. Comme un oiseau en liberté, la pensée parcourait ce visage, voltigeait dans les yeux, se posait sur les lèvres entrouvertes, se dissimulait dans les plis du front pour disparaître tout à fait : alors toute la face d'Ilia Ilitch s'irradiait d'une paisible lueur d'insouciance[1].

Chapman fut d'abord étonné par la rencontre d'Ilia Ilitch mais ils devinrent rapidement des familiers. L'art de l'incipit par Gontcharov. L'art de faire connaissance et de saisir le lecteur. L'obliger à rester, écrire entre les lignes : « Tu dois lire ce

---

1. Ivan Gontcharov, *Oblomov*, traduit du russe par Luba Jurgenson, Le Livre de Poche, 1999, p. 15.

livre et ne pas le reposer. » Message subliminal de l'auteur. L'obsolescence déprogrammée. Un texte écrit en 1859 accapare l'attention d'un Parisien épuisé du XXIe siècle. Une amitié fragile.

> Par moments son regard s'obscurcissait : était-ce de la fatigue ou de l'ennui ? Mais ni la fatigue, ni l'ennui ne pouvaient chasser de ce visage, ne fût-ce qu'un instant, l'expression de douceur qui dominait non seulement le visage mais aussi l'âme[1].

Chapman, englué dans le roman, manqua sa station. « Sa » station, comme si elle lui appartenait. Il ne faisait qu'y passer. Fantôme parmi les fantômes. D'ailleurs, à qui ces stations appartenaient-elles ? Qui en aurait voulu ? Toute cette saleté, tous ces vices. Sa voisine se leva d'un bond et lui écrasa le pied en s'échappant de son siège. Chapman ne broncha pas, il n'en eut pas le temps. La pilleuse de livre était déjà sur le quai. La pensée que sa chaussure hors de prix resterait peut-être marquée jusqu'à la fin par la pression qu'elle venait de subir le jeta dans la torpeur. Il l'ôta pour tenter de retendre le cuir avec sa main et déposa les feuillets sur le siège laissé vacant. Aussitôt, un homme s'installa à ses côtés et couvrit les feuilles de son postérieur sans même s'en apercevoir. Chapman, chaussure à la main, ses feuilles écrasées, ne savait que faire. Son voisin ne lui

1. *Ibid.*

semblait pas particulièrement sympathique, il n'osa pas le déranger et le laissa dodeliner de la tête tout en écoutant sa musique. De toute façon, pensa-t-il, je ne pourrais pas lui expliquer quoi que ce soit. Il est coupé du monde avec ce casque sur la tête. C'est dommage, je l'aimais bien ce texte. Je demanderai à Alex de me le retirer. Après tout, ce n'est qu'un texte. J'aurais sollicité mon voisin s'il s'était agi de ma chaussure.

> Chez lui, Oblomov ne portait jamais ni cravate ni gilet ; il aimait être à l'aise, se sentir libre. Ses pantoufles étaient longues, moelleuses et larges. Quand, assis sur son lit, il laissait pendre ses jambes, immanquablement, sans qu'il eût même à regarder, ses pieds s'y glissaient tout seuls[1]...

Chapman réfléchissait à sa lecture et à son peu de valeur en comparaison avec sa chaussure quand il entendit l'annonce de l'arrêt suivant. « Gare de Lyon ». C'était la première fois de sa vie d'usager du métro parisien qu'il manquait sa station. « Bastille » ! Il lui faudrait donc revenir sur ses pas. Il bougea machinalement le pied et sentit la fraîcheur du sol qui contrastait avec la moiteur du lieu. La chaleur extérieure finissait toujours par envahir le métro. Il n'avait pas remis sa chaussure. Bien sûr, tout autour, personne ne s'étonnait de voir un homme une chaussure à la main. Il l'enfila et se

---

1. *Ibid.*, p. 17.

dégagea de l'espace exigu où il était assis. Il ne manqua pas de dire « excusez-moi » à son voisin qui ne remarqua même pas qu'on l'avait légèrement bousculé. La musique accaparait tous ses sens. Il écrasait un chef-d'œuvre de la littérature russe dans la plus grande indifférence.

À l'air libre, dans la douceur inhabituelle, sur le chemin du retour, Chapman se dit qu'il devait raconter sa journée à sa femme. Il avait vécu des choses qui sortaient de l'ordinaire. Il ne cessait d'éponger son front humide. Après trente années de mariage, rencontrer un bibliothérapeute ou manquer sa station de métro étaient des événements qui sortaient de l'ordinaire. Son épouse échapperait donc aux sempiternelles histoires de bureau et de collègues dont elle ne connaissait que le nom. Elle n'aurait pas à faire semblant de l'écouter en préparant mécaniquement le repas du soir. Elle tendrait l'oreille quelques instants, peut-être.

Dérouler la pâte.

« Tu te souviens que j'avais un rendez-vous, aujourd'hui. Mon bibliothérapeute est très sympathique. Un peu bizarre mais bon, un type qui bosse avec des bouquins ne peut être que bizarre. »

Disposer les lardons et les dés de talon de jambon.

« Nous avons bien parlé. Je pense bien m'entendre avec lui. Ça m'étonne parce qu'il n'est pas vraiment masculin, pas mâle pour un sou et moi j'aime les vrais hommes. »

Verser l'appareil. Recouvrir de fromage râpé.

« Il m'a donné des "devoirs". Je dois lire le début d'un roman russe. Obramow. Enfin, un truc dans le genre. Je te ferai lire. D'accord ? »

Enfournez 40 minutes à 180 degrés.

« Chérie, tu as entendu ?

— Comment ?

— Ça te dirait de lire avec moi le livre dont il m'a parlé ?

— Quel livre ?

— Celui du bibliothérapeute bizarre.

— Ah oui, bien sûr. Je lirai avec toi. Mais je m'endors vite le soir alors j'espère qu'il n'est pas trop long, ce livre.

— Je n'en sais trop rien. Je n'ai eu que les vingt premières pages. Et quelqu'un dans le métro s'est assis dessus. Faut que je te raconte ça. Il fait très chaud chez nous avec le four allumé. »

La salade de légumes grillés

Passer les gousses d'ail au presse-ail, ou les écraser en purée.

Les ajouter à l'huile d'olive dans un bol...

« Sinon, tu as vu que le lave-linge ne fonctionnait plus ?

— Oui, je comptais t'en parler.

— J'ai trouvé un appareil génial, qui consomme très peu d'eau. Au prix où on nous la vend, je crois qu'on devrait vraiment investir dans une machine de dernière génération.

— Mon chéri, je suis tout à fait d'accord avec toi. Nous irons faire les magasins ce week-end.

— Regarde, dit-il en lui tendant son téléphone, c'est cet appareil. »

Et sa femme se plongea dans le descriptif technique avec le plus grand sérieux. Pendant ce temps, la quiche cuisait. La salade était au frais.

La difficulté d'être… un enfant

Après le départ de Chapman, je décidai de reprendre contact avec Yann. Je devais le revoir pour évaluer la situation. Mais cette fois-ci, je lui demandai un effort terrible : le rencontrer dans un lieu neutre. C'était un bon moyen de prendre de la distance avec sa mère.

Je lui donnai rendez-vous à 15 heures, le lendemain, dans la brasserie où je prenais mon café. Il ne répondit pas à mon message. Yann sortait peu, voire pas du tout, alors, forcément, recevoir une demande pareille avait dû le clouer dans son fauteuil. Dans son esprit, il devait rêver et redouter la moindre sortie.

Mon père me répétait sans cesse, quand j'étais un adolescent accaparé par la lecture, que l'être humain n'avait rien à voir avec le hamster, qu'il ne pouvait pas, ne devait pas, se contenter d'un espace confiné. Il lui fallait sortir même si sa roue était fort attrayante et la nourriture douce et abondante. J'étais le hamster. Mon père, le félin qui rentrait tard. Puis plus du tout. L'animal téléphonait parfois, la chasse achevée, pour prendre des nouvelles de sa

« presque-fille » (je l'avais entendu m'appeler ainsi lors d'une dispute avec ma mère). Expression dont la polysémie m'avait conduit droit en enfer.

Me nommait-il ainsi parce que je n'étais pas son enfant naturel ? Dans ce cas, en toute honnêteté, je n'aurais pas véritablement été déçu. Et je n'étais pas du genre à arpenter (encore Kafka dans la cervelle) la terre entière à la recherche du mâle qui aurait déposé ses gènes dans le ventre de ma mère. Je me fichais de mes origines. Ou alors, cette appellation faisait-elle référence à mon physique entre-deux ? Un garçon efféminé. L'horreur pour un père viril.

Le soir de la dispute, et de la naissance de l'expression « presque-fille », je n'osai pas demander davantage d'explications à mon père. Il criait très fort. Ma mère aussi. La commedia dell'arte en plein Paris. De grands gestes, des sorties de pièce avortées, des menaces, bref tout ce qu'il fallait pour occuper une triste soirée d'hiver. Je regardais le spectacle assis sur l'escalier. Les acteurs étaient faibles mais je préférais quand même le jeu de la femme, sans aucune retenue. Aucune décence. Une actrice totale. Ma mère aurait pu postuler pour un rôle dans une mauvaise série française. La scène durait et je n'en perdais pas une miette. Cependant, les adolescents se lassent vite, alors, au bout de dix minutes de conflit, je me décidai à quitter mon poste pour rejoindre le lieu de mon réconfort, le réfrigérateur.

Quand la stichomythie fut à son paroxysme (à base de mots ou expressions courts du genre « Quoi ? », « Tu peux répéter ? », « Monstre », « Minable », « Tu ne comprends rien »...), je traversai nonchalamment le salon pour aller me servir un verre de soda. Une vraie vedette hitchcockienne, de blanc vêtu, le regard glacial, le mystère sur mon visage.

« Alex, tu pourrais t'habiller dignement quand même », me lança mon père. Le félin avait des notions de stylisme très poussées. Je ne saisissais pas le sens de l'adverbe « dignement ». Je ne pris pas la peine de répondre à sa malheureuse réflexion qui semblait avoir l'approbation de ma mère puisqu'elle ne la contredit pas. La guerre cessait à cause de mon pyjama en pilou.

« Et il faudrait que la femme de ménage arrête de lui raconter des histoires, ce gamin est trop crédule, ça lui fait tourner la tête », poursuivit-il. « C'est un autre sujet, rétorqua ma mère, mais je lui en parlerai. »

Dans la cuisine, fidèle au poste, le frigo m'attendait, toujours accueillant. La joie d'appartenir à une classe sociale élevée. Des boissons, de la nourriture en abondance. Je pris une cannette de soda. Le sucre apaise pour quelques instants les cerveaux tourmentés avant de détruire les artères.

Donc, Yann ne répondit pas.

— Bonjour, Alex, un café, comme d'habitude ?

— Oui, comme d'habitude, s'il vous plaît.

Je m'installai et feuilletai le journal posé sur la table. Le sujet principal était le même depuis des semaines : la vague de chaleur inhabituelle qui écrasait le pays. *« Quand le ciel bas et lourd pèse comme un couvercle*[1]. » Rien de neuf, nulle part. Les spécialistes météo se partageaient la télévision, la radio, la presse écrite. Ils étaient devenus des êtres dont on ne pouvait plus se passer. Bientôt, le froid reviendrait.

Après quinze minutes d'attente infructueuse, le patron, qui voyait mon regard se jeter sur la porte dès que quelqu'un entrait, finit par venir vers moi. Par pitié sans doute mais aussi pour tenter d'élucider le mystère. Pour la première fois, il pouvait me regarder de près. Plongée.

— Il fait chaud pour prendre un café. Je vous offre un soda ?

— Pourquoi pas, c'est gentil de votre part.

— Le café est très mauvais pour la santé. Ça énerve. Je n'en prends jamais. Je déteste le goût. Ça vous étonne ?

— Euh… Oui, si vous voulez.

— Comme on dit, « les cordonniers… ».

— Mais les sodas ne sont pas forcément meilleurs.

— Ah, désinformation ! Je ne marche pas dans cette combine. Mon père buvait presque un litre de soda par jour et il est mort à quatre-vingt-dix ans, de sa belle mort. Quatre épouses, huit enfants ! Alors qu'on ne me parle pas d'artères bouchées après ça.

— Votre argument est implacable, en effet.

— Un Coca pour la huit !

Je ne souhaitais pas discuter soda avec le cafetier. Juge et partie. Son père avait sans doute un profil

1. Premier vers d'un poème de Charles Baudelaire, *Les Fleurs du mal*, section *Spleen*, LXXVIII, *op. cit.*, p. 124.

génétique exceptionnel. Une machine à ingurgiter du sucre et des colorants. On trouvait aussi des personnes capables de fumer durant soixante-dix années sans jamais contracter ne serait-ce qu'une bronchite. « *L'homme est une corde tendue entre l'animal et le surhumain – une corde par-dessus un abîme* », disait Nietzsche[1]. Certains sont proches de la bonne extrémité. Pourquoi ? On ne peut pas tout expliquer. Et les philosophes compliquent tout. Voilà pourquoi j'étais devenu bibliothérapeute, et pas philosophe. Je pouvais cependant citer quelques concepts, je n'étais pas ignare en la matière. Le *Dasein* de Heidegger, la *Weltanschauung*, par exemple. J'adorais ça, un mot allemand incompréhensible, une théorie qui l'était tout autant. Il n'en fallait pas plus pour qu'on me laisse tranquille lors des repas familiaux. Point de salut à mon contact. Je pouvais, si mon voisin ne me convenait pas, l'assommer avec ces préceptes indigestes.

Je n'eus pas à dégainer mes concepts pour que le cafetier aille voir ailleurs. Les clients commençaient à arriver en nombre. 16 heures, l'heure des familles. Les biberons à réchauffer, les gâteaux piétinés, les cris, les couches à changer. Voilà ce dont rêvait Mélanie. Courir après notre progéniture pour tenter de la nourrir. Et brailler. Chercher de l'aide, de la compréhension, dans le regard des autres.

1. Friedrich Nietzsche, *Ainsi parlait Zarathoustra*, traduit de l'allemand par Georges-Arthur Goldschmidt, Le Livre de Poche, 1972, p. 23.

En vain. Les êtres humains sont sans pitié. Sauf Mélanie. Elle regardait les mères avec envie. « Tu as vu ? » me disait-elle quand un enfant accomplissait une action extraordinaire, faire « coucou » de la main, bravo. Je disais « Oui » mais j'avais peur. Peur de ne pas pouvoir rattraper mon enfant, peur de ne pas l'intéresser. C'était une pensée très bête, sans doute, mais elle habitait dans le 1,3 kilogramme de mon cerveau et, comme elle s'y sentait à l'aise, elle ne souhaitait nullement déménager vers un point plus au sud.

Le cafetier m'apporta un verre de soda colonisé par les glaçons. L'eau est bien moins onéreuse que le précieux liquide. Il fit tomber sa serviette presque blanche à terre et se baissa pour la ramasser. Il y avait une vieille pub dans laquelle un homme ramassait le foulard d'une jeune femme pour la séduire. Je la trouvais vraiment romantique. Bien plus réussie que la même scène racontée par Flaubert dans *L'Éducation sentimentale.* Ma mère était devenue folle quand j'avais osé lui dire ma préférence un jour où nous nous apprêtions à regarder ensemble un numéro chaotique de *Au théâtre ce soir.* Tandis que le barman se relevait, ses yeux analysèrent l'ensemble de mon visage. Contre-plongée. Voir un objet sous différents angles permet de mieux l'appréhender. Peut-être souhaitait-il numériser mon faciès pour enfin comprendre qui j'étais. Étant donné sa concentration, il devait percevoir le moindre millimètre de ma peau. Je détournai la tête pour l'empêcher de poursuivre. Je voulais garder une part de mystère. Mélanie connaissait parfaitement mon visage et cela ne me gênait aucunement (sauf quand s'y prélassait un orgelet ou un bouton proéminent), mais le cafetier, mon Dieu, le cafetier, pourquoi ressentait-il le besoin de maîtriser à ce point ma géographie ? Je ne laisse personne indifférent, très bien mais quand même !

— Ah, ces mômes, ils en font du bruit, me chuchota-t-il à l'oreille. Si je pouvais m'en passer financièrement, je les interdirais. Je mettrais un bel écriteau devant la porte : INTERDIT AUX ENFANTS.

Son haleine chaude s'introduisait dans mon conduit auditif et le parcourait en profondeur. J'essayai de l'éloigner de sa bouche mais il s'approcha encore plus.

— Dites, vous en avez des gosses, vous ? Moi non, et ça me manque pas du tout.

Sa réplique achevée, il présenta son oreille poilue devant ma bouche pour profiter pleinement de ma réponse. Gros plan.

— Non, comme vous.

Je ne souhaitais pas en dire davantage et parler à une oreille me gênait.

— Allez, Alex, buvez-moi ça ! Et n'oubliez pas, le soda est meilleur pour la santé que le café !

Le cafetier s'écarta et laissa apparaître derrière sa carrure imposante le visage ravagé de Yann. Il s'arrêta un instant, étonné par le jeune homme déformé.

— Je vous offre mon soda, Yann ? Je suis content que vous soyez venu.

Yann portait un long imperméable au col relevé et une casquette qui tentaient de dissimuler son visage. Cet accoutrement ne remplissait pas ses fonctions car j'avais l'impression que tout le monde le regardait.

Il s'assit face à moi et sortit un calepin et un stylo.

« Merci pour le soda. Ma mère refuse d'en acheter. L'impérialisme américain et d'autres bêtises de ce style sont ses arguments favoris. Je ne la contredis plus. Je ne fais pas tenir la politique de la première puissance mondiale dans un verre. Pardonnez mon retard, vous comprendrez que j'ai beaucoup réfléchi avant de venir. Je devais choisir les bons habits. Il n'y a pas que des filles coquettes. »

Yann esquissa tant bien que mal un sourire. Il commença à boire le soda avec difficulté. Boire était un vrai supplice pour sa bouche figée. J'étais mal à l'aise et n'osais rien dire.

« Ne soyez pas gêné, Alex. J'ai été opéré 17 fois du visage. Il se venge en faisant le mort. Il ne veut plus bouger. J'ai lu votre interview sur un site internet dédié à la bibliothérapie. Vous voyez le monde à travers la littérature. Chaque situation, chaque instant vous ramène à un texte littéraire. Vos profs de lettres devaient vous adorer. Si j'étais à votre place, à ce moment précis, je penserais à ça :

Le galant pour toute besogne,
Avait un brouet clair ; il vivait chichement.

Ce brouet fut par lui servi sur une assiette :
La Cigogne au long bec n'en put attraper
miette[1]... »

— Vous connaissez cette fable par cœur ?

« Je l'ai apprise à l'école il y a bien longtemps mais elle est restée dans mon crâne. J'étais un enfant et je n'imaginais pas en la récitant devant le miroir de ma chambre que je l'écrirais des années plus tard, dans un bar... Et que je serais incapable d'en prononcer un mot, un misérable mot... Je l'avais récitée à la perfection, 19/20. Un être humain progresse, moi, je régresse. »

— Vous avez vu juste. Effectivement, je pensais à cette fable ! Mais vous savez, dans cet entretien pour ce blog, j'ai un peu grossi le trait. Il faut bien se vendre. Ma discipline n'est pas encore reconnue dans notre pays alors j'ai un peu arrangé la vérité. Dans dix ou quinze ans, quand la France aura rattrapé son retard dans ce domaine, je tiendrai un tout autre discours.

« Je vous l'avais bien dit que vous étiez un petit menteur, comme moi. Je sais que vous avez été fâché par mon comportement la fois dernière. Ma mère m'a questionné pendant des heures à ce sujet. Elle voulait savoir ce qui s'était passé. Les mères veulent toujours tout savoir. »

— À juste titre, souvent. Vous étiez dans un état pour le moins inquiétant. N'importe qui se serait inquiété.

1. Jean de La Fontaine, « Le Renard et la Cigogne », *Fables*.

« Pas mon père ! Rien ne l'inquiète jamais. Même après l'accident, il me regardait et me disait que tout allait bien. J'étais pourtant sacrément abîmé. Lui, il pensait que les médecins arrangeraient ça facilement. Un bout de langue par-ci, un morceau de peau par-là. Le tour est joué ! Il me confondait certainement avec sa voiture. Son amour. Il a tout fait pour qu'elle soit sauvée. Il a réussi. À la fin, il n'y avait plus que le moteur d'origine. J'ai de nombreux points communs avec elle. La différence entre elle et moi, c'est qu'elle ne se regarde pas dans le miroir. Elle ne se doute de rien. »

— Votre jugement est très dur, Yann. Soyez plus indulgent avec le monde. Je ne mens pas constamment et je suis certain que votre père n'est pas si terrible que vous voulez bien me le dire. Qui peut se targuer d'être parfait ? De ne jamais commettre d'erreurs ? Nous sommes faillibles. Même un père peut se tromper. Une mère peut trop aimer ses enfants. Un fils ou une fille peut également mal considérer ses parents. Rien n'est aisé dans ce domaine. En tout cas, je souhaitais vous revoir afin d'évoquer votre lecture de *Thomas l'imposteur*. Nous avions décidé de commencer notre travail à partir de ce roman.

« J'aime votre "nous". Soyons clairs, je décide de peu de choses dans mon existence. Je subis ma vie. Ce texte, vous l'aviez choisi sans moi, quand je n'étais qu'un nom griffonné sur un agenda. »

— Rangez vos griffes ! Mon métier est de trouver des textes qui vous parlent, qui vous fassent réfléchir. Alors oui, de ce point de vue, j'avais prévu ce roman en découvrant votre situation. C'est la norme. Parlez-moi de ce texte.

« Au départ, j'ai trouvé ça un peu lent, dépassé. Ensuite, j'ai compris que j'avais pas mal de points communs avec Thomas. Mentir, c'est toute ma vie ! Regardez, aujourd'hui, il fait 25 degrés et je suis habillé comme s'il en faisait 15 de moins. Ce qui m'a incroyablement surpris, c'est la fin du roman. Thomas veut faire croire aux soldats qui lui ont tiré dessus qu'il est mort. Il souhaite leur mentir pour les tromper mais il se ment à lui-même car il meurt vraiment. Ce n'est plus une comédie, juste la vérité. Je ne voudrais pas finir comme lui, dans l'illusion. Je veux choisir ma fin, sans mensonge. »

— Votre compréhension du texte est très intéressante. Thomas est le roi de l'illusion, rien n'existe vraiment autour de lui. Il s'enferme dans le mensonge. Je pense que vous devriez sortir de l'illusion, Yann, et vous jeter dans le Monde.

« Mais c'est impossible pour l'instant. Je choisirai ma fin, c'est certain. Pour mon présent, tout est plus compliqué. Thomas est seul. Pas moi. Ma mère est toujours là. Vous ne pouvez pas imaginer les tractations pour sortir sans elle à mes côtés. Elle m'a suivi discrètement. Espionne de bas étage. Elle est sur le trottoir d'en face. D'ailleurs si je reste 5 minutes de plus, elle va faire irruption ici. On croira à un hold-up tant son visage sera crispé et terrifiant. Avec un peu de chance, quelqu'un la plaquera au sol et j'en profiterai pour m'éclipser. »

Je me penchai et reconnus sans difficulté Anna qui faisait mine de regarder la vitrine de l'antiquaire face à la brasserie. En fait, elle profitait d'un miroir mis en vente pour scruter le commerce qui avait aspiré son fils. Au bout d'un certain temps, l'antiquaire sortit et engagea la conversation avec cette pseudo-cliente. Il me sembla qu'elle le rabrouait assez violemment car l'homme rentra énervé. Dans une autre circonstance, elle aurait sans doute été intéressée par ces objets mais rien ne devait se placer entre son fils et elle. Aucun obstacle.

— Vous ne manquez pas d'imagination, mais je cr…

« Quand on a un visage comme le mien, on est obligé d'avoir de l'imagination. »

— Certainement.

Je ne voulais pas contredire Yann qui devenait de plus en plus cynique. Il faut parfois que le patient évacue sa rage. Tous les bibliothérapeutes apprennent cela durant leur formation. Le thérapeute comme réceptacle de la haine. Mon professeur à l'université d'Ottawa n'arrêtait pas de nous répéter : « Pensez à autre chose durant ces moments critiques, ne rebondissez pas. Pensez positif ! Imaginez vos enfants, votre époux, si tant est que ce soit une pensée positive, votre plat préféré, enfin fermez les écoutilles. »

En ce qui me concernait, penser à mes enfants ne m'aurait pas conduit bien loin. Le néant. Mon épouse ? Imaginer la cérémonie s'apparentait à regarder un film d'horreur. Le premier de la série, le plus réussi, le plus terrifiant. Un beau mariage, nos amis les plus chers émus au sortir de la mairie.

Et les mots de Gregory Corso :

Mariage

Devrais-je me marier ? Devrais-je être bon ? [...]
Quand elle m'introduit à ses parents
Le dos droit, les cheveux finalement peignés,
étranglé par une cravate,
Devrais-je m'asseoir les genoux serrés sur leur canapé troisième degré
Et ne pas demander où est le WC[1] ?

Finalement, il ne me restait que l'évasion culinaire.

« Dans mon imagination, je suis un être moyen. Pas beau. Juste moyen. Quelqu'un qui laisse tout le monde indifférent. Quand on est adolescent, on veut être beau, spectaculaire. Quand on a ma tête, on veut simplement être transparent. 90 % des gens le sont. Je fais partie des 2 % qui suscitent la pitié et la moquerie. C'est vraiment dommage, cette tête. Le reste est correct. J'aurais pu avoir des amis, une fiancée, sans elle. Dans mon imagination, j'en ai. »

— Vous écrivez toutes ces pensées ? Je trouve vraiment que vous avez une grande qualité d'expression. C'est rare chez une personne aussi jeune.

« Non, je n'écris pas une ligne qui résiste à mes conversations. Quand je partirai, je jetterai ces quelques feuilles. Il n'en restera rien. Je ne suis pas écrivain. Je suis un garçon malheureux. C'est tout. »

---

1. Gregory Corso, « Marriage », *The Vestal Lady on Brattle and Other Poems* (*Sentiments élégiaques américains*, traduit par Pierre Joris, Christian Bourgois, 1996).

— Les écrivains sont souvent des gens malheureux. La littérature naît de la tristesse. Quand on est heureux, on n'a pas envie de s'isoler du monde et d'écrire. Vous devriez essayer.

« Non merci. C'est ce que je dis à ma mère quand elle me demande si je veux parler avec elle de ma situation. Non merci. En fait ça veut dire : Laisse-moi tranquille. Laisse-moi à mon imagination. Sans limite.

Dans mon imagination, j'ai une petite amie. Elle s'appelle Ariane. C'est un beau prénom. Et une fille qui fait penser à un fil, ça peut être utile dans mon cas. Un fil solide.

Concernant ma qualité d'écriture, vous connaissez le vieil adage : les enfants qui souffrent d'un handicap sont plus matures que les autres, sont plus à même de s'exprimer correctement. Le bras coupé qui décuple les capacités du cerveau… Et toutes ces bêtises ! Dans le centre où l'on a tenté de me réparer, j'avais beaucoup de "collègues" absolument bêtes. Des ados sans jambe, d'autres sans main, d'autres aveugles. Un melting-pot du handicap. Le défilé des malchanceux. Tous les vilains petits canards de l'école. Avec nos têtes, on aurait pu en vendre, des calendriers et des brioches. Malgré notre capacité commune à susciter la pitié, j'avais peu d'affinités avec mes camarades. Il faut dire qu'entre nous, il n'y avait pas de commerce. Je n'enviais le sort d'aucun d'entre eux. Un jour, un garçon amputé d'une jambe m'a avoué qu'il échangerait volontiers son malheur contre le mien. Une gueule cassée contre une jambe, ça te dit ?

En clair, on peut être handicapé et stupide. »

— Je n'en doute pas une seconde. L'ignorance est un bien universel. Yann, votre mère semble vraiment s'impatienter dehors, il serait peut-être temps de la rassurer et de la rejoindre.

En fait, je ne savais plus que dire. Yann prenait lentement l'ascendant. Et à bien y réfléchir, penser à mon dîner ne m'était d'aucun secours. Mon frigo presque vide ne me proposait pas une seule perspective positive. Un œuf ou deux, sans doute impropres à la consommation. Du beurre séché. Un fond de lait. Peut-être un yaourt.

« Vous avez raison, c'est assez pour aujourd'hui. Vous souhaitiez me soumettre une autre lecture ? »

— Oui, un livre qui me tient tout particulièrement à cœur, sans mauvais jeu de mots, *L'Attrape-cœurs*. Vous connaissez ?

Yann saisit le roman et le plaça sans même le regarder dans la poche de son manteau. Un instant plus tard, sa main revint sur la table avec ce que je crus, de prime abord, être le texte de Salinger.

« Non, je ne connais pas. Je vous ai apporté un roman également. Je ne sais pas si cela se fait avec un bibliothérapeute. Vous avez sans doute pensé à ce texte quand vous m'avez rencontré pour la première fois. »

Je récupérai donc un exemplaire du *Monde selon Garp* dans lequel je remarquai une page cornée et un passage surligné :

> Une partie de l'adolescence, écrivit-il à Helen, réside dans ce sentiment qu'il n'existe nulle part

personne qui vous ressemble assez pour pouvoir vous comprendre[1].

***

Anthony Polstra est entré dans mon bureau affublé d'une perruque, de lunettes de soleil gigantesques et d'un manteau en cuir, rouge. Couleur très étonnante pour un manteau. Certainement du meilleur goût chez les footballeurs, mais un mystère pour les bibliothérapeutes. Le sportif remarqua mon étonnement.

— Vous inquiétez pas, je suis suivi par les journalistes en ce moment. Je me déguise un peu pour leur faire tourner la tête. Je dois être discret.

— C'est réussi.

— Pas tant que ça, j'ai entendu du bruit sur le palier. Vous avez confiance en votre voisin ?

— Entière confiance, Anthony.

— Parfait, je ne voudrais pas que l'on me voie avec vous, ici.

— Je vous comprends.

Il y avait une fille particulièrement belle, qui avait l'honneur d'être dans la même classe que moi de l'école maternelle jusqu'au lycée. Inlassablement, chaque mois de septembre, mon nom suivait le

1. John Irving, *Le Monde selon Garp*, traduit de l'américain par Maurice Rambaud, Seuil, collection « Points », 1998, p. 134.

sien lorsque les professeurs faisaient l'appel dans la cour. J'y voyais un signe du destin. Elle, n'y voyait… rien du tout. Je l'aimais ! Il me manquait juste un peu de courage pour le lui dire.

En seconde, puisque la puberté me donnait enfin des ailes, je me décidai à lui déclarer ma flamme. Elle ne repoussa pas mes avances, ce qui me conforta dans l'idée que le hasard n'existait pas. Après notre premier baiser, elle me lança cette phrase définitive :

« Je veux bien sortir avec toi, mais je ne veux pas qu'on nous voie ensemble. »

Étrange que Polstra me sorte à peu près le même argument, vingt ans plus tard. Comme si la lycéenne avait dicté son dialogue au footballeur.

— Anthony, je vous en prie, ôtez vos lunettes, votre manteau et votre perruque. Vous n'en avez plus besoin ici. Mettez-vous à l'aise. Vous êtes en sécurité.

— Je comptais le faire.

Je n'imaginais pas travailler avec un patient vêtu d'un déguisement. On aurait dit le sosie d'un chanteur des années soixante-dix. Mais comment garder son sérieux avec un sosie assis en face de soi ? On ne m'avait pas préparé à ça ! Et je ne travaillais pas pour les ressources humaines d'un cabaret de province. Polstra s'installa dans le fauteuil que je lui indiquai et posa ses accessoires à ses pieds.

En une minute, le personnage extravagant qui prenait toute la place dans mon cabinet redevint Anthony Polstra, lecteur de l'*Odyssée*.

— Avez-vous lu le passage des sirènes ?

— Oui, il est terrifiant.

— Pourquoi ?

— Ce pauvre Ulysse est à deux doigts de se faire dévorer. Heureusement que ses compagnons suivent ses indications à la lettre.

— Quelles indications ?

— De ne pas le détacher, par exemple.

— Vous avez parfaitement raison. On n'est jamais seul, finalement. Les autres peuvent nous aider, même s'ils sont moins performants, moins forts que nous.

— Parfaitement.

— Et si vous deviez rapprocher les sirènes (une douce voix qui cacherait une réalité désagréable) de quelque chose de personnel…

— Toutes les propositions que l'on me fait actuellement sont comme des sirènes. De l'argent, beaucoup d'argent, partout en Europe. Mais je suis attaché solidement.

Polstra avait souri en prononçant cette dernière phrase. Il jouait parfaitement de la métaphore et de la comparaison. Je ne savais pas si notre travail aboutirait, mais Polstra se montrait à présent heureux de ne pas limiter le langage à sa simple fonction utilitariste. Il s'éloignait des phrases types du footballeur, « Passe-moi le ballon », « Centre ! », « Tire ! », etc., pour se rapprocher, avec Ulysse, de l'île où les mots ont une connotation. C'était déjà une victoire.

Comment je suis devenu moi

Comment devient-on bibliothérapeute ?

Yann avait lu l'interview que j'avais donnée pour un blog confidentiel dirigé par une fille bizarre qui rêvait d'être reconnue. Profil type du blogueur. Elle enchaînait les interviews de personnes aussi célèbres que moi pour arriver à ses fins. Autant dire qu'il lui faudrait à peu près un siècle pour y parvenir. Le temps d'interroger une personne qui réussirait, se souviendrait de sa première interview et la ferait introniser « blogueuse influente ». La guerre de Cent Ans. Cent ans pour devenir quelqu'un et recevoir des échantillons gratuits, des chaussures horribles mais tellement dans le vent, des services de presse à la tonne, aussitôt revendus chez les bouquinistes. La dédicace en prime. Internet regorgeait de sites culturels, beauté, mode, voués à disparaître au bout de quelques semaines. Et, comme je ne crachais pas sur l'opportunité de me faire un nom dans le monde des thérapeutes essentiels, j'avais cédé à la tentation de répondre à ses questions. Une fille agréable. Une littéraire sur le tard. Une journaliste en devenir. Je m'attendais à une pluie de questions, j'avais préparé un tas de notes pour faire sérieux. En fait, la blogueuse n'avait qu'une question, elle la ressortait dès que j'avais terminé ma réplique.

Comment devient-on bibliothérapeute ?

La déception de ne pas l'inspirer davantage.

« Je suis désolée mais c'est ma façon de travailler. Je préfère mener l'entretien sans un questionnaire type, préparé à l'avance. Parlons, il en sortira forcément quelque chose. »

Quelque chose ? Mais quoi ? Ses arguments dissimulaient mal le fait qu'elle débarquait face à moi sans avoir la moindre idée de ce qu'elle souhaitait me demander. Une question dont je n'avais même pas la réponse.

Comment devient-on bibliothérapeute ?

Je ne savais pas. Rien n'était prédestiné. Une chose était certaine, je ne voulais pas devenir universitaire. Il fallait m'opposer à ma mère, mais pas trop. Rebelle, sans plus. J'avais donc opté pour un métier en rapport avec les livres. Un métier incertain mais qui me permettrait d'avoir des horaires agréables. Aucun patient ne souhaitait me voir avant 10 heures le matin. Le temps de se réveiller, pour eux. Et l'envie de ne pas me croiser aussi tôt dans la journée. Comme j'avais une mine fatiguée à 14 heures, ils imaginaient sans doute avec appréhension mon visage en matinée. Ils avaient tort. Je n'étais pas si terrifiant que cela. Les hommes n'ont pas la chance de se maquiller. Ils sortent avec leur peau… et rien d'autre.

Autre piste pour donner un peu plus d'épaisseur à son travail invisible. L'interviewеuse aurait pu me demander de raconter ma première relation sexuelle si j'avais été un acteur X ou ma première expérience sans les petites roues si j'avais été cycliste professionnel avec des cuisses disproportionnées. Mais puisque j'étais bibliothérapeute et que je ne me souvenais pas de mon premier livre (celui qui par magie aurait tout déclenché), elle me lança : « Racontez-moi votre premier patient. » Elle était fière de sa question, qui la confortait au rang des blogueuses en devenir. Et moi, je prenais de l'importance en racontant mon histoire. Je m'écoutais. Le plaisir d'être écouté procure une sensation assez incroyable. Ma mère, qui avait enseigné durant de nombreuses années, le regrettait chaque jour. Elle, dont la parole à l'université provoquait des orgasmes intellectuels chez ses étudiants les plus zélés, n'était plus écoutée par personne, même quand elle demandait le sel.

Une femme était entrée dans mon cabinet. Ses premiers mots resteraient gravés à jamais dans l'organe censé contenir notre intelligence : « Je viens vous voir parce que je n'ai trouvé aucun autre thérapeute. C'est très grave. »

Je crus que le « très grave » renvoyait à sa situation psychologique.

— Ne vous inquiétez pas. Je vais vous aider.

— M'aider ? Mais je ne parlais pas de moi. Dans ce satané pays il devient plus hypothétique d'obtenir un rendez-vous chez un médecin que de rencontrer un extraterrestre au coin de la rue.

Première patiente. Première rencontre avec le corps et l'esprit d'un être pas très agréable. Heureusement, tous ne le sont pas. Mais débuter ainsi me donna une belle leçon d'humilité. Je sortais d'une formation universitaire où les patients n'existaient que virtuellement. Des sujets filmés ou, pire, résumés en quelques mots sur une feuille. Sans corps. Sans réponse idiote à vos questions, sans mauvais esprit, sans mauvaise haleine.

— Alors dites-moi tout.

J'avais opté pour cette phrase en pensant qu'elle permettrait d'engager une relation un peu plus constructive.

— Tout vous dire ? Vous n'y pensez pas. Qui dit tout ? Qui peut tout dire ?

Pour la constructivité, je devrais trouver une autre piste. Il est vrai que mon « dites-moi tout » était digne d'une conversation de palier entre voisins dérangés par une fuite d'eau.

— Désolé de ma maladresse. Mais, rassurez-moi, vous êtes venue me trouver dans un but bien précis ou simplement pour me reprendre sur mon langage ? Je suis bibliothérapeute, c'est écrit sur la porte d'entrée et en bas de l'immeuble. Vous cherchez bien un bibliothérapeute ?

— Ne vous fâchez pas. Oui, je viens vous voir pour la bibliothérapie. J'ai, disons, quelques soucis.

— Dites-moi tout.

Il ne faut pas agacer les patients mais, dans ce cas précis, répéter LA phrase déjugée deux minutes plus tôt me donnait l'occasion d'asseoir ma position dominante. Le thérapeute ne doit jamais être dominé par le patient. C'est le principe inculqué à tous les thérapeutes. Sauf que dans les faits, dans le silence des consultations, parfois le patient dévorait le soignant. Des animaux entre eux.

Trois jours plus tard, la blogueuse mettait en ligne l'interview et écrivait en introduction que mes patients craignaient mon apparence physique.

***

Si, de mon enfance, je ne gardais rien de vraiment positif, deux personnes avaient compté pour moi : la femme de ménage (j'y reviendrai plus tard) et ma grand-mère. Je l'aimais d'un amour indéfectible, un sentiment incroyable, presque inhumain tant il n'était pas guidé par l'attirance physique. En effet, ma grand-mère était particulièrement laide. Dur à dire, dur à écrire également. La littérature véhicule souvent l'image de grands-parents doux et rendus beaux par la sagesse. Ma grand-mère ne correspondait pas à ce topo. Elle faisait peur aux enfants que nous croisions dans la rue. Aux adultes, parfois. Comme un pitbull muselé, elle n'inspirait pas confiance. Et je l'aimais « au-delà des apparences », ça aurait fait un joli titre de roman à l'eau de rose. Elle ne me regardait jamais avec des yeux emplis de scepticisme. Pour faire simple, mon côté fleur bleue ne l'intéressait guère. J'étais Alex, un point c'est tout. Cela me fait penser que le discernement ne se mesure pas au nombre de diplômes. Ma grand-mère n'était jamais allée à l'école. Une absence de très longue durée. Sans motif valable ? L'école se trouvait à dix kilomètres de son village de Tchécoslovaquie. Motif valable.

Mon père n'ayant jamais pris la peine de m'apprendre sa langue maternelle, je ne connais pas un seul mot de tchèque, exceptés bien sûr les essentiels « bonjour », « merci », « oui », etc., qui étaient autant de belles promesses quand nous arrivions chez elle. Lorsque j'avais épuisé mon stock lexical, il ne me restait que le silence. Et le regard de ma grand-mère, plein de douceur au milieu de sa laideur.

Je n'ai jamais pu entretenir une conversation en tête à tête avec elle. Mon père jouait au traducteur, parfois. Dans ces moments, je me contentais de banalités : l'école, la vie en France, rien de bien sérieux. Sa voix dans ma tête. J'aurais voulu lui parler des livres que je dévorais, de *Poil de carotte*, de *Vendredi*, d'Anne Frank, de Kundera aussi...

Kundera, la gloire nationale qu'elle avait aperçu deux ou trois fois à la télévision. Des traits marqués. Le charme du génie, la beauté et la peur mêlées. Kundera dont elle ignorait le nom, mais c'était réciproque. On pouvait bien vivre l'un sans l'autre.

L'incipit de *La Plaisanterie*. Je lui aurais lu ce texte, sans aucun doute. Le parcours de Ludvik, puni pour avoir plaisanté. Et elle m'aurait demandé de lui trouver un exemplaire du roman. Je serais partie avec maman à la librairie la plus proche. Incapables de parler que nous étions, nous aurions fait mine de maîtriser la langue en cherchant la lettre K sur les étagères poussiéreuses (dans mon esprit, les étagères des librairies sont toujours poussiéreuses parce que les clients se font de plus en plus rares).

Kawabata. Kafka. Non. Nous approchons. Kipling. Korczak. Kundera.

Kundera est un nom tchèque. Kundera s'écrit toujours Kundera. Nous aurions fini par trouver quatre ou cinq romans différents. Comment dénicher *La Plaisanterie* ? Titre court qui éliminait d'emblée tous les autres.

Elle aurait aimé, c'était certain. Les histoires mélancoliques de Kundera. Tristes comme son pays où le soleil semblait partir en vacances dès que nous franchissions la frontière. « Ils arrivent, j'y vais. » Pourquoi ne restait-il jamais un peu ?

Quand je parlais de ma grand-mère à Mélanie, elle me demandait de cesser mes enfantillages. Mélanie et nostalgie formaient un oxymoron. Une figure de style. Grand-mère revenait à la surface quand j'étais malheureux, toujours. Peu importait la métaphysique de cet état. Elle revenait dans ma tête avec sa petite voix nasillarde car ses narines étaient presque fermées. *Miláčku*[1]. Les grands-parents sortent du cimetière pour nous rassurer.

« Bonjour, nous sommes le 1er décembre, il est 8 heures. La vague de chaleur ne faiblit pas. Noël se fera sans neige cette année. Une grande manifestation est prévue cet après-midi à Paris par les pro-mariage pour tous, la capitale est sous surveillance, le gouvernement redoute les débordements. Sport : l'équipe de France de football entame demain sa campagne de qualification pour la prochaine Coupe du monde. »

Alešku, je n'étais plus le petit Alexandre de grand-mère. Malheureux, donc. *Nešťastný*[2]. La sonnerie du téléphone m'extirpa du lit et de mes pensées. Je débranchai la radio qui n'en finissait pas de cracher des nouvelles. Cela ne cessait donc jamais ? Aurais-je le droit un matin à *« Il est 8 heures, il ne se passe rien, restez couchés, sortez, vivez, à demain. Et si vraiment vous avez un souci, contactez Alex, le bibliothérapeute le plus en vogue de la capitale »* ?

— Allô ?

— C'est Mélanie.

Vitesse neuronale au maximum. Mélanie. Mon cerveau en ébullition. Les pensées vont et viennent sans que nul mot sorte. Une personne intelligente se reconnaît à sa capacité d'adaptation, sa repartie. Je suis un idiot. On ne m'a jamais diagnostiqué enfant surdoué pourtant, quand j'étais à l'école,

---

1. « Mon chéri » en tchèque.
2. « Malheureux » en tchèque.

presque tous mes camarades l'étaient. La mode du surdoué. Il n'y eut jamais la mode de l'androgyne. Ou alors pour les chanteurs. Cette particularité faisait vendre. À distance, derrière l'écran. Il fallait pourtant dire quelque chose avant qu'elle ne raccroche. Jouer l'étonnement. Ne pas crier le plaisir d'entendre sa voix. Ne pas passer pour l'hystérique du coin. Souffler. Essayer d'éclaircir sa voix sans tousser ni se racler la gorge. Difficile. Je saisis la bouteille d'eau minérale qui passait toutes ses nuits à mes côtés et m'apprêtai à ingurgiter une gorgée.

— Tu m'entends ? reprit-elle agacée.

— Mélanie...

L'eau qui parcourait mon œsophage en direction de l'estomac avait un goût vraiment étrange. Au bar, j'aurais demandé une autre bouteille. Chez moi, je me tus.

— Fais pas l'étonné s'il te plaît, je suis pressée.

— Je ne fais pas « l'étonné », comme tu dis. Il est très tôt. Je ne m'attendais pas à t'entendre. Je me reposais.

— Je vais manifester cet après-midi. Tu viens avec moi ?

Mélanie savait que je détestais les manifestations. Pourtant, je n'imaginais pas un instant lui dire non. OUI.

— Pourquoi pas. Je n'ai rien de prévu. Et ça nous donnera l'occasion de parler un peu.

— Tu sais, il y aura du bruit, pas facile de parler dans un cortège. Enfin, je suis contente que tu viennes. On se retrouve Porte Dauphine à 13 heures.

— Ça marche. Je t'embrasse.

— À tout à l'heure.

Que lui aurait coûté l'emploi de l'expression « moi aussi » ? Pas grand-chose, mais Mélanie ne voulait sans doute pas me faire plaisir en la prononçant. De mon côté, j'étais heureux de cette perspective inattendue. Revoir Mélanie. Mais défiler, une soirée en tête à tête m'aurait davantage convenu. Enfin, elle serait à mes côtés, et ceci valait toute la littérature. Tous les motifs pour descendre dans la rue. Dans la douceur de décembre, aussi originale que Mélanie. Pour la revoir, j'aurais écrit des panneaux pour la sauvegarde des anguilles en Ardèche, j'aurais milité pour la relâche du silure après la pêche, j'aurais même arpenté les rues de Paris à moitié nu pour lutter contre le port de la fourrure. Tout était envisageable, par amour. Surtout quand le temps était clément.

Je n'avais pas prévu de revoir Yann avant deux jours. Chapman viendrait plus tard. Et Polstra ? Il entrait et sortait quand bon lui semblait. Le sportif tout-puissant qui décide en plein match d'aller prendre un verre et de revenir un quart d'heure plus tard. Je ne devais pas me focaliser sur son cas. La voie était libre.

***

Quand Mélanie me parlait de ma mère et qu'elle tentait de m'en faire dire du bien, je pensais à John Fante et à son roman *Pleins de vie* :

> À chacun de mes retours à la maison, saluer maman a toujours été le plus difficile. Car ma mère était une spécialiste de l'évanouissement, surtout si je ne l'avais pas vue depuis plus de trois mois. Quand moins de trois mois s'étaient écoulés, je pouvais encore contrôler la situation. Car elle se contentait alors de vaciller dangereusement, prête à s'écrouler, ce qui nous donnait le temps de la rattraper avant la chute[1].

Maman. John Fante. Elle était le contraire absolu de la mère de Bandini. Pas italienne. Je rêvais de l'être pour justifier ma manie de parler avec les mains. D'ailleurs, pourquoi les Italiens parlaient-ils avec les mains ? Peut-être parce que leur langue était trop pauvre pour exprimer la totalité d'une pensée. À vrai dire, je n'en savais rien car les seuls mots d'italien que je connaissais étaient mozzarella et tiramisu, pour ne citer que la gastronomie italienne fabriquée en France. Une mozzarella qui n'avait jamais vu ni la Campanie ni la moindre bufflonne. Une mozzarella de vache maigrichonne.

En outre, je fredonnais parfois une vieille chanson d'Alan Sorenti, *Tu sei l'unica donna per me.*

---

1. John Fante, *Pleins de vie* [1952], dans *Romans*, vol. 2, traduit de l'anglais (États-Unis) par Brice Matthieussent, Christian Bourgois, 1995, p. 578.

Un titre d'outre-tombe tant il était oublié mais qui relâchait dans l'air tout ce que l'Italie avait d'italien quand je l'écoutais. Le Colisée, ses soldats aux armes de plastique chinoises, la tour de Pise interdite d'accès, Venise et ses gigantesques bateaux de croisière qui jettent l'ancre à dix mètres de la place Saint-Marc, le ciel bleu clair et une incroyable douceur estivale.

Comment mes oreilles avaient-elles eu l'honneur d'entendre le vieil Alan raconter son histoire ? En fait, c'était la chanson préférée d'Angela, la dame à tout faire que mes parents employaient. J'entretenais avec elle une relation pleine de tendresse et de confiance. L'autre personne, avec ma grand-mère, qui avait joué un rôle essentiel dans ma jeunesse. Elle s'occupait du petit garçon que j'étais sans jamais me demander pourquoi mes centres d'intérêt ne correspondaient pas à ceux des enfants de mon âge. Elle me racontait souvent son existence difficile dans un sud de l'Europe ravagé par le soleil et le chômage galopant. Une terre exotique et pleine d'attraits pour moi qui vivais protégé dans un milieu tempéré. Une Italie jaune et sèche avec un soleil rouge chaque soir sur les montagnes en forme de dents cassées.

— Tu es malheureuse, en France ?

— Non, ton pays est gentil avec les gens comme nous. Ici, j'ai du travail.

— Oui mais ton pays te manque, j'en suis certain.

— Tu as raison, chaque minute je pense à lui.

— Qu'est-ce qui te manque le plus ?

Ma question était terriblement maladroite mais elle n'avait pas pour objectif de faire couler les larmes d'Angela. Elles coulaient pourtant, lentement, comme si elles charriaient les souvenirs.

— Son odeur. L'odeur du maquis *portato dal vento caldo*.

Je comptais pour Angela. Elle n'avait jamais pu avoir d'enfant. J'étais son petit garçon. D'ailleurs, comme une mère, elle m'avait donné un nom, Alessandro, ce qui avait le don d'énerver ma véritable mère, et mon père, jaloux de voir qu'une étrangère était capable d'amour pour son propre fils.

Maman traitait Angela comme une employée, pas moi. Parfois, je passais des heures à la suivre dans sa besogne (laver, étendre, repasser, dépoussiérer) pour l'écouter parler… Et chanter donc cette horrible chanson.

Ma mère ne lui adressait la parole que pour lui donner des recommandations (« on ne mélange pas les serviettes et les torchons », disait-elle). Et accessoirement lui demander de faire passer un message à son mari qui réalisait des travaux non déclarés à notre domicile (là, elle faisait une exception et mélangeait torchons et serviettes bien que l'époux en question ne parlât qu'approximativement le français ce qui, dans une situation « normale », était absolument rédhibitoire pour maman). Il était dans le bâtiment. Pas mon père, ni ma mère. Sa seule approche de ce corps de métier avait eu lieu lors de la visite (unique) d'un magasin de bricolage. Elle cherchait des clous pour fixer un portrait d'Alexandre Dumas dans la bibliothèque familiale. Claude Lévi-Strauss chez Mr Bricolage. À la découverte du peuple des hommes qui portent des bleus de travail. Elle devait sans doute fouiller au fond de sa mémoire pour vérifier si elle était à jour dans ses vaccinations. Heureusement pour elle, la rencontre n'avait pas duré. Elle n'avait pas été infectée par les indigènes.

L'œuvre comme un révélateur. Mélanie me regardait et me demandait de cesser de rêvasser.

— Ta mère est particulière, je te le concède, mais elle t'aime. À sa façon, bien sûr. Toutes les mères ont une façon particulière d'aimer leurs enfants. La mienne m'idolâtre, elle ignore mes frères. Je ne lui en tiens pas rigueur.

— Peut-être parce que tu es celle qui est aimée.

— Peut-être.

— Tes frères doivent la détester. Ils te détestent sans doute également.

— Non, je ne pense pas.

— Tu ne le penses pas mais en es-tu certaine ?

— Non.

— Tu ne pourrais pas le certifier. Tu doutes, Mélanie. Ma mère est terrible ! Mais je conçois qu'elle ressent quelque chose pour moi. Quelque chose, oui. Pas de l'amour. Un truc. J'opterais davantage pour un peu de nostalgie. J'ai été une partie de son corps durant neuf mois. Elle regrette sans doute cette période. Comme la Terre regrette d'avoir perdu la Lune. Elle regrette un instant puis se dit que ce satellite sombre et froid n'est pas une perte si terrible que cela. J'ai été le satellite de ma mère.

— Tu exagères tout. Ça finira par te rendre fou. Et qui sait comment tu aimerais, toi, si un jour tu devenais père.

— Père ? Je serais un père étrange. On se méfierait de moi à la sortie de l'école. On penserait que j'ai kidnappé le gosse que je tiens par la main.

— Alex, tu projettes sur les autres ta vision négative. Sur tous les autres. Ils ne te veulent pas de mal. Ils ne te surveillent pas du coin de l'œil. Ils t'ignorent comme ils ignorent le monde entier. Et, s'il leur arrive de croiser ton regard, c'est pur hasard. Peu importe ton apparence, ton métier. Tu guéris les gens avec des livres. Et alors ? Tu refuses de te marier. Et alors ? Qui en souffre ? Moi ! Les autres s'en fichent éperdument. Je t'aime.

Éloge de la différence, de l'indifférence également. Mélanie et ses certitudes positives. Un détachement total. Vivre et laisser vivre. Elle aurait pu prendre ma place et devenir bilbiothérapeute. Une bibliothérapeute colorée.

Voilà ce qui comptait dans l'existence, rencontrer des gens colorés.

Il n'y a pas que les saumons qui remontent la rivière

Mélanie vivait depuis quelques semaines chez ses parents. Un retour aux sources un peu forcé. Un soir, elle était partie faire son jogging pour ne jamais rentrer. Un jogging interminable. Des centaines de kilomètres pour durer si longtemps. La révélation. L'envie de fumer. Elle qui ne fumait plus depuis dix ans. Rien ne fonctionnerait jamais avec Alex. Elle avait fumé la quasi-totalité du paquet en sortant du bar où elle l'avait acheté. Cracher son histoire. Ne plus rien garder à l'intérieur. L'air était si doux. Les gens en terrasse semblaient heureux. On parlait fort. Alex l'attendait. Alex qui l'aimait. Elle qui ne l'aimait plus que périodiquement. Les intermittences du cœur. Parfois, elle l'aurait étranglé pour un détail. Elle restait debout à regarder les buveurs. Personne ne la remarquait. Au bout d'une heure, elle lui avait envoyé un texto famélique : « Ne m'attends pas. Je m'en vais. »

Direction Maisons-Alfort. Ligne 8. L'arrivée tardive chez des parents inquiets. Mélanie ne prenait aucun risque en se rendant au 10, rue Wilson. Sa mère, adepte du superlatif de supériorité, l'avait toujours placée au sommet de la pyramide.

Mélanie est la plus intelligente de la famille.

Mélanie est la plus douce de la famille.

Mélanie est la plus agréable de la famille.

Mélanie est la plus belle de la famille.

Mélanie est la plus altruiste de la famille.

Mélanie est la plus la plus la plus la plus la plus la plus, les mots tombaient dans un puits sans fond.

Et Mélanie d'ajouter parfois : Mélanie est la plus vicieuse de la famille. Parce que Mélanie parlait sans filtre et souvent avec ironie.

Donc, la plus extraordinaire des filles expliqua calmement la situation à ses parents. Sa mère l'écouta religieusement mais ne saisit pas tout à fait la portée de son arrivée tardive et imprévue. Elle lui demanda à la fin de son soliloque : « Mais, tu n'es pas avec Alex ? » Comme si Alex était dehors, en train de garer la voiture, et qu'il s'apprêtait à les rejoindre dans la maison après avoir arraché la moitié d'une portière contre le muret fraîchement monté. Comme si Mélanie n'avait jamais évoqué sa décision de le quitter. Son père, comme souvent, tenta de réexpliquer les choses à son épouse qui, de par son incompréhension, devint le point de convergence de tous les regards belliqueux. Cela arrangeait Mélanie. On ne la voyait plus. Elle lança un « Bonne nuit » et partit se coucher dans sa chambre d'adolescente qui ressemblait à un musée entièrement dédié à sa personne. Le culte de l'enfant parti. En entrant, Mélanie pensa que cette pièce aurait parfaitement convenu à un cinéaste désirant tourner dans une chambre d'enfant mort. Rien n'avait bougé depuis son départ. Elle se coucha dans un lit aux draps propres car sa mère mettait un point d'honneur à les changer chaque semaine. À son mari qui la questionnait sur l'intérêt de cette pratique usante et absolument inutile, elle répétait sans cesse : « On ne sait jamais. » Bien sûr, les autres enfants de la famille n'avaient pas droit au même traitement. Les jumeaux, puisqu'ils l'étaient, avaient vu leur chambre transformée en débarras. Il faut dire que leur mère les considérait comme les êtres les plus égoïstes, les plus insipides, les plus hypocrites de la famille. Un juste retour des choses que de vider leur antre ! Ils ne méritaient pas mieux !

La mère de Mélanie l'idolâtrait tant qu'un jour elle avait proposé à Alex de visionner le film de son accouchement. On doit respecter les anciens, c'est une obligation morale puissante. Alex accepta, à contrecœur. Ils s'installèrent sur le canapé en cuir qui avait la fâcheuse tendance de coller aux cuisses quand on osait l'affronter en jupe ou en short. Rapidement, Alex goûta peu aux talents du réalisateur (le père de Mélanie) et au scénario de l'histoire, aussi prévisible que celui d'un film catastrophe. La caméra qui bougeait sans cesse, les bruits parasites constants achevèrent de créer dans le ventre du bibliothérapeute les conditions d'un mal de mer dévastateur. *Titanic* en région parisienne.

Durant toute la projection, la mère de Mélanie, la vraie, pas celle sur l'écran, lui jetait des coups d'œil réguliers afin de vérifier qu'il ne ratait rien. Mélanie, elle, avait quitté la pièce, elle connaissait ce film dans les moindres détails. Elle était passée à autre chose. Comme une fan du *Grand Bleu*[1] refusant de voir le film pour la cent cinquante-deuxième fois parce qu'elle vient de réaliser que ce n'est finalement pas un chef-d'œuvre.

— C'est le plus beau moment de ma vie, finit-elle par dire, jetant ses jumeaux et leur naissance aux ordures.

— Comme je vous comprends. C'est merveilleux, ajouta Alex.

Il faut respecter les anciens. Dans le cas contraire, ou, si Alex avait grandi dans une famille d'aliénés, il lui aurait demandé si elle avait également filmé la conception de leur fille chérie. Les films de naissance ennuient tout le monde, enfin, les personnes sensées. Les films de conception trouveraient un public plus large.

Avant de s'endormir, la jeune femme écouta quelques vieux CD qui l'avaient accompagnée durant des années. À force de fouiller dans ses boîtiers presque tous cassés, elle tomba sur un concert de U2 à l'hippodrome de Vincennes. Elle possédait des dizaines de disques de ce groupe mais celui-ci avait une saveur particulière. Non par sa

1. Film de Luc Besson réalisé en 1988.

qualité sonore. En effet, ce live quasi inaudible avait été enregistré par des pirates sans talent. Mais il charriait lentement le souvenir de sa première étreinte avec Alex qui l'avait invitée à ce concert pour enfin l'embrasser. Des semaines de conversations téléphoniques, de promenades, de cinémas. Et ce spectacle avait fini par vaincre la résistance de Mélanie, elle qui ne voulait pas se donner trop vite, on lui avait appris les choses ainsi. Il fallait la mériter.

Ce soir de juillet sépia dans sa mémoire, Alex avait pris un risque important, se mesurer à une star du rock. Inviter sa promise au cinéma ne comporte que peu d'écueils. En revanche, lui montrer un être aussi charismatique, en pleine action, suant, soufflant, peut réduire à néant nombre d'histoires d'amour naissantes. Mélanie, hypnotisée par le chanteur qu'elle idolâtrait, aurait volontiers écrasé les milliers de spectateurs situés devant elle, afin de le rejoindre. Il était là, en face. Cependant, la foule l'en empêchait, alors, résignée, elle se rapprocha ostensiblement d'Alex. À défaut d'embrasser Bono, dont la voix n'était pourtant pas celle d'une sirène, elle serra dans ses bras un petit étudiant, aspirant bibliothérapeute (une drôle de profession), qui connaissait très mal les paroles de U2 et qui ramenait toujours tout à la littérature. Dans cette cohue, Mélanie ne se rendit nullement compte de l'absence totale de rythme d'Alex. Bercée par la musique, elle aurait embrassé n'importe qui. Ce fut Alex, le dévoreur de livres, toujours à contretemps mais très tendre avec elle. Mélanie sentait qu'elle ne se trompait pas : même si Alex avait des références culturelles surannées, il lui donnerait tout l'amour qu'elle attendait.

I was strolling down past Paris way
I walked through the streets in the light of the day
I knew that summer had arrived
When I saw your eyes
When I see you[1]…

La première nuit de Mélanie dans son ancien lit fut reposante. Personne pour tirer la couverture. Personne pour la caresser alors qu'elle voulait dormir. Personne pour la déranger. Une redécouverte de sa personne. Son corps existait indépendamment de celui d'Alex. Une expérience phénoménologique.

1. U2, « With or without you », *The Joshua Tree* (1987).

Les ordinateurs sont trop bavards

RTT. Si Oblomov avait été inventé un siècle plus tard, il aurait œuvré pour la mise en place de cette mesure continuellement contestée. D'ailleurs, il aurait sans doute ajouté un T. RTTT. Réduction Totale du Temps de Travail.

Chapman ne pensait plus au personnage de Gontcharov mais ses mots avaient germé en lui. Ce mercredi matin, il se réveilla sans panique. Pas besoin. Son supérieur était au courant. RTT. Acronyme au goût nouveau dans sa bouche. Un goût agréable. Les draps propres. La chaleur de la maison déjà baignée de soleil. Le silence aussi. Il souhaitait passer la journée avec sa femme. Avec Claire. D'ailleurs, pour la première fois, il avait prononcé son prénom au bureau.

« Demain, je réserve une petite surprise à Claire. » Ses collègues l'avaient regardé avec étonnement. Sa femme s'appelait donc Claire. Elle commençait à exister dans la bouche de Chapman et dans leur tête. Signe avant-coureur du décrochage ? Personne n'évoquait sa famille. Le travail. Le travail. Le travail.

Claire dormait encore, sur le ventre. Le drap ne la couvrait pas tout à fait. Il regardait son épaule nue. Une épaule sans âge, promesse de douceur. Il posa les lèvres sur sa peau. Encore un goût nouveau ou plutôt très ancien qui réactiva quelques souvenirs enfouis au fond de son cerveau. La découverte de cette épaule des années auparavant. La chance de pouvoir l'embrasser et de faire glisser lentement la bretelle du soutien-gorge. Le bonheur absolu. La beauté de Claire. Combien la convoitaient ? Lui seul pouvait baiser cette épaule. Le plaisir de posséder ce que les autres désirent. Ses lèvres restaient posées, immobiles. Chapman ne sentit pas l'envie d'aller plus loin. Simplement profiter de l'instant. L'épaule suffisait.

— Qu'est-ce que tu fais ? demanda Claire.

— Rien. Repose-toi.

Rien. Un baiser n'était plus rien alors qu'il avait été tout aux premiers instants de leur histoire. L'obsolescence des choses.

— Tu ne vas pas au travail ? marmonna Claire à moitié endormie.

— Non, pas aujourd'hui. On reste ensemble.

— Tu te souviens que je dois sortir en début d'après-midi.

— Oui, je viendrai avec toi. Ça me fait plaisir.

— Tu es amoureux ? questionna Claire.

— Mais je l'ai toujours été. Tu es si belle.

— C'est ton biblio-truc qui t'a conseillé de passer une journée avec ta femme ?

— Ha ha, figure-toi que non. C'est une initiative personnelle. Mon biblio-truc, tu exagères.

— Alors, c'est une belle initiative, dit Claire en se repositionnant sur le dos, laissant apparaître son cou vieilli.

Claire profitait de son jour de repos. Le meilleur soin pour sa peau. Son salon d'esthétique était pris en charge par ses employées. Elle les avait toutes formées. Une à une, méthodiquement. Les diplômes, selon elle, ne valaient pas grand-chose. D'ailleurs, elle n'en possédait aucun. Il fallait se mesurer à sa clientèle pour comprendre ce qu'était réellement le métier. De l'application, du sérieux, du dévouement. « ASD, répétait-elle chaque jour. N'oubliez pas, les filles. ASD. » Ses troupes la suivaient en toute confiance. Chapman ressentait une grande fierté quand il rendait visite à sa femme au salon. Elle était si sûre d'elle. Charismatique. Un gourou de l'esthétique sans la volonté de sacrifier l'espèce. Plutôt l'améliorer, gommer ses imperfections, cacher ses fissures. Ce matin, dans son lit, Chapman aimait son épouse. Apaisé par cette courte discussion, affichant un sourire niais de satisfaction que personne ne pouvait voir, il décida d'aller commander une nouvelle machine à laver le linge sur l'ordinateur familial. Il voyait cela comme un accomplissement, une façon de montrer qu'il était à sa place dans la maison. Il descendit au rez-de-chaussée et sentit l'odeur rassurante du café chaud. La cafetière programmable avait fonctionné ! C'était rare, aussi rare que la douceur tenace de cette fin d'année. Chapman espérait que le nouveau lave-linge lui procurerait pleine satisfaction. L'émanation agréable et chimique du linge propre et parfaitement essoré. Il était lui aussi programmable. La facilité d'usage, l'intuitivité, comme disait son collègue de travail quand il évoquait son iPhone. Intuitivité, un mot magnifique. Un mot nouveau qui lui donnait l'impression d'habiter son époque. D'y coller.

Et Claire serait si heureuse d'utiliser cette machine incroyable, vraiment très esthétique, aux lignes parfaites. Claire à qui il ne faisait plus jamais de cadeaux. Oubliés les bagues hors de prix des débuts, les bracelets si fins – mais c'était la mode – qu'un ongle pouvait les détruire, les colliers éclatants, de ceux qu'on remarquait dans la pénombre. Il allait lui offrir une machine à laver. Il pensa que l'amour pouvait prendre des formes diverses quand il cliqua sur « Payer ». Un voyage de quelques secondes pour les chiffres qu'il venait d'entrer sur son ordinateur, des centaines de kilomètres. Maison, banque. Banque, site internet. Site internet, maison. Sans bouger. Le plaisir de ne plus bouger pour accomplir ce qui mangeait le temps de Chapman vingt ans auparavant. Le plaisir de s'essouffler plus rapidement et d'essuyer son front. Le plaisir de sentir ses muscles brûler au moindre effort. Lever le bras pour noter ses résultats « hyper encourageants » sur le tableau blanc de la salle de réunion. Le plaisir de faire progresser sa motricité digitale. Le plaisir de faire progresser la motricité digitale.

L'écran afficha un « commande validée » accompagné d'un petit personnage souriant. À présent, Chapman n'avait plus qu'à attendre l'arrivée du bel objet. Il cliqua sur le bouton « Maison » et se retrouva sur sa page d'accueil.

Oblomov à moitié prix.
Oblomov chez vous dans 24 heures.
Ne ratez pas Oblomov !
Visitez notre boutique Oblomov.

Les publicités oblomoviennes envahissaient son champ visuel. Oblomov partout. Le personnage de Gontcharov aurait sans doute été épuisé par la vision despotique de son propre nom. Lui, inlassablement allongé.

Claire avait donc jeté un œil sur le roman que Chapman avait évoqué. Quelle comédienne, pensa-t-il. Elle qui faisait mine de ne jamais l'écouter. En réalité, elle enregistrait tout. Certainement parce que Chapman avait de la conversation. C'était un compliment qu'on lui faisait depuis son plus jeune âge. Chapman n'alla pas jusqu'à consulter l'historique de navigation. Il en savait suffisamment ainsi. Il ferma sa session et redémarra son PC.

Lave-linge à moitié prix.
Lave-linge chez vous dans 24 heures.
Ne ratez pas nos lave-linge !
Visitez notre boutique de lave-linge.

Le paradis du lave-linge ! Devant lui ! Il n'y avait qu'à se servir. Cliquez et vous l'aurez. Sa pensée vagabondait d'une page à l'autre, d'une publicité à une autre. La liberté libre. Puis, il repensa à sa femme qui dormait encore. Historique. Historique. Historique. Elle n'en saurait rien. Il jetterait un coup d'œil, voilà tout. De toute façon, Claire ne lui cachait aucune information.

Historique

Afficher l'historique

Hier

Pages visitées

Recherches : Obrigado / Obro / Oblitérer / Obligation / Obramow / Roman Obromov / Oblomov

Pages visitées :

— Comment dire « Merci » en portugais ?

— Obro is a village in the Bondigui Department of Bougouriba Province in South-Western Burkina Faso.

— Oblitérer : définition

— Obligation : Qu'est-ce qu'une obligation bancaire ?

— Obramow : Essayez avec l'orthographe Obramow.

— Roman Obromov : Essayez avec l'orthographe Oblomov.

— Oblomov : un roman de Gontcharov.

— Encyclopédie libre : Oblomov

— Critique buissonnière : Oblomov, le bonheur de lire.

Chapman pouvait suivre les hésitations, les erreurs de Claire, sans le moindre filtre. Encore une preuve d'amour ! Elle avait parcouru plusieurs sites pour se faire un avis sur *Oblomov*, en vain. Les critiques allaient du génie à la nullité absolue. Un site encombré de fautes en tout genre accordait un 2 sur 10 au roman. « *Oblomov*, un roman raté. Le roman d'un raté. » Une société basée sur la notation permanente, des livres, des médecins, des coiffeurs, des restaurants, est une société perdue. Parce qu'on la noterait à son tour.

Chapman termina son voyage numérique sur un site internet sportif. Il souhaitait savoir si la situation de Polstra avait évolué durant la nuit. Le titre était on ne peut plus clair : « Polstra : 1 chance sur 10 de rester en France. »

(Se) Défiler

Marcher, parler fort, chanter, tenir par le bras des gens que l'on ne connaît pas. Manifester, c'était forcément une activité pour laquelle je n'étais pas fait. Une sorte de discothèque à ciel ouvert. Le silence. La solitude de mes lectures. Tenir dans mes mains un auteur que j'appréciais. Antithèse. Si la figure de style pouvait me plaire dans un texte, dans la réalité, il me fallait puiser dans ma réserve de « Je prends sur moi » pour souffrir trois heures de marche dans le brouhaha. Au fait, pourquoi manifestait-on ?

Il y avait tout autour de moi des dizaines (des milliers en fait si j'avais pu m'élever et regarder au loin) de personnes qui partageaient la même devise que moi : Je ne laisse personne indifférent. Voilà peut-être ce qui me gênait, voir des ressemblances alors que je me croyais unique. Sentiment qui m'avait détruit durant des années. Sentiment qui m'avait éloigné de ma famille, des amis de la famille. Sentiment qui m'avait façonné et qui avait fait de moi ce que j'étais au moment de défiler : un jeune homme mal à l'aise au milieu de la foule.

Heureusement, Mélanie se trouvait à mes côtés. Nous allions en rythme dans la même direction. Métaphore de ce que notre couple avait représenté des années durant. À ce moment précis, c'était artificiel, comme un décor de western à petit budget. On imaginait que le saloon n'en était pas vraiment un et qu'il ne fallait pas trop forcer sur les portes battantes, que l'église du village allait s'effondrer si une doublure manquait sa cascade. Pourtant, j'y croyais. Ça ne coûtait pas grand-chose. Une figure imposée qui me procurait du bonheur factice. Un édulcorant de l'amour. Mélanie m'avait prévenu dès notre rencontre Porte Dauphine : « Ne te fais pas d'illusion, je sais que c'est ton truc. Dans tes bouquins, il n'y a que des histoires incroyables. Mais là, on est dans la réalité. Il n'y a rien d'extraordinaire. Oublie le deus ex machina, les coups de théâtre... Ça me fait plaisir de te revoir mais ne pense pas que je vais te faire une grande déclaration et qu'on va reprendre les choses là où on les a laissées. »

Mélanie n'appartenait pas à ce genre de personnes qui enrobent leur discours, même querelleur, dans un bonbon onctueux et agréable. Elle travaillait davantage au piolet sur une roche abrupte. Beaucoup finissaient par décrocher. J'étais habitué à esquiver ses assauts. Et comme elle parlait de coup de théâtre, je ne pus m'empêcher de penser à la fin de *L'Avare* dans laquelle les personnages se découvrent père, fils ou sœur les uns des autres. Bien sûr, je ne lui dis rien des répliques qui traversèrent mon esprit, je ne devais rien ajouter à ses propos, seulement acquiescer d'un signe de la tête.

J'ajoutai même une réplique au texte de Molière et ce, sans la moindre gêne car il me semblait faible par endroits.

> Oui, Mélanie, faisons table rase du passé. Retrouvons-nous. Aimons-nous. Il n'appartient qu'à nous de faire des miracles.

Cette réplique ne donnait guère satisfaction, je la gardai pour moi.

Je devais revenir à la réalité. Il fallait laisser Molière et consorts au placard, même s'ils frappaient fort à la porte pour en sortir. Tenir bon, les repousser des deux mains. Prendre des appuis solides au sol. Tous ces auteurs morts finiraient bien par s'épuiser. Sinon, les portes céderaient et l'invasion serait inéluctable. Une armée de cadavres déboulerait dans ma tête. Je serais bon pour l'hôpital psychiatrique !

Deux heures à marcher dans une harmonie absolue. La foule qui galvanise et fait croire que tout sera bientôt possible. Personne pour te dire que tu vas peut-être trop loin sur certaines idées. L'accord parfait. Mélanie était vraiment heureuse. Elle reprenait à pleine voix les slogans que les organisateurs nous incitaient à chanter. Une balade dans Paris. Quel romantisme !

Entre deux reprises de souffle, j'essayai, malgré ses recommandations, d'interroger Mélanie sur sa vie depuis notre séparation. Il fallait parler fort pour qu'elle m'entende. Parler fort mais ne pas donner l'impression de crier, encore du théâtre. S'approcher de son oreille mais pas trop.

— Tu es retournée chez tes parents ?

— Oui.

— Tu as trouvé tes marques ?

— Oui.

— Comment ?

— Oui.

— Pas trop difficile, la communication avec ta mère ?

— Non.

En fait, la communication était surtout compliquée pour moi car Mélanie ne répondait que par « oui » ou « non ». Comme si elle avait éliminé du dictionnaire les 79 998 autres entrées.

2 h 30 à marcher. Escortés par des CRS fraîchement débarqués. Un cordon. Prêt à nous étrangler. Je savais que nombre d'entre eux assuraient notre sécurité à contrecœur.

Je remarquai, sur ma droite, un panneau publicitaire imposant. C'était le terme juste, il s'imposait à nous, marcheurs. Impossible de ne pas le voir. Un beau panneau, tout neuf, sur lequel les affiches défilaient automatiquement. Polstra en caleçon, pour une marque de lingerie. C'est vrai qu'il était bien fait, musclé mais pas trop. Trop bien fait certainement. L'informatique fait des miracles. En réalité, comme moi, il devait avoir quelques défauts. Alors que nous nous apprêtions à rebrousser chemin, le footballeur à l'air satisfait fit place à un groupe de prêtres chanteurs aux sourires éclatants. Ils étaient habillés sinon, comment les aurais-je reconnus ? *Pauperes cantoribus*. Des hommes d'Église transformés en artistes, des sportifs détournés de leur fonction première, mués en vendeurs de lingerie. Il n'y avait décidément plus rien qui tournait rond sur cette planète. *Pauperes peccatoribus*. Polstra réapparut, toujours aussi dénudé. Je le regardai fixement. Toujours ces formes faussement harmonieuses. Des yeux clairs. Sans gêne, à moitié nu au milieu de la rue.

Rapidement, nous comprîmes que l'ambiance allait se dégrader. À la légèreté du début avait succédé une pesanteur palpable. Au loin, on entendait des cris, on apercevait les fumigènes.

« Repartons, c'était une très mauvaise idée de venir ici », me lança Mélanie.

Et nous reprîmes la direction de l'avenue, qui commençait à être lentement envahie de fumée. Je me demandais quelle direction était la meilleure. D'ailleurs, y en avait-il une « meilleure » ? L'avenue était un champ de bataille en plein Paris, Gavroche et sa chanson sonnaient dans mes oreilles.

Je ne suis pas notaire,
C'est la faute à Voltaire,
Je suis un oiseau,
C'est la faute à Rousseau.
Joie est mon caractère,

C'est la faute à Voltaire,
Misère est mon trousseau,
C'est la faute à Rousseau.

Je ne voulais pas finir mon existence comme le gamin de Victor Hugo. Moi qui avais toujours rêvé de trépasser en lisant. Une mort digne, le couronnement de ma carrière. Mourir en lisant. En lisant quoi d'ailleurs ? Un texte plombant, Mallarmé par exemple ?

Je t'apporte l'enfant d'une nuit d'Idumée !
Noire, à l'aile saignante et pâle, déplumée,
Par le verre brûlé d'aromates et d'or,
Par les carreaux glacés, hélas ! mornes encor[1]

Certainement pas ! À choisir, j'aurais opté pour un texte amusant, plus léger : *Pourquoi j'ai mangé mon père* ou encore *La Conjuration des imbéciles*.

Mais pas ça, lynché entre deux voitures de marques françaises. Maman ne l'aurait pas supporté. Une Allemande à la rigueur. Elle aussi m'aurait imaginé. Un livre à la main dans ce moment ultime. Un Dumas sans aucun doute. Comme je réfléchissais de manière un peu trop voyante, les yeux fixes, Mélanie me serra la main avec force.

— Réveille-toi, Alex, je suis certaine que tu penses encore à tes bouquins. C'est pas le moment.

1. Stéphane Mallarmé, « Don du poème » (1865), *Vers et prose*.

Nous nous sommes retrouvés au milieu de l'avenue dans la cohue la plus incroyable que j'avais jamais vue. Une plongée dans le *sfumato* de Leonard de Vinci. Je tenais la main de Mélanie. Elle tenait la mienne. Le fil qui nous faisait penser que tout allait bien se passer. Nous avons remonté l'avenue en courant, tête baissée. Je n'arrivais plus à percevoir qui était de notre côté et qui ne l'était pas.

Courir tête baissée dans les rues de Paris et penser que des millions de touristes passaient l'intégralité de leur séjour dans la capitale tête levée. La relever par nécessité. Éviter les voitures abandonnées çà et là par des automobilistes pris au piège.

Nous finîmes par atteindre un endroit plus calme. Mélanie m'indiqua qu'il fallait marcher pour ne pas faire subir un trop grand choc à notre cœur. Ralentir le rythme. Reprendre son souffle. Comme un plongeur doit remonter à la surface en respectant les paliers de décompression. 180. 160. 140...

Jusqu'où descendre ? Un cycliste dopé doit au repos produire 60 pulsations minute. Pas moins ? Aucune idée.

Nous nous arrêtâmes enfin près d'une fontaine. L'eau coulait encore. Décembre était si doux. La mairie n'avait pas encore coupé le débit. Heureusement. Je voulais boire.

Eau Non Potable

Dans mon état normal, je n'aurais jamais désiré boire cette eau. Mais je n'étais pas dans mon état normal. Me jeter dans la Seine pour faire baisser la température de mon corps, pourquoi pas ? Je serais remonté rafraîchi, mais avec une ou deux maladies de peau. Au moins me rafraîchir le visage.

Mélanie me prit dans ses bras. Elle pensait que j'étais triste et apeuré par ce que nous avions vu et entendu. Je n'étais pas apeuré, seulement écœuré par les fumigènes. Qui a inventé les fumigènes ?

— Pleure pas, Alex, je suis là.

Je ne pleurais pas vraiment mais j'en profitais un peu. L'étreinte se fit plus forte.

Ma mère m'a dit un jour que j'avais des yeux de pierre parce que je ne pleurais jamais. Pour elle, j'étais une sorte de Vénus d'Arles, aux yeux qui ne voulaient rien voir et à l'identité incertaine. Sa remarque est arrivée quand elle m'a annoncé la mort de l'une de ses sœurs et que je n'ai pas réagi par un torrent oculaire. Une tante acariâtre, binôme d'une autre tante tout aussi désagréable et malheureusement encore en vie. Certaines familles sont terrifiantes. La mienne en fait partie. J'aurais pu produire quelques larmes de convenance, m'arracher les ongles, déchirer mes habits, me tordre les doigts. Une scène digne d'un roman de chevalerie dans lequel une Dame apprend la mort de son mari. Mais ma tante ne méritait pas une larme, elle était la personne la plus pingre du monde, un antidote à la générosité.

Je l'appelais tata Scrooge parce qu'à cette époque je ne lisais pas encore Sade. Scrooge, le personnage détestable de Dickens. Scrooge première époque, avant la révélation, avant la mort qui lui ouvrirait les yeux sur sa méchanceté. Chez elle, tous les placards étaient fermés à clé. Mes cousins devaient mendier leur nourriture auprès de Scrooge.

Quand elle me regardait, j'avais l'impression qu'elle mangeait les entrailles d'un animal en putréfaction tant son visage renvoyait le dégoût. Chère tata Scrooge. Il aurait fallu la pleurer alors qu'elle venait de succomber à une intoxication alimentaire foudroyante. Coquin de sort. Quelle idée de manger les viscères des animaux…

Des yeux de pierre donc. Des yeux de Vénus. Je voulais rendre hommage à ma tante en ne dépensant pas une larme, en les économisant. Ma mère est très limitée en médecine, pas en métaphore. Mes yeux sont de pierre mais le temps et l'érosion ont eu raison de leur étanchéité. Les fumigènes aussi. Surtout. Ils sont fissurés. Mélanie connaît la légende. Elle avait eu droit à un récit explicatif détaillé lors de sa première visite dans la maison familiale. Une belle publicité pour ma personne.

« Mon fils a des yeux de pierre. » « Tu as déjà vu la Vénus d'Arles ? Elle détourne le regard et ne veut rien voir. » Moi, comparé à une statue de femme ! Le David de Michel-Ange lui non plus ne regardait pas en face. Il aurait davantage collé à ma personne même si, je le concède, sa musculature est bien plus développée que la mienne. En outre, ma mère le connaissait. Pourquoi choisir une statue de femme ?

Heureusement, la cristallisation m'avait sauvé. Publicité inefficace. Mes larmes n'intéressaient pas Mélanie. La sculpture non plus. Elle préférait mon sourire, ma délicatesse, ma propension à l'accompagner partout, ma volonté de ne la contredire que rarement, point essentiel d'une relation durable.

Et cet après-midi, libéré des cris et de la cohue, j'ai aimé être dans ses bras, même si le mensonge motivait ce rapprochement. Un petit mensonge qui ne provoquait nulle souffrance chez autrui. J'adorais les fumigènes et leur inventeur !

— Ça va mieux ? me demanda-t-elle.

— J'ai cru qu'on ne pourrait jamais s'arrêter de courir. Il faudrait vraiment que je reprenne le sport.

— Je te donnerai quelques conseils alors. Il te faut un vrai programme d'entraînement. Tu pars de très bas.

— Je compte sur toi.

— Je t'enverrai ça par mail. Je vais rentrer chez mes parents. J'ai besoin de calme, de sécurité. Je t'appelle bientôt.

Mélanie m'embrassa comme on embrasse un enfant et partit. Je la regardais s'éloigner quand elle se retourna et lança :

— Enlève ta capuche sinon les flics vont t'embarquer.

Nous sortions de l'enfer et Mélanie m'avait parlé comme si nous revenions du supermarché. Son idée de m'éduquer sportivement n'était pas ridicule en soi, elle était simplement mal appropriée au contexte. Je n'avais nulle envie de faire du sport. Ma phrase au second degré avait le goût du premier dans la bouche de Mélanie. C'était certainement un signe de notre désunion. Ne plus comprendre la nuance dans les propos de l'autre. Ne plus comprendre la finesse d'un énoncé. Prendre chaque mot, chaque expression dans son sens littéral. La fin de l'amour coïncidait avec la fin d'un langage.

Je souris presque mécaniquement à sa recommandation. Je gardai ma capuche. Pouvait-on avoir un dress code absolument libre dans le pays des droits de l'Homme ?

Je voulais respirer un air plus pur.

***

Je n'étais pas mort comme Gavroche. J'en tirais une certaine fierté. La littérature racontait des histoires tragiques parce que la vie l'était souvent. Les écrivains partaient de la misère réelle pour créer. Hugo ne se battait pas sur les barricades, il ne pouvait pas, il écrivait. On peut difficilement mélanger les genres. Celui qui se bat et celui qui écrit se croisent rarement. Le génie vient de la capacité à faire croire aux lecteurs qu'on mène les deux activités de front alors qu'on est assis à son bureau et que le feu crépite dans la cheminée. Dehors, le combat gronde, on s'assure que la fenêtre est bien fermée pour ne pas être dérangé par le bruit. Donc, la littérature c'est la vie de l'autre côté de la fenêtre. En cela, elle peut nous aider. Parce qu'elle est *presque* la vie. Il faut simplement adapter le texte à la situation. Dans ce « simplement » se trouvait tout le sel de mon métier. Offrir le roman, la poésie qui, parmi les millions d'œuvres existantes, parlerait à un pauvre être humain. D'ailleurs, on disait « parler » pour un texte et ce n'était pas anodin. Un texte qui nous parle crée une véritable intimité avec son lecteur. Il ne passe pas par les yeux mais par les oreilles, pour nous pénétrer.

Tout en marchant en direction du métro, j'ai sorti de ma poche un exemplaire des poésies d'Emily Dickinson, *Lieu-dit l'éternité.* Cette jeune fille cloîtrée avait saisi le monde comme personne. Depuis sa fenêtre. Des vers courts comme des incisions au scalpel dans la peau. Des incisions profondes dans l'être. Jusqu'à son essence. Je sortais toujours avec un livre dans la poche. Les grandes avenues parisiennes me permettaient de lire sans bousculer quiconque. Et accessoirement de ne regarder personne, ce qui m'évitait de percevoir des gens faussement pressés, caractéristique essentielle de la grande ville. Il faut être pressé pour être important. Être pressé, c'est être attendu. Prendre son temps, c'est n'être pas attendu. N'intéresser personne. Alors, on fait mine de courir, de bousculer, de téléphoner frénétiquement. Dickinson ne faisait rien. Elle n'habitait pas Paris.

Je n'ai pas eu le temps de Haïr —
Sachant
Que la tombe serait une gêne pour Moi —
Et la Vie pas assez longue
Pour faire
Cesser les – Hostilités —

Et pas non plus le temps d'Aimer —
Mais puisque
Il faut Faire quelque chose —
La petite misère de l'Amour —
pensai-je
Suffirait à mon bonheur[1] —

Ma lecture fut interrompue par une voix masculine que je connaissais. Un groupe de quatre personnes, deux hommes et deux femmes, qui me précédaient. Je ne pouvais plus entendre la voix de la poétesse tant mon cerveau tentait de retrouver celle qui arrivait jusqu'à mes oreilles. Une voix pleine d'assurance. La voix d'un homme qui aimait, lui aussi, être écouté. D'ailleurs, il était le seul à parler. Les autres restaient muets. J'accélérai un peu le rythme pour me rapprocher. Mon livre à la main, personne ne me prendrait pour un espion. Le livre est souvent perçu comme un gage d'honnêteté. Peut-être parce qu'on n'avait jamais vu de braqueurs entrer dans une banque avec les œuvres complètes de James Joyce à la main.

« Ouvrez le coffre immédiatement ou je vous lis *Finnegans Wake* en intégralité. »

Comme j'étais beaucoup plus proche de la voix, je pouvais à présent l'entendre clairement.

---

1. Emily Dickinson, *Lieu-dit, l'éternité. Poèmes choisis*, traduit de l'anglais (États-Unis) par Patrick Reumaux, Seuil, collection « Points », 2007, p. 117.

— Tu vois, Franck, plus le temps passe, moins je comprends comment deux femmes ou deux hommes peuvent s'accoupler. C'est dingue. Pendant des années, j'ai bossé avec un gay. Un type très sympa au demeurant. On parlait beaucoup boulot. Pourtant, dès qu'il abordait sa vie privée avec son homme, comme il disait, je ressentais une gêne profonde. Mais je me gardais bien de lui dire ou de lui montrer. Je restais calme, je feignais l'acceptation. En gros, je faisais comme si cela était tout à fait normal que Tuture et Tatare rempotent leurs fleurs le dimanche après-midi. Eh bien maintenant, avec l'âge, je lui dirais sans problème d'aller raconter des histoires de pédés à quelqu'un d'autre.

J'écoutais ce discours sans vraiment l'analyser. Je voulais savoir qui le prononçait.

— Robert, ce doit être la sagesse. À présent, tu es moins inhibé, tu es plus dans la vérité, la franchise. Tu es devenu ce que tu devais être. Je n'en suis pas encore là, moi, malheureusement. Il y a deux lesbiennes au bureau. Elles me répugnent.

L'autre homme du groupe répondait sur un ton moins sûr, il butait quasiment sur chaque mot. Comme s'il lisait à haute voix un texte trop complexe, le doigt sur la page. Je pouvais encore mieux saisir ses propos.

« Robert », avait-il dit. Mais je ne connaissais pas de Robert. Ce dernier reprit :

— Ça viendra. T'inquiète pas. En tout cas, on leur a donné une bonne leçon aujourd'hui. Ça va marquer les esprits. Ils finiront bien par se taire. L'adoption, le mariage et puis quoi encore ? Ils se croient dans un roman… Au fait, ma femme t'a dit, en parlant de roman, j'ai commencé un travail avec un bibliothérapeute. Un type extra qui a lu toute la bibliothèque municipale. Je pensais pas pouvoir parler avec un intello comme ça. On verra ce que ça donne. J'ai aussi commandé un lave-linge révolutionnaire. Un appareil génial. Faut que je te raconte.

Chapman, Robert Chapman ! Le vendeur de montres qui manquait de temps ! *Oblomov* ! Les deux noms allaient de pair dans mon esprit. Il faudrait dorénavant y accoler quelques adjectifs : abruti, intolérant, vulgaire… Liste non exhaustive.

Comme tous les êtres sans finesse, il pouvait dans la même discussion évoquer un lave-linge, un thérapeute et sa haine des homosexuels. Cela bien sûr sans déranger le moins du monde ses interlocuteurs.

Chapman revenait de la manifestation avec le sentiment du devoir accompli. Heureux.

Moi, je restais discret, caché dans les jupes d'Emily Dickinson. Je suivais le groupe sans rien dire. Brusquement, l'une des femmes se retourna, certainement avait-elle remarqué ma présence. Aussitôt, je me penchai pour refaire mes lacets, ce que je fis en prenant bien mon temps. Mise en pratique de l'hyperbole. Ensuite, avec un grand calme, je me relevai et repris ma lecture de la poétesse tout en marchant lentement. L'arme absolue. La femme ne s'inquiéta plus. Si je l'avais eu sur moi, je leur aurais volontiers jeté mon exemplaire de *Finnegans Wake* à la figure.

Les pleurs d'un empereur et les pleurs d'une reine

Il y a des gens à qui tout réussit. Ils ont l'amour, l'argent, la santé, un travail épanouissant, une belle maison, une pelouse parfaite (sans une mauvaise herbe), une voiture qui démarre dès qu'on appuie sur le bouton « Start » (peut-être même avant), des enfants polis aux cheveux disposés élégamment sur le crâne. Ils n'ont jamais le moindre souci. Pas de problème avec leur assureur qui rembourse sans sourciller le moindre appareil ménager. Même leurs chaussures n'oseraient pas causer de problème à leurs orteils. Pas de souci avec l'avion qui les emmène en vacances, pas de retard, pas de grève. Leur location ? « Un bonheur ». Jamais de problème avec le train, le métro. Tout est à l'heure. Tout va bien. Heureusement, tout le monde n'avait pas cette chance, cela assurait du travail aux thérapeutes.

Rien ne fonctionnait sur ce modèle dans mon existence. Ma voiture démarrait quand elle le souhaitait. Mon appartement n'était pas le mien mais celui d'une grand-mère au souffle rauque. Son appartement. La pelouse, quelle pelouse ? Pas une ouverture digne de ce nom entre ces quelques murs. Un balcon sur l'annonce locative. Des rêves de fraîcheur. De l'air. En fait, un rebord de fenêtre. Un balcon pour les jardinières de Mélanie.

Mes enfants, ça, je ne pouvais pas en parler. Pas plus que de leurs cheveux, donc. Mes vacances, j'étais un habitué des mauvais plans. Du genre « Arnaques à la location en Espagne », la maison vue sur le Net et payée devenait invisible une fois la frontière passée. Je pense que des dizaines de journalistes étaient à ma recherche dans toute la ville pour entendre mon témoignage. Une traque à la victime. Avec un peu de chance je finirai à la télé dans un magazine d'investigation lamentable. Entre un numéro consacré à la drogue et un autre à la prostitution.

J'étais à deux doigts de plonger dans les œuvres complètes de Schopenhauer. Être désabusé me permettait d'accéder aux grands penseurs… pour un instant. Ensuite, je redevenais moi. Et Chapman arrivait en sueur.

En effet, celui que je devais revoir deux jours plus tard m'était apparu sous sa vraie nature. Et ce n'était pas glorieux. Pourtant, je devais continuer à le voir. Parce qu'on n'abandonne pas un patient, même s'il tient des propos lamentables. Rester professionnel. Pour l'argent, aussi. Un motif philosophiquement minable, mais je ne vivais pas dans un manuel de philosophie. Il fallait vivre.

Manger, payer mes factures. Être dans le monde et pas seulement dans les livres. Je pensais comme Heidegger sans en maîtriser les concepts. Et tant mieux car ce vieux Martin avait deux ou trois choses à se reprocher.

J'en avais assez de cette journée. J'ai avalé une double dose de calmants. D'ordinaire, je n'en prenais jamais, j'avais trop peur de ne plus me réveiller. Les Français passent pour les champions du monde des tranquillisants. Je ne dérogeais pas à la règle. Je pouvais même prétendre au Ballon d'or de la discipline à présent. Le Valium d'or. Je me suis glissé dans mon lit et j'ai programmé l'arrêt de la radio quarante minutes plus tard. Prétentieux. Deux heures après, je rêvassais encore. J'ai rallumé la radio. Une voix monotone relançait des auditeurs malheureux qui appelaient pour demander conseil. Les témoignages s'enchaînèrent jusqu'au journal.

« Les manifestations à travers la France ont donné lieu à de nombreux incidents. On dénombre trois blessés graves dans la capitale et deux en province. Les cortèges ont été attaqués par des opposants au Mariage pour tous et à l'adoption par les personnes de même sexe.

La douceur est une véritable catastrophe pour les professionnels du tourisme. Les stations de ski sont désertes. La plupart resteront fermées dans l'attente d'éventuelles chutes de neige.

Sports : la FIFA décernera demain son trophée le plus prestigieux, le Ballon d'or, lors d'une cérémonie qui se déroulera à Genève. Anthony Polstra, l'attaquant français, fait partie des finalistes. »

***

Pour rire, il faut être disponible. Avoir du carburant pour entraîner les zygomatiques. Je ne ris pas avec les patients. Je suis en panne sèche. Volontaire. Parce que si je riais avec eux, je serais disponible à moi-même et indisponible pour eux. Je ne suis pas le premier à ne pas rire dans le cadre de mon activité professionnelle, Jésus a fait ça bien avant moi. Et ça lui a plutôt pas mal réussi niveau reconnaissance. Une carrière brève mais intense. Et la postérité. Personnellement, je n'en demande pas tant. Des patients satisfaits, Mélanie avec moi, me suffisent amplement. Pour le reste, je n'ai pas douze amis (il y aurait sans doute plus d'un traître parmi eux) et la barbe ne m'irait absolument pas.

Pour l'un de mes professeurs d'université, un petit homme au rire nerveux inépuisable, je représentais la bibliothérapie mélancolique. Celle qui prône les textes un peu austères au détriment des œuvres plus légères. Par opposition à la bibliothérapie joyeuse, donc. « Allez, Alex, aujourd'hui, on va se régaler avec Diderot », me disait-il quand il me trouvait, de bon matin, affalé sur ma table. Ce professeur me connaissait mal. J'évitais les textes amusants parce que je craignais d'être dépassé. Pas parce que je ne les aimais pas, quoique Diderot. Je me protégeais, tout en essayant, tant bien que mal, de me remettre d'une nuit de lecture exténuante.

Pour moi, ce n'est pas une posture aisée car si j'ai appris quelque chose à travers les livres, c'est que le rire est le moteur de bien des auteurs. Je lutte pour ne pas rire quand certains de mes patients me racontent leur vie déglinguée. Heureusement, la jauge est dans le rouge. Les zygomatiques endormis. Et que diraient-ils si j'éclatais à la moindre erreur de langage, qui arrive forcément au plus mauvais moment, quand la tension est à son maximum ? Ou pire, quand une remontée acide intervient en pleine conversation sérieuse ?

La remontée acide, le mal du siècle selon le magazine santé auquel ma mère est abonnée. La remontée acide qui nous rappelle que nous sommes des êtres sensibles. La remontée acide qui aurait brisé la moitié des tragédies du Grand Siècle si les dramaturges l'avaient utilisée dans leurs didascalies. Le vers racinien démoli. Titus et Bérénice victimes de leur pauvre enveloppe corporelle.

TITUS

Et que tout l'univers reconnaisse sans peine
Les pleurs d'un empereur et les pleurs d'une reine.
Car enfin, ma Princesse, [remontée gastrique] il faut nous séparer.

BÉRÉNICE

Ah ! Cruel, est-il temps de me le déclarer ?
Qu'avez-vous fait ? Hélas ! Je me suis crue aimée.

Au plaisir de vous voir mon âme accoutumée
Ne vit plus que [remontée gastrique] pour vous[1]...

Ma mère a toujours pensé que si je ne pleurais jamais, je ne riais jamais non plus. Encore un point commun avec Jésus. Une humeur égale en toutes circonstances. Quelle déception pour des parents qui souhaitent des enfants-éponges. Mais ceci n'était qu'illusion. Je n'éprouvais que peu de joie avec ma mère et ça se voyait. En dehors de sa présence, je me considérais comme une personne plutôt gaie, excepté en période de misère amoureuse, bien sûr. J'étais heureux parce qu'il me restait tant à lire, tant à apprendre sur les autres et sur moi, tant à côtoyer l'intelligence des auteurs et de leurs textes. Une œuvre en appelait une autre. Puits sans fond de la littérature. Mais un puits chaleureux, pas mortifère, rassurant, parce qu'il contenait des trésors qui nous ramenaient à la surface. Les livres ne coupaient pas du monde de manière définitive, ils nous apprenaient à mieux l'appréhender.

Mes problèmes familiaux, par exemple, disparaissaient quand je lisais *Augustus Carp*, le roman de Bashford. Le père du héros avait eu l'excellente idée d'exiler ses tantes au pays de Galles. Ah, si j'avais pu faire la même chose ! Exiler les trois quarts de ma famille à l'île du Diable, l'Irlande étant

1. Racine, *Bérénice,* acte IV, scène 5, Le Livre de Poche, Paris, 2011.

trop douce, sans espoir de retour. Pas comme chez Bashford où les tantes du narrateur finissent par revenir comme une verrue récidivante sur le nez.

Je ne résistais jamais longtemps à l'idée de lire les passages concernés à Mélanie. Et nous riions alors aux éclats. Elle finissait par détester ma famille, pour un moment durant lequel nos gencives devenaient visibles, signe d'une complicité exacerbée. Une communion par le rose car elles avaient cette couleur de santé. La littérature rapprochait nos bouches. Mélanie me promettait de lire ce roman si drôle, si bien écrit, si juste, ce qu'elle ne faisait jamais, d'ailleurs. Mais, peu importait, nous nous embrassions.

Polyphonie

— J'imagine que vous étiez à la manifestation, hier. J'ai vu qu'il y avait eu du grabuge. J'ai pensé à vous. Je vous ai envoyé un message dans la soirée, d'ailleurs. Comme je n'ai reçu aucune réponse de votre part, j'ai eu peur. Et pas seulement peur que vous annuliez le rendez-vous d'aujourd'hui. Vous vous en fichez certainement. Ce n'est pas grave.

— Je ne vous ai pas répondu parce que j'ai perdu mon téléphone dans une bousculade. Comme vous le dites, il y a eu du grabuge. Mais je m'en sors bien. D'autres ont pris des coups. Pas moi. Je ne me fiche absolument pas du souci que vous vous êtes fait. Je trouve cela touchant. Pour être honnête, je crois que vous êtes le seul à avoir pensé à moi.

En vérité, mon portable n'avait jamais quitté ma poche. Tout comme la lettre que je devais remettre à Mélanie. Elle ne pouvait pas m'en vouloir puisqu'elle ne savait pas que je possédais ce courrier. Un oubli inoffensif.

J'avais bien reçu le message de Yann, mais je ne voulais pas lui parler en rentrant de la manifestation.

Il n'était qu'un patient, rien de plus, je n'allais pas communiquer avec lui en dehors de nos rendez-vous. Plus prosaïquement, je voulais passer ma soirée à ruminer ma misérable condition avant de tomber sur un programme télé captivant : un reportage sur les nuits « chaudes » dans les campings du sud de la France. Bien plus instructif qu'un mauvais livre, j'avais laissé au pied de mon écran tous mes problèmes personnels. Mon portable ne m'avait aucunement dérangé puisqu'il avait sonné une fois : « Ça va ? Yann. » Rien de plus. Ma mère, qui savait que je défilais avec Mélanie, n'avait pas daigné me contacter. Elle avait certainement oublié la manifestation dans un ouvrage de théorie littéraire. Un texte hermétique connu par une dizaine de spécialistes dans le monde. *« Un texte majeur, un texte essentiel, une révolution dans la perception de la notion… »* pour les happy few. Quand je pense qu'elle possédait un exemplaire de *L'Art d'être grand-père* de Victor Hugo alors qu'elle était tout juste digne d'être mère !

— Je suis sûr que vous vous trompez. On pense à vous, c'est certain. Quelque part sur terre, il y a bien une personne qui pense à vous. Votre mère par exemple. Une mère pense toujours à ses enfants. La mienne a annexé une partie de son cerveau – la principale – pour faire de moi un résident permanent. Il y a peu de place pour le reste. Quelques centimètres pour les fonctions vitales, c'est tout.

— Vous avez sans doute raison. Enfin, revenons à notre roman, *L'Attrape-cœurs*. Que pensez-vous d'Holden ? Je suis curieux de connaître vos impressions.

Yann n'avait pas à savoir quel genre de relation j'entretenais avec ma mère ni quoi que ce soit d'autre concernant ma vie privée. J'étais là pour l'aider, non l'inverse.

— Holden est un garçon incroyable. J'adore le voir déambuler dans New York.

— Vous êtes très proche de lui, Yann !

— Oui, nous avons à peu près le même âge.

— Bien sûr j'ai choisi ce roman parce que le personnage principal est un adolescent. Mais pas seulement. Je crois que New York est une métaphore de l'existence. Vous avez terminé ce roman ?

— Non, pas encore.

— Alors, tant mieux. Je souhaiterais que vous lisiez la suite du texte en vous souvenant de cela : New York, c'est la vie. Nous suivons Holden dans les méandres de son évolution.

— Je suivrai votre conseil. Jusque-là, la vie d'Holden est une catastrophe. Je ne vois rien de positif. Le texte est vraiment déprimant. Je plaisante ! Après *Thomas l'imposteur*, vous me gâtez. Je m'attends au pire. Vous pensez vraiment que des romans aussi glauques vont me sortir du trou où je me trouve ?

Yann passait du stade de lecteur attentif, capable d'entendre un conseil, à celui de lecteur provocateur, en un instant. Il fallait sans cesse s'adapter à ces changements. Il n'y avait donc aucun confort à échanger avec lui. Le danger était permanent.

Comme un funambule au-dessus du vide, il fallait être constamment concentré. Ne jamais croire que l'équilibre était un don, un acquis sur lequel vous aviez toute latitude. Et si Yann essayait de manière trop ostentatoire de faire bouger le fil sur lequel je me tenais alors, il recevrait avec certitude un coup de pied radical. On ne touche pas au fil.

— *L'Attrape-cœurs* n'est pas un roman déprimant ! Il y a un souffle qui porte le texte du début à la fin. Je ne vous dévoilerai pas l'issue aujourd'hui mais je souhaiterais lire avec vous quelques passages.

— Vous voulez que je lise ?

Yann esquissa un sourire avec ce qui lui restait de bouche. Un demi-sourire, enfin, quelque chose comme ça. Un autoportrait de Francis Bacon. Un tableau pour faire peur aux enfants dans les salles de classe.

— Je vous écris cela parce que vous ne m'avez jamais demandé si je pouvais produire des sons. Pourtant, quand j'ai l'occasion de rencontrer des gens, ce n'est pas tous les jours, ils me posent toujours cette question. Ils se demandent comment on peut ne pas être capable de parler. Parce qu'ils parlent ! Ils essaient d'articuler au maximum en bougeant les lèvres au ralenti. « Juste un bruit, fais un effort. »

J'imagine qu'ils feraient la même remarque à un aveugle : « Allez, arrête d'exagérer, je suis certain que tu vois ce truc collé au plafond... »

— Je ne voyais pas l'intérêt de la question, voilà pourquoi je ne vous l'ai jamais posée.

— Je veux vous faire entendre ça. Choisissez un passage.

— Comme vous le souhaitez.

J'ai ouvert avec difficulté le roman au chapitre 12, chapitre que je voulais lire à Yann. Mes mains tremblaient car je n'étais guère tenté par cette expérience. Imaginez-vous invité dans un restaurant de fruits de mer alors que vous détestez les mollusques. C'est votre promise qui vous a convié. Imaginez le serveur débarquant avec un plateau envahi par tout ce que la mer peut contenir de pieuvres, oursins, coques. Vous voulez partir mais la bienséance vous l'interdit. Vous imaginez le pire, faire un malaise, feindre un coup de fil urgent, mais non, vous ne devez pas ternir votre image. Alors, vous restez assis. Et les bestioles bougent encore dans votre assiette. La charte des bibliothérapeutes voulait que j'écoutasse Yann. J'avais rêvé de lui à plusieurs reprises, je l'entendais me parler d'une voix métallique, sans savoir pourquoi d'ailleurs, elle était ainsi. Il n'était pas le premier patient qui troublait mon sommeil. Souvent, ils s'invitaient à passer la nuit avec moi. Je leur laissais porte ouverte. Je rejouais une séance, je modifiais mes propos, je les améliorais. Tout semblait mieux aller. Les textes avaient eu un effet bénéfique. La réflexion des lecteurs suivait son cours. Jusqu'au réveil.

— Vous avez peur que je lise ?

— Non non, c'est juste que j'ai été un peu chamboulé par la journée d'hier. Tenez, voilà le passage. Page 102.

Yann commença à lire silencieusement le texte. Ses yeux le parcouraient avec vivacité puis stoppèrent net tout mouvement. Il était prêt.

Alors, des bruits étranges résonnèrent dans la chambre de l'adolescent. Aucun mot, des sons seulement. Comme si Yann avait ingurgité un kilo de pierres et se les était fichées une à une au plus profond de la gorge. Sa voix n'était donc pas métallique. Juste caillouteuse. Je fus troublé par ces sons, je les savais rares et le fruit d'un effort démesuré de la part du jeune homme.

Enfant, ma mère me lisait souvent le conte de Perrault *Les Fées*. Je redoutais de finir un jour comme l'héroïne, punie par la fausse princesse.

« Je vous donne pour don qu'à chaque parole que vous direz, il vous sortira de la bouche une pierre[1]. » À ce moment précis, le conte devenait réalité.

— *L ta qu j'prr é tin vi euta coki fent ko fi...*

Yann n'alla pas plus loin. Il but une gorgée d'eau et écrivit.

— Alex, vous êtes mal à l'aise ? C'est ma voix que vous venez d'entendre. Chaque matin, je m'impose quelques minutes de vocalises... Enfin si on peut appeler cela des vocalises... pour me

---

1. Charles Perrault, *Les Fées*, *Contes*, Le Livre de Poche, 1987, p. 77.

confirmer que je suis encore un être humain. Vous avez une référence littéraire concernant un personnage avec une voix aussi terrible que la mienne ? Les sirènes peut-être…

Si la douleur avait coïncidé avec un son, alors c'est la voix de Yann qui lui aurait servi de modèle.

— Non, je ne vois pas de références littéraires précises. Je ne suis pas mal à l'aise. Je sais que vous prenez sur vous pour me faire entendre vos paroles. Cela me touche énormément car c'est le signe de la confiance que vous m'accordez. Et, franchement, votre voix est tout à fait audible.

— Je suis encore loin de faire une carrière de chanteur. Vous savez, ma mère refuse de m'entendre « parler ». Au début, elle pleurait en m'écoutant puis, un jour, elle m'a dit qu'elle ne voulait plus entendre ce bruit venu de ma bouche.

— Je ne souhaite pas juger votre mère, vous le comprendrez. Il serait aisé de le faire, mais ce serait une erreur. Travaillons ensemble, Yann. Je vais vous lire le passage de Salinger.

— Oui, ce sera plus fluide si c'est vous qui lisez.

> Le taxi que j'ai pris était un vieux tacot qui sentait comme si on avait dégueulé dedans. Si je vais quelque part tard le soir c'est toujours dans un de ces trucs vomitifs. En plus, dehors, c'était tout calme et vide, spécialement pour un samedi soir. Je voyais à peu près personne dans les rues. Juste de temps en temps un mec et une fille qui

traversaient au carrefour en se tenant par la taille et un petit groupe de loubards avec leurs copines, tous se marrant comme des baleines pour des trucs sans doute même pas drôles[1]...

J'ai lu un long moment sans m'arrêter. Yann m'écoutait attentivement. Cependant, je sentais qu'il était particulièrement tendu.

— Je continue ?

— Oui, Alex, s'il vous plaît.

Lorsque le machin de Noël a été terminé le foutu film a commencé. C'était tellement putride que je pouvais pas en détacher mes yeux. Ça parlait de cet Anglais, Alec quelque chose, qui une fois revenu de la guerre a perdu la mémoire à l'hôpital et tout. Il sort de l'hôpital appuyé sur une canne, boitant tous azimuts et il se balade dans Londres sans savoir qui il est... Il rencontre cette fille sympa, cette fille sincère... Ils montent dans le bus, à l'étage supérieur et ils s'assoient et se mettent à parler de Charles Dickens. C'est leur auteur favori à tous les deux et tout. Alec il a sur lui un exemplaire d'*Oliver Twist* et elle aussi[2].

Yann posa sa feuille sur le roman afin d'interrompre ma lecture.

— Attendez.

1. J.D. Salinger, *L'Attrape-cœurs* [1951], traduit de l'anglais (États-Unis) par Annie Saumont, Pocket, 1994, p. 102.

2. *Ibid.*, p. 168-169.

Il écrivit.

— Ce livre est votre Bible ! Tout y est, l'amour, la littérature. J'ai remarqué que vous glissez des romans dans vos poches. Vous êtes amoureux ?

— J'ai énormément de respect pour Salinger. Pour sa vie. Pour son œuvre. Quant aux romans dans mes poches, c'est une habitude ancienne. En ce qui concerne l'amour, je ne pense pas que ce sujet soit vraiment intéressant. Je pense qu'on aime toujours, toute sa vie. Différentes personnes bien sûr, avec des intensités diverses. L'amour est inscrit au plus profond de nous. Quand on pense qu'on n'aime plus, on se trompe, l'amour sommeille seulement. Et vous, Yann, parlez-moi de votre amour.

— Votre conception me plaît bien. Disons que mon amour sommeille depuis très longtemps. Peut-être qu'un seau d'eau glacée le réveillerait. J'ai aimé deux fois. Avant et après l'accident. Avant, c'était Émeline, à l'école. Une histoire incroyable pour moi, banale pour tous les autres. Je vous épargnerai les détails. Émeline me trouvait mignon. Je l'ai embrassée. Après l'accident, il y a eu Valentine. Je l'ai aimée mille fois plus qu'Émeline. Certainement parce qu'elle m'ignorait. Elle ne m'a jamais adressé la parole. J'allais en cours pour la voir. Elle, ne me regardait pas.

— Vous lui avez déclaré vos sentiments ?

— Non. Allez parler à un mur, même s'il est recouvert d'une superbe fresque, il ne vous répondra jamais.

— Vous le regrettez ? Vous pourriez peut-être reprendre contact avec cette jeune fille. Pensez à Holden et à sa détermination. Il ne renonce jamais, même quand tout semble perdu.

— Je ne suis pas certain de regretter mon manque de courage. À présent, il serait certainement intéressant de lui dire deux ou trois mots. Je ne suis pas plus courageux aujourd'hui qu'hier.

— Je peux vous aider à lui écrire.

— Je ne sais pas. Toujours lire, toujours écrire, je suis fatigué. J'ai besoin de vous, Alex.

— Ne vous inquiétez pas.

— Je vais essayer. Si j'arrive à l'écrire, cette lettre, vous l'apporteriez à Valentine ?

— Alex, cela ne fait pas partie de mon travail de bibliothérapeute. Vous êtes mon patient. Et je ne suis pas facteur.

— Votre humour me plaît ! Je sais que je vous en demande beaucoup. Alex, je ne vais pas vous supplier, ça ne me ressemble pas. Ma mère suit tous mes déplacements. Elle me suivra jusque chez Valentine. Adieu la discrétion.

— Avez-vous un ami qui pourrait vous rendre ce service ?

— Pas un seul. Je n'ai confiance en personne, sauf en vous.

Je savais que le thérapeute devait rester à sa place. Je savais qu'il ne fallait pas interférer dans la vie privée de ses patients, et vice versa. Je savais que la bibliothérapie n'était pas un service de messagerie. Je savais qu'en situation d'évaluation universitaire, répondre positivement à la demande de Yann m'aurait valu un zéro pointé. Mais je n'étais plus à l'université. Mon diplôme trônait dans mon cabinet, je le regardais chaque jour avec un sentiment de fierté incommensurable. Et Yann avait touché la corde sensible en moi. Il ne me faisait pas de la peine parce qu'il n'osait apporter sa missive à Valentine. Non, ce qui avait fait mouche c'était sa relation avec sa mère. Yann redoutait le regard de sa mère sur sa volonté d'écrire à Valentine. J'avais moi-même une relation compliquée avec la mienne depuis bien des années. J'aurais tant voulu qu'on me vienne en aide lorsque j'étais adolescent.

★★★

Valentine résidait dans un appartement tout proche de chez Yann. Une concierge se posta devant moi dès que je mis un pied dans la cour. A priori, elle avait d'autres fonctions que celle de l'entretien des parties communes. Une sorte de chien de berger surveillant les allées et venues. Une vie à surveiller les autres pour un salaire de misère et des étrennes minables au mois de janvier. Encore quelques semaines à tenir et les enveloppes feraient leur apparition. Des petites cartes « Bonne année ! ». Elle s'en ficherait, dépliant directement les chèques pour en découvrir le montant. La mesquinerie de certains lui sauterait au visage : « 10 euros !!! Qu'ils ne me demandent plus rien ceux-là. »

En attendant, elle me barrait le passage avec son balai. Décidément, depuis la manifestation, des gens prenaient l'habitude de m'empêcher de me rendre là où je désirais. Je n'avais pas à dire quoi que ce soit à la concierge. Sa carte de police n'était pas visible. Son brassard orange non plus. CONCIERGE écrit en grosses lettres noires.

— Bonsoir, je peux vous aider ? finit-elle par me lancer.

— Je cherche l'appartement de Valentine D.

— Vous avez de la chance, elle vient tout juste de rentrer. C'est au premier étage.

— Merci, bonne soirée.

— Mais je vous en prie, monsieur.

Elle avait prononcé cette dernière phrase avec une voix mielleuse de concierge prête à vous dénoncer à la moindre incartade, un papier jeté dans l'escalier ou, plus grave, une soirée un peu trop bruyante.

Je me retrouvai rapidement face à une superbe jeune fille, très étonnée de me voir mais attentive à mes paroles. Je me présentai et lui expliquai les raisons de ma venue. Elle écouta sans m'interrompre et accepta de prendre la lettre de Yann qui était en fait celle de Mélanie. Une erreur de poche. J'échangeai les courriers pour la corriger. Je n'avais aucune chance d'intégrer le corps des facteurs. Je rangeai la lettre de Mélanie. Faux départ.

D'autant plus que j'utilisais la lettre adressée à Mélanie en tant que marque-page. Je détestais corner les pages des livres. Je percevais ce geste comme une torture infligée aux ouvrages. Ceux de ma mère finissaient amputés de nombreux passages car elle avait la fâcheuse habitude de corner la page proportionnellement à l'endroit où elle se trouvait. Si elle arrêtait sa lecture en haut d'une page, tout allait bien. En revanche, si elle le faisait en bas de page (d'ailleurs je me demandais pourquoi elle stoppait sa lecture à un endroit pareil, elle devait vraiment être interrompue par quelque chose d'exceptionnel, l'appel urgent d'une amie spécialiste de la cédille au Moyen Âge, par exemple), elle en cornait quasiment l'intégralité.

Adolescent, lire un roman de la bibliothèque familiale s'apparentait à pratiquer l'origami. En conséquence, adulte, je m'étais promis de ne pas réitérer cette technique barbare, déjouant ainsi les théories qui expliquent que les schémas familiaux se transmettent inévitablement. L'enfant abandonné abandonne ses enfants. Les fils de divorcés divorcent inéluctablement. L'assassin engendre un assassin…

Le marque-page devint donc un allié indéfectible de ma formation. Cependant, au fil du temps et de l'invasion livresque dans mon existence, il avait été remplacé par tout ce qui pouvait le suppléer. Une enveloppe, une fiche bristol, un billet de train, un ticket de métro (avant que ce terme soit galvaudé par les esthéticiennes), une photo… Ma lecture finie, il ne restait pas trace de mon passage.

— Yann est un gentil garçon. Nous étions en classe ensemble. J'avais peu de contacts avec lui.

— Il voulait vous dire certaines choses. Vous savez qu'il mène une existence compliquée.

— Je lirai sa lettre. Vous êtes bibliothérapeute alors ? Ou facteur ?

— Uniquement bibliothérapeute, c'est un métier assez méconnu en France. Les facteurs sont bien trop rapides pour moi.

— J'ai lu un article sur la bibliothérapie l'autre jour. J'ai trouvé ça très intéressant. Très doux. Je me destine à la psychologie, ce n'est pas très éloigné. L'année prochaine j'irai à l'université pour l'étudier.

— Très bien. Je vous souhaite de réussir dans cette voie. Je peux vous laisser mes coordonnées si vous souhaitez, plus tard, faire un stage dans mon cabinet.

— Pourquoi p…

Une voix s'éleva du fond de l'appartement : « Qu'est-ce que c'est ? »

Valentine, gênée, répondit très vite :

— Ce n'est rien, papa, une erreur.

La voix reprit : « Elle ne fait décidément rien, cette concierge. »

Je ne rebondis pas sur la perception que la jeune fille avait de ma personne, « rien, erreur », même si ces termes n'étaient pas, à proprement parler, mélioratifs. Elle avait dit ça pour calmer son père, enfin, je l'espérais.

— Merci de m'avoir apporté cette lettre. Saluez Yann de ma part.

— Merci de m'avoir écouté. Je n'y manquerai pas. Je vous laisse mes coordonnées ?

— Une autre fois, promis.

— Comme vous voulez.

La concierge m'attendait dans la cour. Elle faisait mine d'arranger une jardinière. Dès qu'elle entendit mon pas à proximité, elle s'arrêta et se tourna pour me faire face.

— Valentine est une belle jeune fille, très intelligente avec cela. Et polie. Elle me salue à chaque passage et je peux vous dire que ce n'est pas le cas de tout le monde. Pour certains, je suis invisible. Comme un porte-parapluies déposé au milieu de l'immeuble. Ils me bousculeraient presque. Enfin, c'est notre société qui veut ça.

— Les gens sont terribles. Mais vous avez raison, Valentine est charmante.

Même si elle m'avait qualifiée d'« erreur », je ne pouvais que lui reconnaître une bonne dose de charme. J'aimais les femmes qui m'écoutaient (et Valentine l'avait fait avant d'entendre la voix de stentor de son père), qui ouvraient de grands yeux pour comprendre mes mots. Comme si les yeux entendaient. Une petite Valentine à charmer dans un monde où j'aurais eu vingt-cinq ans de moins. Avec Yann, nous aurions lutté à mort pour la conquérir. Enfin, je me trompais encore. Yann n'aurait pas lutté, moi non plus d'ailleurs. Valentine se serait entichée du plus mignon des garçons de la classe.

Celui qui souriait toujours et réussissait à aligner trois accords sur une guitare lors des soirées. J'y reviendrai. Elle n'aurait pas regardé le type mal dans son corps, un livre à la main, et le garçon au visage dévasté, leur préférant les musiciens hésitants. Les filles adoraient ça. Enfin pas toutes, heureusement.

J'ai envoyé un message à Yann : LETTRE DONNÉE.

Sa réponse est arrivée quasiment avant que j'aie eu le temps de ranger mon téléphone dans ma poche. « Merci, Alex. » Yann devait être collé à son portable dans l'attente de ma confirmation. Il y a des moments où cet objet prend toute la place. Un si petit objet. Si nécessaire. Et la peur de le perdre, généralisée. Ceux à qui cela arrivait n'hésitaient pas à envoyer un mail alarmiste à la terre entière, du genre « j'ai perdu mon portable, c'est l'enfer... » et cela, même si vous n'aviez rencontré cette personne qu'une seule fois dans votre vie. Perdre son mobile devenait un fléau mondial. La peste moderne. J'imaginai que des laboratoires partout à travers le monde cherchaient à l'éradiquer. Le vaccin anti-portable-perdu, le VAPP, verrait bientôt le jour.

Héros

— Anthony, j'ai essayé de vous joindre hier soir, comme convenu.

— Ah oui, désolé, j'ai eu un empêchement.

Il y a des gens qui vous oublient sur l'aire d'autoroute où vous leur avez demandé de vous arrêter pour aller aux toilettes. Ils remontent dans leur voiture et roulent jusqu'à leur objectif. Vous n'existez plus pour eux alors que, sortant de la station-service, vous commencez à les chercher partout. Vous inspectez le parking. Vous vérifiez les voitures aux pompes à essence. Vous courez de manière animale parce que vous comprenez que vous êtes seul et que l'autre vous a rayé de la carte. L'autre est parti. Et pendant que vous déambulez, il poursuit tranquillement sa route.

La veille j'avais appelé compulsivement Anthony. 43 appels en absence. J'avais ébauché toutes les hypothèses pour expliquer ce qui, au départ, semblait un simple retard. Mais les portables conservent toutes les données, même les plus humiliantes. 43 appels. Une histoire à finir au commissariat pour harcèlement. Harceler un homme. Un footballeur en plus. Quelle fin tragique pour moi ! J'aurais admis la sanction si mes appels avaient été pour la femme d'Anthony, une Russe incroyable que j'avais vue à moitié nue dans un magazine à scandales, digne d'un James Bond avec Roger Moore. Mais pour un sportif…

— Ce n'est rien. Seulement, la prochaine fois, envoyez-moi un texto. Ça suffira.

— Promis. Mais je vous paierai pour le rendez-vous manqué d'hier, ne vous inquiétez pas.

— Je ne m'inquiète pas. C'est juste une question d'organisation. J'ai refusé un rendez-vous pour rien.

Organisation dans ma bouche signifiait respect. Respect, le mot que Polstra et ses camarades de jeu portaient sur leur maillot entre une marque de compagnie aérienne et une autre de produits électroménagers. Un mot de plus pour lui. Les sportifs regardaient-ils les inscriptions sur leur habit de travail ? Je n'aurais pas misé ma bibliothèque là-dessus. Respect de l'adversaire, respect de la différence… Les footballeurs respectaient tout jusqu'à ce que le match commence.

Quant au soi-disant rendez-vous annulé, c'était une manière de me donner davantage de consistance. Comme si j'ajoutais un peu de fécule de maïs dans une préparation trop liquide.

— Ah oui, désolé, j'ai eu un empêchement.

Copier-coller de sa première réplique. Tandis que notre conversation s'engluait dans la stérilité, je saisis un magazine que Mélanie avait oublié d'emporter. *Sportmag*. En couverture, « La folie du running », et en plus petit un titre étonnant :

« Les sportifs et la culture ». Mélanie n'avait pas oublié le magazine, elle me l'avait généreusement laissé. Feuilleter ce magazine alors que Polstra était présent me permettait de lui signifier que, moi aussi, j'étais capable de l'oublier pendant un instant. Enfin, en apparence seulement.

— Passons, qu'avez-vous pensé de Calypso et Circé ?

— Je n'ai pas tout lu, seulement certains passages.

— Lesquels ?

— Je ne me souviens plus précisément.

Anthony Polstra, attaquant extraordinaire et menteur raté... en caleçon sur le magazine de Mélanie. « Le caleçon des champions », et des menteurs ! Ce garçon n'avait décidément aucune pudeur.

— Ulysse ment à Calypso quand il lui fait croire qu'il l'aimera autant que Pénélope. Enfin, lisons ensemble si vous le souhaitez.

— Je vous écoute.

Dans la caverne de Calypso, Hermès ne trouva pas Ulysse : il pleurait sur le cap, le héros magnanime, assis en cette place où chaque jour les larmes, les sanglots, le chagrin, lui secouaient le cœur, promenant ses regards sur la mer inféconde et répandant des larmes[1].

---

1. Homère, *Odyssée*, chant V, traduit du grec ancien par Victor Bérard, Le Livre de Poche, 2009, p. 176.

— Je comprends votre choix. Ulysse est parti chez Calypso mais il veut retrouver sa patrie coûte que coûte, je vois très bien. Vous ne souhaitez pas que je parte à l'étranger. Vous pensez que je serai malheureux…

— Absolument pas. Pour être honnête, je ne m'intéresse pas au sport. Que vous jouiez en France, en Espagne ou sur Mars ne changerait rien à mon existence. Je n'ai pas un maillot floqué à votre nom, ni un abonnement dans votre club. Soyez-en sûr, Anthony, on peut vivre sans rien connaître au football. Ni les règles, ni les vedettes, ni les équipes…

— Difficile à croire.

— Mais pourtant vrai. Ulysse chez Calypso m'intéresse car il montre une face de sa personnalité bien plus humaine. Il est le roi, le guerrier, le dévastateur de citadelle mais aussi un petit homme qui pleurniche car sa famille lui manque. Là est l'intérêt, sa faille. Il n'est pas fait d'un seul bloc. Il est humain, donc faible. Et nous lecteurs, nous l'accueillons ainsi depuis des siècles. Un Ulysse monobloc, en pierre, indestructible, n'aurait pas passé le cap de l'Antiquité. C'est la faille qui crée le héros. Vous comprenez ?

— Je pense, oui.

— Vous êtes le héros et vous ne devez pas craindre vos failles. Elles font votre force, votre beauté… bien plus qu'une affiche publicitaire sur laquelle vous vous dénuderiez.

— Ah, vous faites allusion à la publicité pour les caleçons, elle me plaît vraiment. Vous avez raison, Alex mais dans cet univers très masculin, difficile de s'imposer avec des fissures.

— Je le conçois mais n'oubliez pas qu'on ne se souvient que des hommes complexes, les trop forts ou les trop faibles disparaissent rapidement. Ulysse est un pleurnichard qui nous émeut chez Calypso. Plus loin dans le texte, il humilie un géant, sans trembler. Vous devez accepter votre différence car vous êtes le héros. Pas vos coéquipiers. Il faut en être fier. En ce qui concerne la publicité, je la trouve un peu osée mais bon, cela n'engage que moi. Je ne suis pas la cible du produit.

— Détrompez-vous ! Vous êtes le cœur de cible. Vous portez bien des caleçons ? En tout cas, je vais essayer de suivre vos conseils, Alex. Ce ne sera pas facile.

Bien sûr que je portais des caleçons ! Pas les mêmes, bien sûr, des modèles plus sobres, plus discrets, sans inscriptions criardes, sans les sept lettres en rouge : POLSTRA. Porter le nom d'un autre sur son caleçon me semblait assez déplacé, presque humiliant pour qui ne possédait pas la corpulence du sportif. Je n'imaginais pas Polstra arborer un tee-shirt Flaubert ou Voltaire. Chacun s'accoutrait comme il l'entendait parce que, dans une société capitaliste à en crever, il fallait assumer jusqu'à son caleçon.

— Quel est le geste le plus complexe à accomplir sur le terrain ?

— La reprise de volée.

— Pourquoi ?

— Parce que le ballon est en mouvement, il ne touche pas le sol. Il faut anticiper sa vitesse, sa rotation, équilibrer son corps pour projeter la balle dans la direction souhaitée. C'est un geste qui surprend toujours l'adversaire.

— Ce que je vous demande n'est pas plus difficile. Il n'y a pas de ballon mais des êtres humains qui vont dans une direction différente de la vôtre. Vous y arriverez.

— Ulysse a mis combien de temps avant de rentrer à Ithaque ?

— Vingt ans. Si vous étiez snob, vous diriez « en » Ithaque, comme « en » Avignon.

— Vingt ans pour arriver EN Ithaque... J'espère réussir avant ! Dites, il n'était pas doué en orientation, Ulysse.

— Très limité dans ce domaine, vous avez raison. Vous le surpassez aisément avec tous les voyages que vous faites.

— Je vois du pays, en effet. Et ce n'est pas fini.

Polstra allait partir, c'était certain. Il avait la bougeotte, comme Ulysse. Sauf qu'à la différence du héros antique, il n'aurait pas à construire son radeau pour prendre la mer. Une carte bancaire suffirait.

Une correspondance furtive
ou Madame de Sévigné est morte

Anna courut à la porte car l'on venait de sonner. Elle était furieuse. Qui osait SONNER ? Son sang bouillait dans sa tête. Elle ouvrit, rageuse. Le facteur lui tendit aussitôt un colis. Elle n'eut pas le temps de dire un mot. Avant de repartir il lui mit une lettre sous les yeux.

— C'est chez vous, ça ?

Anna lut le nom de son fils sur l'enveloppe.

— Oui, c'est chez moi.

— Je ne savais pas qu'il y avait un Yann chez vous. Son nom n'apparaît pas sur la boîte aux lettres. Vous devriez l'ajouter. Ce serait plus commode. Vous savez que je suis chronométré dans ma tournée ? Si tout le mond…

— Je n'y manquerai pas mais mon fils n'habite pas chez nous. Il n'est que de passage.

Anna avait beaucoup de mal à dissimuler sa gêne et sa surprise. C'était bien la première fois que Yann recevait une lettre. Alentour, personne ne savait que le jeune homme résidait dans cette maison. Il ne sortait que très rarement. Ne recevait pas d'amis. Yann avait refusé que sa mère ajoute son prénom sur la boîte à lettres et cela arrangeait sa mère. C'était un accord tacite. Elle referma la porte derrière le facteur et se dirigea vers la chambre de Yann. Depuis dix années qu'elle habitait cette grande demeure, Anna avait parcouru des kilomètres à travers les couloirs interminables. Chaque jour, elle les arpentait pour servir son fils, lui apportant ses repas, son linge, ses boissons…

Anna le servait silencieusement pour ne pas aggraver ses migraines incessantes. Elle s'approcha de la porte que son fils avait laissée entrouverte, signe qu'elle pouvait approcher sans risque. Yann détestait par-dessus tout être dérangé dans ses occupations. Quand cela arrivait, il pouvait menacer la terre entière, sur tablette, ce qui gâchait l'effet. L'hystérie gagnait alors ses mouvements. Il se déplaçait frénétiquement, sans but précis. Mais pas cette fois-ci.

Yann se tenait assis face à son écran d'ordinateur, dos à elle. Anna avança et déposa la lettre sur le bureau. Yann ne se retourna pas mais sa mère sentit qu'il regardait l'enveloppe. Elle ne voyait pas ses yeux mais perçut leur intérêt.

— Tu as reçu une lettre.

— G vu, tapa Yann à toute vitesse dans un style télégraphique qu'il réservait aux moments où sa soif de solitude l'envahissait. Merci.

Son « merci » avait le goût d'un « laisse-moi tranquille ».

Mais Anna ne bougeait pas. Elle campait sur ses pieds, bien décidée à savoir qui envoyait cette lettre.

— cè 1 pub, écrivit Yann.

— Une publicité avec l'adresse écrite à la main. Bravo, Yann, tu te moques bien de moi. Je ne suis pas dupe. Qui t'a écrit ?

Yann souffla fort. Il avait cru qu'il pourrait éviter l'affrontement avec sa mère. Il avait mal pensé, à la manière d'un piéton qui se serait coincé le pied dans une bouche d'égout au milieu d'une route fréquentée. Au départ, il pense que la voiture qui approche va ralentir et ne pas le percuter. Le temps passe, le pied est vraiment bloqué. Impossible de bouger. Le piéton commence à douter. Il essaie de se rassurer : « Je suis bien visible, le conducteur va me voir. » Et plus le temps passe, plus le doute grandit. Jusqu'à ce que le piéton se rende compte que le conducteur ne regarde pas la route, trop accaparé par l'écriture d'un SMS. Alors, il décide de se placer de telle sorte que l'impact se produise à un endroit stratégique. Un bras, une jambe... On peut vivre sans un bras, sans une jambe. Mais sans la tête...

Yann ne pourrait éviter la discussion. Il fallait simplement essayer de la rendre moins rude. Pour ce faire, il décida de rédiger ses phrases correctement et d'abandonner le style télégraphique qui énervait sa mère au plus haut point.

— Pourquoi n'as-tu pas lu cette lettre avant de me la donner ? C'est ce qu'on fait aux prisonniers. Au moins tu n'aurais pas eu à me questionner.

— Ne prends pas ce ton agressif. Tu n'es pas et tu ne seras jamais un prisonnier dans cette maison. Je connais peu de prisonniers qui décident de s'enfermer volontairement. Tu te considères comme un prisonnier, pas moi. En outre, je ne me permettrais pas de lire ton courrier. Je souhaiterais juste que tu me dises qui t'écrit.

— Ta curiosité est de très mauvais goût, maman. Je ne comprends pas ta volonté de lire cette lettre. Mais puisque tu y tiens, je te la ferai lire. Pas maintenant car tu ne comprendrais pas grand-chose. Tu ne connais pas le début de l'histoire. Ce courrier est une réponse. J'ai écrit à quelqu'un.

— Et tu ne m'as rien dit ?

— Pourquoi l'aurais-je fait ?

— Je t'aurais aidé, conseillé.

— Je n'ai pas besoin d'aide.

Yann ouvrit le tiroir de son bureau et se mit à fouiller dans un tas de feuilles. Il en sortit une dizaine, toutes couvertes de ratures, de mots mal effacés.

— Voici les brouillons de ma lettre finale, celle qui est sortie de cette chambre.

— Alex l'a postée ?

— Non, Alex l'a apportée directement au destinataire. Ne lui en veux pas. Je lui ai demandé de garder ça pour lui. Il n'a fait que ce que je lui ai demandé. Je sais que c'est un argument parfois discutable, mais pas cette fois. Lis ce brouillon. Puisque tu veux tout savoir, tu sauras tout.

Yann tendit son brouillon à sa mère. Il souhaitait créer un malaise chez elle. Lui faire comprendre qu'on ne lit pas le courrier des autres, comme on ne regarde pas quelqu'un dormir. Il y a quelque chose de malsain là-dedans. À force de ne vivre qu'avec son fils, Anna avait oublié ces principes, à l'image de ces vieux couples qui ne prennent même plus la peine de fermer la porte de la salle de bains quand l'un d'entre eux est sous la douche. Il ne faut pas tout voir.

★★★

Valentine,

Je ne sais même pas si tu te ~~rappelles~~ souviens de moi. Nous étions ensemble au lycée (plutôt dans le même établissement parce qu'Ensemble n'est pas exact). Je suis le garçon avec la tête bizarre. Un visage façonné à la pâte à modeler par un enfant maladroit et une incapacité totale de faire sortir un mot de ma bouche. Tu te rappelles à présent.

En ce moment, tu dois te demander la raison de cette lettre que j'ai écrite à la main. Le traitement de texte me semblait ~~glacial~~ trop froid et trop distant. J'ai une écriture d'écolier (ce que je ne suis plus) ou d'institutrice (ce que je ne serai jamais). (La faire rire !)

La venue de mon bibliothérapeute a dû te surprendre également. C'est une personne de qualité. Il essaie de me redonner confiance en me ~~proposant des lectures~~ faisant lire. Ce n'est pas gagné parce que je suis du genre déprimé. Un professionnel de la déprime. Enfin voilà, je ne reprends pas contact avec toi pour te parler de mon thérapeute. Je dis reprendre mais a-t-on déjà établi un contact ~~tous les deux~~ ? Il ne me semble pas. J'en suis certain même en fait. Je n'ai jamais osé t'aborder. Il faut dire que je dois tout écrire pour communiquer alors ~~c'est~~ c'était assez compliqué entre deux heures de cours (ou durant la récréation/la pause de midi) Dorénavant, j'ai du temps. Je ne vais plus en cours. Je ne supportais plus le regard des autres... ou l'absence de regards. ~~L'indifférence.~~ (Mot trop fort, elle doit lire jusqu'au bout !!!)

Je ne me souviens pas avoir vu tes yeux se poser sur moi. (Comme si elle prenait un malin plaisir à m'éviter.) Bon tu commences à comprendre. Tu dois être très courtisée. Je veux te dire qu'il y a eu de l'amour. C'est une expression japonaise. (Un peu de culture pour l'impressionner.) Quand on passe sa vie dans une chambre, on peut s'intéresser à des domaines très variés. Les pieuvres, les peintures rupestres, le japonais, le Japon... Dans ce pays on s'exprime de façon très impersonnelle. On peut se cacher derrière les mots, c'est plus facile. Mais nous sommes en France alors je vais te l'écrire plus directement. Je t'ai aimée. Comme les autres qui ont essayé de te séduire. Je sais que l'amour n'est pas le premier sentiment que l'on a en me croisant dans un couloir. La peur, le dégoût, le doute sont plus fréquents. (Un peu d'apitoiement.)

Je ne suis pas poète, je ne saurais t'écrire des choses lumineuses. Je veux simplement te dire que j'ai lu un roman dans lequel le personnage passe sa vie entière à mentir aux autres et à se mentir à lui-même. Si le titre t'intéresse, c'est Thomas l'imposteur *de Jean Cocteau. Je crois me rappeler que tu adorais la littérature. (La mettre en avant, la valoriser.) Je me suis retrouvé en Thomas. Ça a été un choc. Une révélation. Heureusement ! Je ne veux plus être un menteur. Je souhaiterais m'exprimer librement. Pour me montrer tel que je suis derrière la pâte à modeler décatie. (Un peu de vocabulaire l'impressionnera.)*

Tu as certainement un petit ami. Ce serait normal. Tout comme le fait que je sois désespérément seul. Je ne dis pas cela pour que tu aies pitié de moi. (Menteur !) Parce que je vais te demander quelque chose. Je ne souhaite pas t'influencer ou t'obliger en te donnant des arguments misérabilistes.

Donc je te demande maintenant une faveur. J'espère que tu as remarqué l'effet d'annonce, le suspense, l'attente. Tout cela est volontaire ! Accepterais-tu de me rencontrer une fois (une fois, deux fois, trois fois ???? Des dizaines de fois ? Des centaines de fois ? Que notre rencontre dure dix années, assis dans un bar, scotchés aux sièges, parler sans interruption pour rattraper tous nos silences). Une seule fois. Nous pourrions prendre un verre et parler (métaphore pour moi) du bon vieux temps.

J'ai mis du temps à accoucher de cette demande. Pardon.

Yann

***

Anna reposa la lettre et regarda son fils, troublée. Yann ne perdit pas une seconde pour lui transmettre la réponse de Valentine, encore cachetée.

— Peux-tu me lire la réponse, maman ?

— Je ne sais pas.

Anna hésitait car elle craignait de lire les mots de Valentine. Des mots qui concernaient son fils, des mots qui auraient forcément un impact sur lui.

— Fais ça pour moi, je t'en prie.

— Excuse-moi, je n'aurais pas dû te questionner au sujet de cette lettre. Excuse-moi, je suis allée trop loin.

— C'est moi qui te le demande. N'aie pas peur. Lis cette lettre à haute voix. Je ne connais pas la réponse de Valentine. Si ses mots sont durs à entendre, j'aurai besoin de toi. En passant par ta bouche, j'aurai l'impression qu'ils ne me sont pas directement adressés. Comme un roman.

Yann voulait mettre sa mère dans l'embarras. Il avait réussi. Anna avait les mains moites, la bouche sèche, mais elle ne voulait pas perdre la face devant son fils. Elle avait créé cette situation.

***

Cher Yann,

Dire que je n'ai pas été surprise de recevoir une lettre de toi serait un mensonge. Honnêtement, je ne me souvenais pas précisément de toi. À tel point que, si tu n'avais pas donné plus d'informations sur ta personne, je n'aurais pas fait le rapprochement. Tu étais si discret. Moi aussi d'ailleurs.

Je suis heureuse de savoir que tu apprends plein de choses. Tu m'en fais profiter, merci ! La culture générale est essentielle quand on se destine comme moi à des études supérieures. Pour le reste, je suis un peu gênée d'apprendre que tu as eu des sentiments pour moi. Je n'avais rien remarqué. Je suis un peu naïve dans ce domaine. On ne me fait pas si souvent des déclarations, heureusement car je suis toujours mal à l'aise dans ces moments. Je suis assez solitaire même si j'ai un petit ami depuis un certain temps. Nous avons une relation longue distance. Il étudie à Lille. Nous nous voyons le week-end quand il rentre. Dans ces conditions, je ne souhaite pas te rencontrer. Mon copain serait trop jaloux. De mon côté, je ne trouverais pas normal qu'il rencontre une autre fille sans que je sois présente.

De plus, honnêtement, je ne saurais pas quoi te dire. Nous n'étions pas amis. Je doute que nous puissions l'être. Si tu souhaites m'écrire à nouveau, je te répondrai. Mais ne sois pas trop pressé. Mon père m'a inscrite dans un lycée privé depuis quelques semaines. J'ai énormément de travail. Je veux me donner toutes les chances de réussir mon projet professionnel.

J'espère que tu ne seras pas trop déçu par mes mots. Ce n'est pas ce que je souhaite.

Nous avons certainement raté quelque chose en ne faisant pas connaissance au lycée mais ce qui est passé est passé. Désolée pour la phrase mal tournée mais c'est un peu ma devise.

Je dois te laisser pour réviser.

Amitiés,

Valentine

P.-S. : Je lirai le livre dont tu m'as parlé. J'aime encore beaucoup la littérature. Je te conseille un autre livre de Cocteau, Les Enfants terribles.

***

Yann imaginait très bien les conditions dans lesquelles cette lettre avait été rédigée. La situation d'énonciation, comme disaient les professeurs de lettres. Des expressions inutiles en dehors d'une salle de classe. Des expressions inventées pour dégoûter les élèves d'une matière. Des expressions inventées pour qu'aucun étudiant ne se destine à l'enseignement du français. Valentine était assise en tailleur sur son lit recouvert d'une couette blanche épaisse. Couette d'hiver dans laquelle elle devait avoir trop chaud, étant donné la douceur qui enveloppait la France. Elle portait une chemise en jean, parce que toutes les filles qui passaient sous les fenêtres de Yann en portaient. Un pantalon clair, léger, qui la laissait libre de ses mouvements. Il se souvenait que Valentine ne mettait jamais de jupe, jamais de robe. Cela cachait certainement des jambes assez laides. Maigrelettes sans doute car Valentine était fine. Des jambes avec de petites taches. Des taches de naissance peut-être. Ou alors des taches dues à une mauvaise circulation sanguine. Il fallait bien l'imaginer avec des défauts pour ne pas devenir fou.

Pas évident d'écrire sur un lit, assise en tailleur. Son père lui avait certainement offert un superbe Mac rétroéclairé. Yann ne la voyait pas utiliser un PC. Cet ordinateur devait être la promesse d'un travail scolaire acharné et d'études brillantes. Même dans la pénombre elle n'abîmait pas ses yeux. Les yeux, c'est important.

Avait-elle songé à écrire à la main ? Bien sûr que non. D'ailleurs, dans son lycée privé on n'écrivait que sur des claviers. Le stylo était obsolète. On en exposerait bientôt dans les musées pour les faire découvrir aux plus jeunes. Et les enfants ouvriraient de grands yeux à la vue de cet objet aussi mystérieux qu'un sarcophage.

La plus grande déception de Yann avait été de ne pas recevoir une lettre manuscrite de la part de la jeune fille. Une feuille A4 parmi une ramette de 500. Des mots qui résultaient d'une savante combinaison de 0 et de 1. Rien de personnel là-dedans. Pas un gramme de Valentine. Pas une faute d'orthographe, pas une maladresse. Le correcteur avait joué son rôle à la perfection. L'avantage du logiciel acheté à prix d'or.

***

Yann n'en voulait même pas à sa mère d'avoir assisté à sa mise à mort amoureuse. Avant la lecture de la lettre de Valentine, il s'accordait une chance sur mille d'obtenir un rendez-vous avec la jeune fille. Anna n'y était pour rien. Comment Valentine aurait-elle pu dire oui ? Comment quelques phrases maladroites auraient-elles pu convaincre une inconnue ?

Anna prétexta un appel à passer pour laisser son fils. Elle aussi avait ressenti cette lecture comme une mise à mort. Elle avait planté la banderille. Son fils ne la crut pas un instant. Sa mère détestait le téléphone. Et qui aurait-elle bien pu appeler ? Dans les maisons où il ne se passe rien, juste l'ennui et la réitération des choses, un appel à passer acquiert rapidement la qualité de fait exceptionnel. Si Anna avait prévu de téléphoner dans son emploi du temps vide comme un faux paquet cadeau au pied d'un sapin de supermarché, elle aurait répété l'information une bonne dizaine de fois à Yann. La veille au matin, la veille à midi, à 16 heures, à 18 heures, la veille au soir, au coucher. Le jour même, au matin…

Yann rangea le courrier de Valentine avec ses brouillons. Il se mit face à son PC et commença à rédiger une lettre, la dernière, à Valentine. Histoire de clore la conversation. Peu importait si la jeune fille ne répondait pas. Au moins, il lui dirait sa déception. Elle lui refusait une entrevue de quelques minutes, quelle mesquinerie. Avait-elle un cœur ? Les mots jaillissaient des doigts de Yann. Ils envahissaient l'écran poussiéreux et le nombre de signes ne cessait d'augmenter. Yann pensa à

Holden, à ses expressions cassantes et tout… Il lui enviait cette capacité à repousser les fauteurs de troubles grâce à ses envolées verbales.

Un Holden muet et équipé d'un petit carnet pour s'exprimer aurait eu moins de panache. Cinq minutes d'attente avant chaque réplique. Chercher ses mots. Leur orthographe. Quand on parle, on ne se demande pas si le verbe « appeler » a un ou deux l. On parle, c'est tout. Un Holden muet et Salinger aurait vendu cinquante exemplaires de son roman. Un gosse muet qui veut voir des canards. Pitch effrayant pour les éditeurs. La boîte à lettres du romancier aurait débordé :

> *Cher Monsieur,*
>
> *Je vous remercie de nous avoir fait parvenir votre ouvrage intitulé*
>
> **L'Attrape-cœurs**
>
> *Malgré son intérêt, ce texte ne nous paraît malheureusement pas pouvoir entrer dans notre programme de publications à venir…*

Yann sourit à ses réflexions. Il écrivait de plus en plus vite. Un règlement de comptes express. Hors de question de rédiger à la main. Valentine ne méritait pas son écriture, sa capacité à dessiner parfaitement les lettres. Et s'il lui avait caché son handicap ? S'il avait usurpé une identité ? Aurait-elle accepté de le rencontrer ? Oui ! Il en était persuadé. Il aurait dû se vendre. Inventer une histoire incroyable. Il possédait une série de peintures, des portraits de la jeune fille qu'il avait exécutés de mémoire. Il souhaitait lui offrir ces croûtes. Elle serait venue pour s'admirer. Voir comment elle était devenue une muse pour un garçon dont elle se souvenait à peine, un camarade de classe qui n'avait fait qu'un passage éclair dans son lycée. La faute à un père diplomate. Tant qu'à forcer le trait…

Yann mit un point final à sa lettre puis il plaça son index sur la touche « Delete » et appuya sans interruption, laissant le curseur dévorer ses phrases. Jusqu'à l'extrémité haute de la page. Le curseur insistait et sursautait comme s'il ne voulait oublier aucun mot. Il ne devait plus rien subsister de cette lettre. Que le papier. « Fichier », « Impression », « OK ». Une page blanche surprise de se voir ainsi vierge de tout signe sortit de l'imprimante. Il la disposa dans une enveloppe sur laquelle il nota l'adresse de Valentine. La rage de Yann n'existait plus.

Après ce qui s'était passé, sa mère ne refuserait pas de poster cette lettre.

C'est ce qu'elle fit, une heure plus tard, une fois son faux coup de fil passé. Anna était vaccinée par cette expérience traumatisante, elle se promit de laisser davantage de liberté à Yann. Valentine perdait beaucoup en repoussant son fils. Une belle-mère dévouée et un superbe appartement parisien sur lequel la pluie de décembre s'abattait violemment depuis plus d'une heure. Sortir par ce temps. Une idée qu'elle aurait repoussée en temps normal.

Mais, bouleversée par les événements de l'après-midi, elle ne pensa pas à le faire. Yann le lui avait demandé les yeux emplis de tristesse. Ajoutez à cela des cicatrices omniprésentes. Elle braverait les éléments pour son fils.

— Maman, je voudrais que ma réponse parte aujourd'hui, ainsi, Valentine la recevra demain.

En lisant ces mots, Anna avait regardé par la fenêtre de la chambre les trombes d'eau qui faisaient un bruit incroyable en frappant le sol. Le ciel punissait la terre.

— Je vais y aller, ton courrier partira aujourd'hui. Je dois juste prendre mon parapluie.

— Merci, maman, mais ne tarde pas trop car il est déjà tard. J'ai peur que le bureau de poste ferme.

Elle chercha son parapluie à l'endroit où elle le rangeait d'ordinaire mais il ne s'y trouvait pas. Des semaines qu'il n'avait pas plu. Le parapluie avait pris ses quartiers d'été. Elle ne s'étonna pas de ce début de disparition, depuis quelques mois sa mémoire lui jouait de bien mauvais tours. Quotidiennement, elle égarait ses médicaments, ceux de son fils, ses clés, et toutes les choses qui vivaient avec eux.

Anna entreprit d'investiguer dans les autres pièces du rez-de-chaussée. Aucune trace de l'objet tant convoité. Elle décida de vérifier dans la buanderie, dans laquelle elle se rendait rarement par appréhension. La lumière y fonctionnait mal. Un faux contact récurrent que pas un électricien n'avait réussi à réparer. L'ampoule illuminait la pièce et s'éteignait après une vingtaine de secondes. Elle faisait donc des passages éclairs dans la buanderie. Ouverture de porte. Appui sur l'interrupteur. Dépôt d'un objet au premier endroit accessible. Marche arrière. Fermeture de porte.

Elle l'avait peut-être rangé ici. Anna dompta sa peur – l'amour maternel en action – et fouilla chaque recoin en n'oubliant pas de se relever pour rallumer. Finalement, elle se mit à genoux pour regarder sous un vieux meuble imposant qui servait de caisse à outils géante à son mari quand il dormait encore dans la même maison que sa femme et son fils. Ce meuble contenait ce que le monde de l'outillage avait créé de plus improbable : des scies cloches, des paternes aux formes étranges, des coffrets à douilles, des ponceuses excentriques… Le tout encore emballé. Anna n'avait jamais saisi ce besoin d'acheter des outils qui ne serviraient jamais. Son époux voulait sans doute se donner bonne conscience et apparaître aux yeux des autres clients du magasin qui le fournissait comme un homme accompli et bricoleur. Ce qu'il n'était pas.

Anna se pencha davantage pour atteindre la partie la plus profonde et la moins accessible. Sa joue toucha le sol froid de la pièce qu'elle ne chauffait pas. À quoi bon user de l'énergie pour un endroit pareil ? Le contact fut désagréable. La poussière glacée. Elle pensa qu'il faudrait peut-être enclencher le convecteur de temps à autre. Ne rien laisser à l'abandon. Ni personne. Au même moment, un petit papier apparut à quelques centimètres de ses yeux. Elle le lut avec difficulté de son œil droit, le gauche étant trop près du sol. Il se fermait par réflexe.

— Ne tarde pas trop, maman. Merci.

Yann se tenait debout devant sa mère. Le contenu de cette lettre devait être essentiel, elle ne devait pas attendre plus longtemps. Tant pis pour la pluie.

Elle se rendit au petit bureau de poste qui se trouvait à l'angle de la rue sous une pluie battante. Elle tenait la lettre sous sa veste pour en conserver l'intégrité. Un bureau de poste en sursis tant il était minuscule. Un bureau sans machine d'affranchissement. Un bureau avec un être humain qui ouvrait la porte à distance. Miracle. Elle sonna pour demander l'autorisation d'entrer. Une machine aurait réagi immédiatement et déclenché l'ouverture. Pas le postier qui était débordé par les trois clients déjà présents dans l'office. Anna sonna à nouveau pour montrer son insistance. Aucune réaction. La pluie couvrait ses lunettes. Elle sortit un morceau d'essuie-tout qu'elle avait emporté pour se moucher. Elle tenta d'éloigner l'eau et la buée qui l'accompagnait. Elle essaya de voir ce qui se passait à l'intérieur du bureau mais le dos d'un client, au sec, l'en empêchait. Elle toqua discrètement à la porte pour tenter d'attirer son attention. Il se retourna et la toisa, plein de mépris. Anna sonna une nouvelle fois. Le bruit retentissait jusqu'à l'extérieur. Pourtant, personne ne faisait attention à elle. Sur la porte, elle remarqua deux pictogrammes qui représentaient un homme casqué et un autre armé. Les dessins étaient rayés, signe que l'on ne pouvait solliciter une entrevue avec le postier si l'on était accoutré ainsi. Il aurait fallu en ajouter un troisième : une femme avec des lunettes mouillées et embuées.

Heureusement, un homme finit par sortir, chargé d'un paquet très imposant qui dissimulait la présence d'Anna devant lui. Il la bouscula avec son carton et maugréa, pensant que la porte n'était pas assez large pour ce type de colis. Anna était furieuse et trempée.

Après quinze minutes d'attente, elle put enfin affranchir la lettre qui n'avait pas reçu une seule goutte d'eau. Une belle satisfaction pour elle. Une mère fière de son dévouement. Yann lui serait reconnaissant. Elle n'en doutait pas.

D'ailleurs, posté à la fenêtre de sa chambre, il la regardait revenir sous la pluie, les épaules rentrées comme pour éviter les infiltrations. Yann, du bout des doigts, faisait tourner le parapluie de sa maman.

Les classiques sont éternels

Chapman arriva tout fringant au rendez-vous. Cette fois-ci, il ne soufflait ni ne transpirait outre mesure. Dès que j'ouvris la porte, il me lança un « j'ai bien fait mes devoirs » qui me rappela que Chapman était un personnage grossier, du genre de ceux qui lancent les couplets les plus vulgaires dans les mariages, qui enfilent des babouches dès qu'ils arrivent en vacances au Maghreb ou un sombrero lorsqu'ils foulent le sol mexicain. Le professionnel en moi savait faire la part des choses, heureusement. Je me répétais : « Enchaîne, Alex, enchaîne. » Chapman s'installa sur le fauteuil comme si celui-ci lui appartenait. En termes plus clairs, il s'y vautra, tout en déposant le journal qu'il avait dans les mains sur ma table basse. J'insiste sur la table parce qu'elle était blanche, immaculée et que les doigts humides de mon patient associés à l'encre du journal la laisseraient à coup sûr dans un état que l'on pourrait qualifier de différent. « Enchaîne, Alex, enchaîne. »

— Alors, parlez-moi un peu d'Oblomov.

— C'est un être abject ! Je le déteste mais quel plaisir de le voir ne rien faire.

— Il me semble que ce personnage provoque chez de nombreux lecteurs une attraction-répulsion. Vous n'êtes pas le premier à le dire.

— C'est tout à fait ça, attraction-répulsion ! Il méprise la valeur travail. Le moteur de notre société. Le moteur de ma vie. Il fait ce que j'aimerais faire. Rester bien au chaud quand la terre entière part au travail le matin. La jouissance de celui qui regarde par la fenêtre son voisin manquer de glisser sur le sol gelé.

— Vous êtes le voisin ?

— Je dois avouer que oui. Triste vérité. Dans mon quartier je pars le premier au bureau. Et ça fait des années que ça dure !

— Je pense qu'Oblomov peut vous ouvrir les yeux sur un autre mode de vie. Bien sûr, je ne vous conseille pas de quitter votre travail pour passer vos journées sur le canapé. Je ne vous veux pas de mal. Et votre épouse ne comprendrait pas ce changement si radical. Elle pourrait m'accuser de sorcellerie. En fait, je pense que vous pouvez évoluer par petites touches. Vous connaissez le pointillisme ?

— Non.

— C'est un courant pictural qui prônait l'art de la « petite touche ». Point après point l'œuvre se construit. Il faut des milliers de points ! Donc, vous évoluerez lentement.

— Figurez-vous que j'ai déjà entrepris ce changement. Je suis sorti avec ma femme !

Chapman m'avait dit cette phrase avec le ton d'un homme, sans emploi depuis un quart de siècle, qui aurait annoncé à ses amis sa victoire à la loterie nationale. « Le plus gros gain de l'histoire du jeu ».

— Très bien, Oblomov agit.

— Ah mais vous ne croyez pas si bien dire. Ce personnage m'inspire. J'ai également pris une journée de repos. La première en quinze ans. Ma femme a cru que je ne me sentais pas bien. Nous avons fait une belle balade dans les rues de Paris avec un couple d'amis. Cela ne nous était pas arrivé depuis une éternité...

— Paris est la ville parfaite pour se retrouver entre amis, entre amoureux.

L'avantage avec Chapman, c'était que je pouvais enchaîner les banalités sans le moindre risque. Il manifestait son approbation totale à mes propos par un mouvement de la tête. De bas en haut et de haut en bas. En rythme. J'aurais voulu ajouter que Paris était une ville faite pour frapper les manifestants mais ma conscience professionnelle m'en empêcha. Ou le manque de courage. Chapman considérait la contre-manifestation qui s'était soldée par des coups et blessures comme une balade amicale.

— Vous voulez boire un verre d'eau ?

— Volontiers.

Je me rendis à la cuisine et me servis un verre d'eau minérale.

Le souvenir d'une nouvelle de Marguerite Yourcenar s'en échappa. *La Veuve Aphrodissia*[1]. Une femme qui rêvait d'empoisonner les meurtriers de son amant secret. Mémé Marguerite et sa cruauté machiavélique.

Je n'allai pas, comme Aphrodissia, jusqu'à cracher dans le verre de Chapman. Je n'étais d'ailleurs ni veuf ni grec. En revanche je lui servis de l'eau qui stagnait dans une vieille bouteille depuis plusieurs semaines. L'eau des géraniums fanés. Trouble et entourée de bulles étranges. On dit souvent que les assassins les plus coriaces sont ceux qui mènent une vie tout à fait tranquille. Le bon père de famille, assureur par exemple, qui, en sortant du bureau, croise une jeune fille seule. Un aller simple pour le coffre de la voiture et le bois environnant. Et la célébrité assurée pour quelques jours. Pour l'assassin et pour la victime, à égalité.

Chapman n'était pas un tueur mais sous ses airs gentillets se dissimulait un extrémiste des relations humaines. Le soir de la manifestation, il avait dû dîner avec sa femme, paisiblement installé dans ses pantoufles. Ils avaient regardé les informations. Si, par bonheur, une caméra les avait filmés alors ils toucheraient au sublime, à l'extase. Se voir éructer à la télévision, s'admirer en train d'injurier, de poursuivre des manifestants pacifistes.

1. Septième des *Nouvelles orientales* (1938).

— Merci Alex, ça fait du bien. C'est de l'eau du robinet ?

— Oui, je n'achète jamais d'eau en bouteille. Je trouve qu'elle a un goût particulier, de plastique presque. Rien de naturel.

— Comme vous avez raison. Nous non plus, d'ailleurs. J'ai pour projet de faire installer un adoucisseur d'eau très prochainement. Si l'on peut faire un petit quelque chose pour la planète en évitant le plastique...

— J'en ai un ! L'eau que vous buvez actuellement et que vous semblez apprécier est passée par l'adoucisseur. On sent vraiment la différence.

Je mentais un peu. Des commerciaux venaient régulièrement proposer ce type d'appareillage mais je ne les écoutais pas. Je les laissais s'exprimer car nombre d'entre eux exerçaient ce métier par nécessité, je ne voulais pas me montrer désagréable. Leur speech terminé, je souriais et plaçais la phrase qui faisait fuir tous les démarcheurs à domicile : « Je suis locataire. »

En France, c'est une phrase honteuse, une phrase qui vous rend en un instant beaucoup moins intéressant. Je n'étais pas près de posséder un adoucisseur d'eau. En tout cas, Chapman ne voyait pas le piège liquide dans lequel il se vautrait allégrement.

La cruauté n'est qu'humaine. On imagine mal le lion dévorant sa proie en choisissant de mordre la partie qui sera la plus douloureuse. Je prenais plaisir à voir Chapman boire son verre d'eau comme s'il s'agissait d'un grand cru classé. À la manière d'un sommelier, il humait le liquide et le gardait en bouche. Sans oublier de mettre son verre à distance, en étendant le bras, afin de mieux percevoir la qualité du contenu.

Composition du liquide (tenue secrète) :
— Eau
— Impuretés diverses (parmi lesquelles les restes d'une mouche décomposée)
— Bactéries

Chapman but encore un peu et reprit *Oblomov*.

— Ce qui m'étonne, dans le choix de ce livre, c'est que les personnages rejettent complètement la littérature. Vous avez pris des risques en me le proposant. Je ne lis plus et vous mettez entre mes mains l'histoire d'un type qui pense que les auteurs sont des êtres inutiles. Un insensible aux mots qui lit le journal sans s'intéresser aux dates.

— Bibliothérapeute est un métier basé sur le risque. Je vois très bien le passage auquel vous faites allusion. Lisons-le si vous le voulez. De mémoire, c'est aux alentours de la page 200.

Nous avons cherché, chacun penché sur son exemplaire. La course au passage qui nous permettrait d'entendre Gontcharov nous dire qu'on peut être hermétique à la littérature. Mon contraire. J'étais une éponge à mots. Chaque roman, chaque poésie, entrait dans mes cellules et se mêlait à mon sang. Une analyse sanguine l'aurait prouvé ! Le biologiste aurait crié : « Son sang est empoisonné, saturé par les mots, il est perdu ! »

— J'ai trouvé ! C'est page 190. Vous n'étiez pas loin.

Chapman était heureux d'avoir remporté la compétition. C'était un élève studieux.

— Je vais le lire, ajouta-t-il. J'en aurais été incapable il y a encore quelques années mais à présent, cela ne me gêne pas le moins du monde. Lire à haute voix est une pratique très impudique. On ne peut pas se cacher derrière le texte. Mais j'ai confiance en vous ! Je sais que vous ne vous moquerez pas.

Chapman reprit une gorgée d'eau pour s'éclaircir la voix. Il analysait parfaitement la situation. Faire entendre sa voix lors d'une lecture est forcément une mise en danger. Le silence qui précède est terrifiant. Puis vient la voix qui le détruit et ne le laisse plus revenir. La voix appelle la voix. Je n'avais aucune intention de railler sa lecture, nous n'étions pas en cours de lettres. Et la pire des moqueries n'aurait été qu'un détail en comparaison avec ce que j'avais fait cinq minutes auparavant. Mon patient me faisait confiance. Quel bonheur, quelle fierté ! Tous les thérapeutes espéraient cette déclaration, sésame d'une promesse de guérison. Je l'avais obtenue après avoir versé à Chapman de l'eau sale. Il fallait se faire plaisir dans ce métier parfois difficile.

Il arrivait à Ilia Ivanovitch de prendre un livre entre les mains : n'importe lequel, cela lui était égal. Loin de soupçonner que la lecture pût être un besoin vital, il la considérait comme un luxe, une chose dont on pouvait se passer aussi facilement que d'un tableau au mur, d'une promenade. Voici pourquoi le contenu du livre n'avait aucune importance pour lui. Il le considérait comme un amusement, un remède contre l'ennui et le désœuvrement. [...]

Parfois c'est par hasard que son regard tombait en passant sur le petit tas de livres qu'il avait hérité de son frère. Il prenait alors sans choisir celui qui lui tombait sous la main. Que ce fût *La Nouvelle Clé des songes* de Golikov, la *Rossiade* de Kheraskov, une tragédie de Soumarokov ou, enfin, des journaux vieux de trois ans, il lisait les uns et les autres avec un égal plaisir[1]...

Chapman lisait plutôt bien pour un homme aussi dégoûtant. Sa voix de lecteur était chaude, agréable, très différente de celle parlée. Je l'avais écouté avec attention lire ce passage qui niait la spécificité de la littérature et du journalisme.

— Le lâcher-prise est partout dans *Oblomov*. C'est ce que vous vouliez découvrir, non ?

— Tout à fait ! Je suis servi. Ma découverte est totale. Ces personnages se promènent dans le monde sans stress. Ils prennent ce qui vient sans anticiper. Je voudrais vraiment leur ressembler, me détendre et ne plus penser constamment au travail.

---

1. Ivan Gontcharov, *Oblomov*, *op. cit.*, p. 190-191.

— Vous anticipez sans cesse ?

— Constamment. Avec mes clients, je dois peser chaque mot car je sais que mon langage a une influence sur le résultat commercial. Un mauvais argument, une expression malheureuse et la vente est perdue. J'imagine la réaction de l'acheteur, ce qu'il va me dire, pour rebondir immédiatement. C'est épuisant.

— Vous êtes comme un comédien, finalement. L'acteur anticipe, c'est la caractéristique même de ce métier. Anticiper sans que l'on s'en rende compte. Le spectateur ne doit jamais voir cette ficelle, sinon il n'y a plus de film, plus de pièce. Le décor tombe.

— Et mon client ne doit jamais se rendre compte que j'ai toujours un coup d'avance. Il doit me penser entièrement dévoué à sa personnalité et scotché dans le moment présent alors qu'au fond de moi, je m'en fiche éperdument et que je suis dans l'instant d'après. Seul le résultat importe.

— C'est une posture assez cynique.

— Il en faut pour survivre dans le commerce mais dans votre métier également. Même si la concentration de cynisme est moins élevée. J'aime vraiment la façon avec laquelle vous abordez mes difficultés. Vous êtes très humain, à l'écoute. Je n'ai pas toujours eu cette chance. Parfois, j'ai rencontré des soignants froids et distants. Le dernier par exemple était terrible. Je l'attendais trente, quarante minutes, seul dans son cabinet. Quand il arrivait, je dormais à moitié, épuisé d'avoir attendu, je voulais écourter la séance pour rentrer chez moi. Et il ne me proposait même pas un verre d'eau !

— Je ne dirai rien sur les méthodes de mes confrères. Chacun sa façon d'agir. Ce thérapeute devait avoir ses raisons.

— Je comprends votre réaction mais je vois à votre moue que n'en pensez pas moins. Hein ?

Cette interjection pleine d'intelligence ramenait Chapman à son niveau de touriste benêt. Il m'appréciait au point de tenter la familiarité. Un son à la place du « comment ? » qu'on apprend aux enfants.

— Je ne suis pas certain de partager votre point de vue. Enfin, là n'est pas le problème. Notre collaboration porte ses fruits alors mon travail a un sens. Quelles sont vos prochaines mesures pour décrocher encore un peu plus ?

— Des vacances ! Cela fait dix ans que nous ne sommes pas partis. Je prévois de faire une belle surprise à mon épouse. Elle rêve d'aller en Grèce depuis toujours. Je suis en train de nous préparer un voyage sur mesure. Pas un séjour enfermé dans un hôtel. Une vraie découverte du pays et de ses îles. Comme des baroudeurs.

Chapman et baroudeur. Deux mots qui ne devaient jamais se rencontrer. Chapman et Grèce me laissaient la même impression. Chapman, l'homophobe au pays de la bisexualité antique spontanée. Je lui donnerais à lire Plutarque dans l'avion :

> … celui qui aime la beauté humaine sera favorablement et équitablement disposé envers les deux sexes, au lieu de supposer que les hommes et les femmes diffèrent sous le rapport de l'amour comme sous celui du vêtement.

— Parfait, c'est parfait. Vous verrez, la Grèce est un pays extraordinaire. Les îles sont incroyables.

— Je suis vraiment décidé et vous n'y êtes pas pour rien. Je m'intéresse à autre chose qu'à mon travail. C'est une révolution. Ma femme est très surprise. Je lui ai même offert un lave-linge pour remplacer l'ancien qui ne fonctionnait plus. J'ai prospecté des heures sur Internet pour sélectionner l'appareil le plus performant.

Comme après la manifestation, Chapman prenait un plaisir démesuré à parler de son nouveau lave-linge. Il avait certainement appris la notice par cœur, l'avait ingurgitée entre deux chapitres d'*Oblomov* pour pouvoir la ressortir à tous les gens qui croisaient sa route. Les malheureux.

Et sa femme pouvait s'estimer heureuse de se voir offrir un lave-linge par un bourreau du féminisme. Elle l'avait sans doute remercié en inaugurant la machine avec ses chemises les plus précieuses. Leur amour concentré dans un lave-linge.

Je ne savais quoi répondre à Chapman au sujet de cet objet. Que pouvait-on répondre à un homme qui semblait aimer davantage un appareil électroménager que sa compagne ?

Lui chanter *La Complainte du progrès*, de Boris Vian ?

Lui rappeler que le symbole de l'amour est le cœur et pas un lave-linge ? Que Cupidon vise l'organe, jamais la machine ?

Je raccompagnai Chapman à la porte. Il semblait vraiment épanoui. Sur le palier il salua Mme Farber qui achevait difficilement son ascension, les bras chargés de courses. Un pack d'eau minérale dans une main, un baril de lessive dans l'autre. L'installation de l'adoucisseur d'eau était entérinée. Chapman me regarda encore une fois et fit un clin d'œil qui scellait notre complicité.

— Alex.

— Oui.

— Après la Grèce, ce sera le Mexique ! Les Incas, je rêve de voir les Incas.

Je retournai dans le salon, soulagé du départ de Chapman. Il irait polluer l'Europe du Sud et l'Amérique de sa présence, laissant les contrées du nord souffler un peu. En attendant, je m'aperçus que son journal avait marqué ma table. Les traces étaient visibles. Un gros titre. Je ne supportais pas les marques sur cette table. C'est curieux car je ne suis pas un forcené du ménage. Je tolère les traces partout dans la maison mais pas sur ma table. Je sais qu'elle est trop blanche pour une table et que, forcément, le moindre verre, la moindre assiette y laissera son empreinte mais c'est ainsi. Une éponge douce lui rendrait sa couleur originelle. Je m'approchai et pus lire ces quelques mots :

Anthon P lstra : J arret e le footb l !

La sueur de Chapman n'avait pas coulé suffisamment pour reproduire l'intégralité de l'article ni même le titre d'ailleurs, mais je pouvais le comprendre aisément. Ulysse s'était jeté par-dessus bord, abandonnant ses compagnons. Polstra arrêtait le foot.

L'ampleur du mensonge

Yann avait renoncé à Valentine. Il en informa sa mère qui tentait désespérément de sécher près du radiateur de la salle de bains. Si elle avait pu se transformer en serviette pour se glisser entre les tubes du convecteur, elle n'aurait pas hésité un instant, tant l'humidité la faisait grelotter.

Yann lui transmettait du papier de mauvaise qualité, de ceux qui tachent les doigts, des prospectus anciens imprimés uniquement au recto, pour alimenter la conversation. Il pensait le papier plus chaleureux que la tablette numérique, en cette occasion. Mais sa mère et son dévouement étaient en colère. Elle lisait à peine les mots de son fils. Elle avait compris qu'ils ne véhiculaient aucune information capitale. Pourquoi écrire son renoncement à quelqu'un qui vous repousse ? Le silence aurait suffi. Sur le recto qu'il lui tendait, elle remarqua cette inscription :

VENTE EXCEPTIONNELLE DE PARAPLUIES

FABRICATION FRANÇAISE

Elle se disait que son fils avait un peu exagéré en l'envoyant braver la tempête pour poster un courrier qui n'avait donc rien d'urgent. Elle-même avait connu des relations amoureuses difficiles jadis, mais jamais elle n'aurait osé impliquer ses parents dans une aventure pareille. Les jeunes générations donnaient du fil à retordre aux anciennes.

Elle avait rencontré Thierry, le père de Yann, lors des JMJ, rassemblement de la jeunesse catholique. Il était si beau dans ses habits étriqués. La ceinture remontée à l'extrême. Ils avaient sympathisé, sans amour tout d'abord, puis le charme du futur publicitaire l'avait conquise. Des semaines de lettres enflammées – il s'exprimait si bien –, mais toujours dans le respect et la bienséance chrétienne, des fleurs rouges et des mains qui s'entrelaçaient. Anna et Thierry. Les faire-part du mariage arriveraient bientôt, affolant la famille et les proches. Pourvu qu'il fasse beau !

La naissance de leur enfant couronna une union merveilleuse et respectueuse. Un petit garçon intelligent, à la conversation riche et aux yeux perforants. Yann. Prénom choisi en hommage à un vieil oncle paternel parti instruire les enfants dans un village du Cameroun. Un missionnaire.

Anna n'en parlait pas mais elle redoutait ce regard qui transperçait les gens, qui démasquait leurs faiblesses pour les mettre en difficulté. L'enfant est une création extraordinaire, répétait le prêtre aux fidèles, chaque dimanche. Une promesse d'amour infini.

Une création qui entrait dans la chambre du couple à l'improviste, en pleine nuit, pour les regarder. Anna sentait sa présence. Il se postait debout, au pied du lit, et ne bougeait plus. Le pédiatre ne s'inquiétait pas. Le petit avait besoin d'être sécurisé, rien de plus. Mais Anna percevait que son fils portait en lui les germes d'un mal plus profond.

Pourquoi freinait-il le bonheur ? À croire qu'il l'abhorrait. Pourquoi mettait-il son entourage dans la difficulté dès qu'il le pouvait ? Pourquoi ne manifestait-il jamais la moindre marque d'affection pour quiconque ? Le pédiatre, les pédiatres (parce que le premier était finalement « incompétent »), considéraient ses actes comme une étape nécessaire de sa formation. Mais la mère de famille percevait des choses plus profondes, elle qui avait créé cet être se rendait compte que rien ne serait aisé avec ce fils.

Thierry ne voyait rien, ou feignait de ne rien voir, selon son épouse. Il emmenait Yann partout, même lors de ses déplacements professionnels. Cependant, l'enfant ne se montrait pas plus sympathique avec son père pour autant. Yann découvrit la Suisse, la Belgique, l'Italie, assis à côté de son père, dans la voiture de fonction haut de gamme que son employeur mettait à sa disposition. Ils étaient comme deux collègues qui s'entendent mal. Les voyages étaient longs et silencieux car Yann ne répondait pas à son père quand celui-ci engageait la conversation. Ses questions, ses réflexions sur la beauté des paysages ne l'intéressaient pas. Mais Thierry voulait Yann avec lui. L'enfant était mignon.

Anna n'appréciait guère ces voyages qui se multiplièrent au cours des années. Elle se retrouvait seule à la maison, sans désir de partir et de quitter son quotidien. D'ailleurs, Thierry ne lui proposait jamais de les accompagner. Il connaissait la réponse sans avoir posé la question.

Tout cela avait duré quelques années, jusqu'à l'accident.

Un accident banal. La peur du retard. On attendait Thierry. Il devait présenter un projet de publicité à un client important. Une publicité pour le premier écran plat. La voiture avait été compressée. Le visage de Yann aussi. Thierry s'en sortit avec quelques égratignures à la jambe. Un miraculé, selon les pompiers.

La vie après l'accident devint silencieuse. Comme une salle de cinéma en pleine projection. L'obscurité et le silence, la tension aussi. Un film à suspense dont l'issue ne faisait aucun doute.

Yann ne pourrait jamais plus parler. Thierry ne parlait plus. Anna non plus. On échangeait au minimum. En général sur l'heure des rendez-vous médicaux. Ceux qui étaient annulés, repoussés. Les prochaines opérations. La vie familiale n'existait plus. Yann était le centre du vide qui avait envahi la maison.

Thierry s'en voulait. Anna lui en voulait. Ils restaient côte à côte pour leur fils. Yann n'évoquait jamais l'accident. Ni ses séquelles. À son réveil, à l'hôpital, il avait essayé de parler à sa mère, assise dans un fauteuil généreusement prêté par l'établissement.

Elle y vivait depuis deux semaines. Y mangeait. Y dormait. Jamais elle n'aurait imaginé passer autant d'heures assise sur un fauteuil si inconfortable. Elle qui n'achetait son mobilier que chez des marchands de meubles hors de prix. Elle découvrait qu'un être humain avait dessiné un fauteuil dont le principe fondateur était la capacité à accueillir un derrière, sans penser ni au confort, ni à l'esthétique.

Yann avait essayé de parler, en vain. Comme s'il étouffait, il avait tenté de crier. Et ce fut tout. Yann avait compris. Il ne pourrait plus parler à sa mère.

Le médecin était arrivé quinze minutes plus tard pour proposer une ardoise et un stylo indélébile à Yann. Il n'avait rien trouvé d'autre. L'hôpital manquait d'argent. Du plus profond de son désespoir, on peut quelquefois trouver une dose infime de légèreté.

Sa première phrase, notée d'une main tremblante et maladroite, avait été : « Où est papa ? »

Anna gardait précieusement cette relique qui lui réchauffait le cœur. Yann aimait son père.

« Où est papa ? » Elle n'en savait rien. Il était là, puis, l'instant d'après, disparaissait. L'art du mouvement perpétuel. Il n'osait regarder son fils.

— Ne t'inquiète pas mon chéri, papa va bien. Il est sorti indemne de l'accident. Les médecins vont te guérir, ne t'en fais pas.

Et Anna pleurait car elle connaissait l'ampleur de son mensonge. Un mensonge aussi grand qu'un lac salé. Elle buvait à chaque seconde des litres du liquide indigeste. Yann avait compris lui aussi. Sans explications médicales. L'instinct de l'être humain lui fait prendre conscience de sa misère. Il n'y aurait pas de guérison. Sa bouche disparue. Son absence cachée par des bandages épais. Et à l'intérieur de l'orifice, il manquait tout ou partie de la langue. Il n'aurait su dire précisément. Les miroirs n'existaient pas dans sa chambre. Disparus aussi. Seuls restaient les clous dans le mur. Il aurait voulu se positionner face à l'un d'eux, arracher tout ce qui couvrait son visage et faire ce qui était interdit aux enfants : tirer la langue, exagérer le mouvement pour la mesurer d'un coup d'œil.

Thierry venait au chevet de son fils en fin de journée, quand Anna était partie. Parce qu'on lui demandait de partir. Il fallait continuer à vivre, disaient les médecins. La nuit tombait. La lumière gênait tant son fils qu'on ne l'allumait pas. Les appareils au bruit monotone éclairaient si faiblement la chambre que les déplacements étaient limités.

Thierry restait debout, appuyé contre le radiateur. Il ne s'asseyait jamais. Comme pour partir très vite. Yann ne lui écrivait rien. Thierry lançait quelques banalités et repartait.

Un matin, alors qu'Anna s'apprêtait à passer une énième journée dans la pénombre et le silence, Yann lui tendit une feuille.

— Papa et toi avez parlé ?

— De toi ?

Yann fit non de la tête.

— De quoi veux-tu qu'on parle, Yann ? Il n'y a que toi qui importes.

— Il y a autre chose.

— Écris.

Yann commença à rédiger un long texte à sa mère. Il n'hésitait pas. Les mots coulaient naturellement. Plus aucun barrage ne les retenait.

Thierry avait une maîtresse. Ou plutôt une seconde épouse. Tous les voyages qu'Anna imaginait à deux se faisaient à trois.

Thierry. Yann. Claire.

Claire apparut sur le papier et dans la vie d'Anna. Un prénom. Des images. De la colère. Yann était une couverture discrète. Un complice de Thierry. Pendant ces années, il n'avait rien dit à sa mère pour ne pas causer de trouble. Le silence pour éviter les cris. Un peu de cruauté aussi. À présent qu'il souffrait, pourquoi les autres et en particulier sa mère ne souffriraient-ils pas ? Comment n'avait-elle jamais compris ce qui se passait lors de ces voyages répétés ? Était-elle idiote ?

Anna lut le texte de son fils à deux reprises. Quelle misère que son existence ! Elle ne voulait plus de Thierry.

Dans l'esprit d'Anna, Thierry conduisait. Yann était assis sur le siège passager. Il lui fallait revoir sa copie. Dorénavant, elle voyait Yann, seul, derrière. Et devant, Claire qui regardait Thierry.

— Mon chéri. Pardon.

— Papa était toujours avec cette femme. Les gens croyaient qu'elle était ma mère. Papa ne les contredisait jamais. J'avalais ma salive.

— Nous aurons une discussion, ton père et moi.

La discussion n'eut pas lieu car la mère de Yann n'en voyait pas l'intérêt. Elle n'aurait su quoi dire à Thierry et Yann n'avait pas besoin de cela. Il fut convenu qu'on ne lui dirait rien sur leur séparation. Une période de non-dits commença. Les parents pensaient tromper leur fils mais ce dernier n'était pas dupe. Son père venait de moins en moins. Peu à peu, Anna remplaça le « on » par le « je » dans son discours. Signe grammatical de la fin du couple.

Anna se cramponnait au sèche-serviettes, ce qui ne l'empêchait pas de se rapprocher inexorablement du sol. Elle glissait lentement. Lourde, si lourde qu'elle ne tenait plus sur ses jambes.

Pour la première fois, Yann ressentait de la pitié pour sa mère. Cette petite femme maigrelette. Il écrivit.

— Tu es trempée, maman, tu grelottes. Viens avec moi dans ma chambre.

— Tu es gentil. Aide-moi à me relever s'il te plaît.

Anna se sentait faible. La colère et l'humidité associées à un trop-plein d'émotions, accumulé au cours des années, la mettaient à terre. Yann trouva quelques forces pour la remettre sur ses jambes. Il regretta un instant ce qu'il venait de lui infliger. Anna s'appuya sur son épaule et ils traversèrent le long couloir qui menait jusqu'à la chambre de Yann. Deux êtres malhabiles déambulaient dans la maison. Ils croisèrent le porte-parapluies qui n'était plus vide. Le jeune homme évita de le regarder.

J'ai deux amours

J'ai attendu des nouvelles de Mélanie mais comme elles n'arrivaient pas, j'ai décidé de me rendre chez ses parents. La lettre dans la poche. Un prétexte si je devais leur expliquer la raison de ma venue. Je m'étais toujours bien entendu avec eux. Ils vouaient une admiration sans limite à leur fille, une admiration XXL, genre tee-shirt qui descend aux genoux. Cela me changeait du XS que ma mère me réservait.

J'ai refait ce chemin que nous prenions à deux. Rien n'avait changé, comme dans le poème de Verlaine.

> Ayant poussé la porte étroite qui chancelle,
> Je me suis promené dans le petit jardin
> Qu'éclairait doucement le soleil du matin[1]…

Le jardin des parents de Mélanie était une perfection, il aurait pu figurer dans un magazine

1. Paul Verlaine, « Après trois ans », *Poèmes saturniens*, Le Livre de Poche, 2008, p. 33.

spécialisé en entretien des extérieurs. Même en décembre, il donnait une impression de vie, ce qui contrastait avec les pelouses alentour, envahies de mauvaises herbes et donnant un sentiment d'abandon hivernal. Je le traversai en respectant les pas japonais que mon ex-beau-père avait installés. Je me souvenais de cet après-midi bouillant durant lequel il avait creusé pour mener à bien son entreprise. Il s'arrêtait rarement, se redressait avec peine pour boire une bouteille d'eau que sa femme, admirative, lui apportait. Depuis ce jour, il était formellement interdit de marcher sur la pelouse. La voix du père de Mélanie résonnait encore dans ma tête, même si le jardin était vide à mon arrivée. « Attention à la pelouse. »

J'ai frappé à la porte délicatement. Je ne voulais pas faire comme ma propriétaire qui, quand elle souhaitait me communiquer une information, frappait avec la délicatesse du GIGN, au petit matin, à la porte d'un trafiquant de drogue. Personne ne répondit. Je décidai alors de faire le tour de la maison pour voir si quelqu'un se trouvait à l'arrière. Tout était calme. Un chat dépeçait tranquillement une souris aussi fine qu'une crêpe dans une fête foraine. Il n'arrêta pas sa besogne en me voyant. Je n'aime pas les chats, il devait le sentir pour me renvoyer cette indifférence. Je me dirigeai alors vers la porte-fenêtre du salon. Je collai mon visage contre la vitre pour regarder dans la maison. C'était une action honteuse, bien plus honteuse et maladroite que le fait de frapper trop fort à une porte.

Je ne valais pas mieux que Mme Farber. Observer l'intérieur d'une habitation sans y être autorisé est un acte immoral. Idiot également. J'aurais pu surprendre les parents de Mélanie dénudés, ou en pleine dispute. Mélanie avec son nouveau petit ami. Aucune de ces hypothèses ne me paraissait intéressante sauf cette dernière : Mélanie en petite tenue. Je remarquai, posé sur le canapé, un pull que j'avais offert à Mélanie. J'existais donc encore un peu dans ce lieu.

Une main toucha mon épaule et interrompit ma réflexion.

— Ils sont partis, vous vouliez leur dire quelque chose ?

Je me retournai et reconnus le voisin, celui dont le jardin ne méritait pas les pages d'un magazine sur les aménagements extérieurs.

— Bonjour, je venais voir Mélanie mais puisque vous me dites qu'elle n'est pas là. Je devais lui remettre un courrier, je vais le déposer dans la boîte à lettres.

— Vous n'êtes pas au courant ?

— Mélanie n'habite plus ici ?

— Il lui est arrivé malheur.

— Que dites-vous ?

— Elle a été agressée en revenant de la manifestation l'autre soir.

Je ne trouvai rien à dire. Moi qui attendais un message de Mélanie. Moi qui cherchais à la revoir en usant comme excuse cette fichue lettre.

— Je ne savais pas.

— Alors vous n'êtes plus ensemble... Avec ma femme on se demandait pourquoi on ne vous voyait plus. C'est triste, nous vous trouvions très sympathique.

J'étais toujours sympathique mais je n'avais nulle envie d'évoquer notre rupture. Comment le voisin pouvait-il lier dans la même conversation le drame de Mélanie, ma sympathie supposée et la fin de notre histoire ? Dans l'esprit de certaines personnes, tout se mêle, sans distinction, sans échelle de valeur, comme dans un Caddie bondé.

— Comment va-t-elle ?

— Sa maman m'a dit que c'était sérieux. Je n'en sais pas plus. Elle semblait vraiment très affectée, je n'ai pas osé demander davantage de détails. Je surveille la maison durant leurs visites. Votre amie est hospitalisée à l'hôpital Henri-Mondor de Créteil. C'est un excellent établissement. Ma femme fait traiter ses varices là-bas, les médecins sont vraiment compétents. Ils lui ont promis des jambes de trentenaire d'ici un an. J'y crois dur comme fer. Soyez confiant.

De l'hôpital Henri-Mondor, je savais deux choses : on voyait sa masse énorme depuis le métro, Charles Trenet y était décédé. À l'époque, quand j'appris que le chanteur y était hospitalisé et qu'il n'en sortirait certainement pas vivant, j'avais hésité à m'y rendre. J'adorais Trenet et sa poésie enfantine depuis toujours. Ma mère le détestait. Elle le trouvait mièvre, naïf, obsolète, surestimé en France. Quand je lui parlai de mon projet de visite, elle se moqua de moi. « Aller voir un artiste aussi mauvais, et sur son lit de mort en plus. Mon chéri, tu sais qu'il ne te chantera rien. » Elle avait ensuite fredonné « Douce France ». Maman était sans pitié, comme à son habitude. Heureusement, les enfants n'écoutent pas toujours leurs parents. Un après-midi de février, je me rendis donc à l'hôpital. J'arpentai les couloirs l'air de rien, pour ne pas attirer l'attention.

J'errai parmi les malades pansés, reliés à leur goutte-à-goutte, qui allaient fumer une cigarette à la cafétéria. Tous en pyjama. La face sombre de l'humanité. Je me disais que Trenet devait avoir une drôle d'allure en pyjama. Et encore plus de gêne à se montrer ainsi après une carrière telle que la sienne. L'auteur de « Que reste-t-il de nos amours ? » en pyjama à la cafétéria de l'hôpital Henri-Mondor de Créteil. Non, il ne déambulait pas dans les couloirs, il était trop faible pour cela.

Finalement, je passai sans m'arrêter devant une chambre dont l'entrée était protégée par un colosse qui ne portait pas de pyjama mais un costume. Charles, je me trouvais à quelques mètres de Charles, c'était sûr.

Je marchai jusqu'au bout du couloir et le mur m'arrêta. Mon embarras se manifesta quand je dus me retourner. Il n'y avait pas de porte en face de moi et j'imaginai mal entrer dans une chambre latérale au hasard. En revenant sur mes pas, je croisai le regard du garde. Il me fixa, dubitatif. Je ne laisse personne indifférent.

— Jeune homme, faut pas traîner dans le coin, me lança-t-il.

Vexé, je répondis sèchement que je n'avais pas pour habitude de traîner dans les coins et que mes parents avaient soigné mon éducation. Menteur. Je n'avais aucune éducation. Et ma mère, chez elle, massacrait avec un plaisir sadique « Douce France ».

Je me rendis à la cafétéria pour prendre un café. Février à Créteil sonnait comme *Les Pâques à New York*, l'œuvre de Blaise Cendrars. J'étais doué pour les titres, *Février à Créteil*, mais je n'avais nulle envie de me lancer en poésie. Ce qui m'importait, à ce moment, c'était le café qui allait réchauffer mon estomac. Les bibliothérapeutes sont des êtres humains comme les autres.

Dans la file d'attente qui menait au comptoir, je regardai les couvertures des magazines. L'une d'elles attira mon attention.

« Trenet, bientôt la fin. » Le titre accompagnait une photo volée du chanteur, amaigri par la maladie. Un ami de fraîche date l'aidait à marcher. Un homme bien plus jeune que lui qui réclamerait sa part du gâteau à la première pelletée de terre. Finalement, Trenet faisait bien de ne pas venir dans cette cafétéria. En outre, le café y était brûlant, le gobelet fondait presque dans la main. La chaleur empêchait de le tenir. Prendre un café, c'était se préparer à faire un séjour au service des grands brûlés, ou pire, en gastro-entérologie parce que le plastique fondu devait dévorer l'estomac des buveurs. Je restai un long moment à regarder les autres, comme le faisait le vigile, mais sans sa force de persuasion. « Ne buvez pas, c'est dangereux ! »

À bien y réfléchir, c'était une faute de goût que de mettre un ennemi de la poésie en faction devant la chambre de Trenet. Il eut fallu placer un être étrange, une extravagante, tempéramentale moderne, avec un tigre en laisse, un diable ou un chanteur d'opéra.

Si j'avais pu m'introduire dans la chambre, j'aurais emmené Charles (l'amitié fulgurante m'autorisant à le nommer ainsi) près de la fenêtre. Et nous serions montés jusque sur le toit, nous deux, en faisant bien attention de ne pas tomber. L'opération n'était pas vraiment risquée puisque dans les rêves, on ne meurt jamais pour très longtemps. Lui en chaussons d'hôpital, moi en baskets usées. Nous nous serions tenu la main pour nous rassurer. Comme deux enfants dans la forêt. Sur le toit gigantesque, nous aurions contemplé la ville et Paris au loin. Les magasins gigantesques, les entrepôts, les rails, les immeubles abandonnés par l'État, tout un monde à nos pieds. Je n'aurais pas sorti de livre parce que Charles en était un, débordant d'histoires.

Près de la haute cheminée fumant des débris divers, nous aurions fredonné jusqu'au petit matin une de ses chansons surréalistes. Une chanson drôle et magique avec des animaux qui parlent, des enfants qui regardent par la fenêtre, une chanson pleine d'idées. Saugrenues. Le soleil réveillé, je déciderais de raccompagner Charles dans sa chambre pour ne pas éveiller les soupçons. Le garde endormi devant la porte n'aurait rien entendu. Nous recommencerions bientôt. La descente en rappel avec les draps extensibles de son lit n'aurait posé aucun problème. Dans les rêves tout est flexible. Pas de vertige, pas de glissade mais des rires incroyables, exagérés pour les autres, ceux qui ne rêvent pas, naturels pour nous. Alors, j'aurais bordé le poète – parce que l'on borde un poète comme un petit garçon – et l'infirmière aurait ouvert la porte pour s'assurer qu'il dormait encore.

Le lendemain Trenet mourut, me noyant sous les regrets.

On peut se retrouver, partout !

43.

J'ai un rapport particulier avec ce chiffre. Il apparaît souvent dans ma vie. Une sorte de gros aimant collé à un front trépané et rafistolé avec une plaque en métal.

43.

Deux fois dans mon numéro de téléphone (à croire que mon opérateur téléphonique était de mèche avec des forces occultes ou qu'il pensait que j'étais trop bête pour avoir un numéro comme les autres, avec des chiffres tous différents).

Je suis né à 18 h 43, un soir de tempête, comme Chateaubriand.

> Le mugissement des vagues, soulevées par une bourrasque annonçant l'équinoxe d'automne, empêchait d'entendre mes cris[1]...

---

1. François-René de Chateaubriand, *Mémoires d'outre-tombe*, tome 1, livre I, chapitre 2, Le Livre de Poche, 2003, p. 128.

C'est notre seul point commun. J'ai moins d'éloquence mais certainement davantage de modestie. Et je trouve que Mirabeau n'était pas si laid que Chateaubriand le laissait entendre. Mais qui lisait Chateaubriand à présent ? Qui connaissait Mirabeau et son visage pour le moins étrange ? Des professeurs, des chercheurs ou encore des bibliothérapeutes harcelés par un chiffre. Une quarantaine de personnes…

À chaque fois que je réserve un billet de train, je suis situé place 43. J'exagère à peine, pour l'effet, lorsque je raconte cela en soirée. La malédiction du chiffre 43 m'assure l'écoute de quelques oreilles curieuses. Le mensonge attire les foules.

Au collège, ma correspondante était autrichienne, pour l'appeler je devais composer le 43, indicatif de l'Autriche. Elle était désagréable et nos conversations à distance coûtaient une fortune à mes parents. Nous avons, depuis cette époque, un rejet indéfectible de l'Autriche et de ses habitants. Un sentiment un peu animal, irrationnel et à présent sans véritable raison d'être, mais un sentiment persistant.

J'ai terminé à la douzième place de ma promo de bibliothérapie. Douzième sur… 43. Mais je n'ai jamais douté du fait que je ne devais cette place, somme toute médiocre, qu'à l'omniprésence du chiffre 43. Et en aucun cas à mon faible niveau par rapport à mes camarades. Je méritais sans doute, d'après mon jugement personnel, et deux ou trois conversations avec les autres étudiants, une place parmi les cinq premiers. Quatrième (4) ou troisième (3). 43.

Je pourrais multiplier les exemples mais cette pensée magique autour du 43 s'arrêta net quand je descendis du bus 217 qui desservait l'hôpital Henri-Mondor. 217. Pas de 4. Pas de 3.

Cinq minutes plus tard, quand, à l'accueil de l'hôpital, on m'annonça que Mélanie se trouvait chambre 43, je ne fus pas étonné le moins du monde.

***

Devant la porte, je ne trouvai aucun molosse. Trenet était parti depuis bien longtemps. Une porte blanche, triste, qui ne donnait pas franchement envie de voir ce qui se tramait de l'autre côté.

Je frappai avec délicatesse, presque un effleurement. Personne ne me dit d'entrer. Décidément, cela devenait une habitude. Les portes ne voulaient pas de moi. J'ouvris quand même. La chambre était vide de visiteurs, les parents de Mélanie n'étaient pas là. Tant mieux. Je ne tenais pas vraiment à les voir. Je n'aurais pas su leur parler. Il n'y avait qu'un lit. Tant mieux. De l'intérêt de cotiser pour une mutuelle compétente. Mélanie avait été démarchée par téléphone un soir où nous habitions encore ensemble. Je me souviens que je l'avais exhortée à raccrocher. Je lui faisais de grands gestes pour montrer mon mécontentement. Le repas que j'avais mis deux heures à élaborer était servi. Celui qui cuisine veut un respect total de son travail. Mais c'est une vilaine habitude que de parler à quelqu'un qui est au téléphone. Une habitude insupportable pour celui qui doit mener deux échanges à la fois. Un au téléphone, l'autre par des gestes pour que son interlocuteur au bout du fil ne se rende compte de rien. Mélanie avait tenu bon. Elle avait donné son accord à l'opérateur, après un long entretien, très détaillé. J'étais furieux. Le tajine, parce qu'il s'agissait d'un tajine, était froid, immangeable. Nous nous disputâmes ce soir-là. Une dispute à finir chacun dans son coin. Chacun dans un lit. À maudire l'autre. Mélanie avait tenu bon. Le lendemain matin, je m'excusai platement. Non, je n'interviendrais plus dans ses conversations téléphoniques. Promis. Promis.

Pourtant, je recommençai quelques jours plus tard. Un soufflé au fromage ne peut pas attendre.

Le contrat pour la nouvelle mutuelle avait été signé. Et quand je vis Mélanie dans sa « chambre individuelle », je me dis qu'elle avait bien fait de changer. Pas de compagnon mais une mutuelle. Et le soufflé était vraiment fade.

Mélanie semblait perdue parmi les machines, les fils et les tubes. Elle dormait et mon arrivée ne la réveilla pas. Mélanie couchée et moi à la regarder. Si elle avait eu tous ses moyens, elle m'aurait sans doute crié dessus en m'expliquant que cette attitude n'était pas correcte. Mais elle ne se réveillait pas. À l'extrémité du lit, je vis la feuille de soins qui comportait, entre autres informations, tous les dommages subis par Mélanie. Une feuille de soins longue comme un menu de restaurant spécialisé dans le surgelé dissimulé. Des plats à n'en plus finir. Des blessures à n'en plus finir. Des blessures toutes fraîches. Entrée, plat et dessert.

Mélanie m'avait toujours surpris par sa force, sa résistance. Elle ne tombait que rarement malade et, même fiévreuse, elle se rendait au travail. Un bonheur pour une Sécurité sociale moribonde. Un exemple de solidité qu'elle devait peut-être à ses origines teutonnes dont elle ne faisait pourtant pas cas. Par respect pour mes origines sans doute, pour ma faiblesse aussi. Une faiblesse passagère me faisait garder le lit sans aucun remords. J'y prenais même du plaisir. Rester au lit quand la terre entière se tue au travail ! Se lever simplement pour assouvir un besoin naturel ou faire chauffer la bouilloire, rien de plus.

Mais cette fois-ci, elle allait exploser les compteurs et augmenter le trou béant de la Sécu. Elle était face à moi, dans une impuissance extrême. J'avais tant voulu la revoir et l'embrasser. Elle était là et je pouvais l'embrasser sans qu'elle se sauve. Mais le voulais-je vraiment ?

À cet instant, je n'aurais pu trouver trois centimètres pour poser mes lèvres sur son visage. Il était bleu et boursouflé. J'aimais la Mélanie d'avant, celle qui courait sans relâche, Mélanie à la repartie assassine. Aimais-je cette Mélanie couchée et difforme ? Il était hors de question de formuler ouvertement une question pareille. Il fallait la garder pour soi, comme un objet précieux que l'on conserve précautionneusement dans sa poche. Je ne dis rien mais mon visage exprimait le doute quand une infirmière entra dans la chambre.

— Bonjour. Vous êtes un ami ?

— Bonjour, oui, euh, enfin, je suis son ami.

Nous étions séparés mais l'infirmière n'avait pas à le savoir. Elle enchaîna mécaniquement.

— Très bien. C'est un miracle, vous savez. Ses agresseurs se sont acharnés sur elle.

L'infirmière s'affairait autour de Mélanie qui ne bougeait pas. Elle était le corps au centre de la pièce et de la discussion. Un corps miraculé, donc. Presque sans vie.

— J'ai du mal à réaliser…

— Je ne vous ai pas encore vu depuis son arrivée.

— J'étais à l'étranger pour le travail. Mes beaux-parents m'ont prévenu au dernier moment. Ils ne voulaient pas m'inquiéter.

— Je comprends. Vous souhaitez voir le médecin pour qu'il vous explique ?

— Non, pas pour l'instant, merci. Elle dort profondément.

— Nous l'avons plongée dans un coma artificiel. Elle souffrirait trop si elle était éveillée.

Elle repartit sans rien ajouter, poussant son chariot jusqu'à la chambre suivante.

★★★

— Vous n'êtes pas déguisé cette fois-ci ?

— Non, finalement, en jean et pull, j'attire moins l'attention. Les gens sont plus habitués à me voir en short et maillot de foot. Ils n'imaginent pas que je sois comme eux.

— Comme les prétendants ne s'attendaient pas à voir Ulysse en mendiant. Nous sommes régis par des systèmes de pensée qui nous dépassent.

— Vous ramenez tout à Ulysse.

— C'est mon métier. Vous me rémunérez pour ça.

— Je sais. Et je vous remercie.

— Nous n'avons pas abordé le thème de votre enfance.

— Je ne suis pas fan des souvenirs. Et Homère ne parle pas de l'enfance d'Ulysse !

— Détrompez-vous, c'est la marque de l'enfance – une blessure ancienne – qui va authentifier l'identité du héros. Les souvenirs sont partout. Ils nous construisent. Personne n'y échappe.

Polstra prit un temps de réflexion et avala sa salive.

— Je viens d'un quartier difficile. Et d'une famille difficile.

— Y retournez-vous parfois ?

— Jamais.

— Pourquoi ?

— Je vous l'ai dit, les souvenirs, c'est pas mon truc.

— Vos parents y vivent encore ?

— Bien sûr que non ! Je leur ai acheté une maison dans un coin plus tranquille dès que j'ai gagné un peu d'argent.

La réponse de Polstra était aussi cinglante que ses tirs puissants sur un terrain de football. J'étais un piètre gardien mais je ne désarmai pas.

— Et vos amis d'enfance ?

— Ils y sont encore. Ils n'ont pas bougé, ils attendent.

— Et qu'attendent-ils ?

— Je ne sais pas. Ils attendent, tout le monde attend, là-bas.

J'hésitai à évoquer *En attendant Godot.* Je renonçai, finalement. Mon patient semblait troublé.

— Et vous, qu'attendez-vous ?

— Depuis que je suis riche, je n'attends plus rien. Ce sont les autres qui m'attendent : les journalistes, les supporters, les hommes politiques qui veulent poser avec moi...

— L'attente peut être constructive. Ulysse...

— Vous ramenez tout à Ulysse.

— Ulysse ne serait pas Ulysse sans l'attente. Il a imaginé mille fois son retour avant de le vivre.

Un message sur le téléphone de Polstra nous interrompit.

— Excusez-moi, c'est un journaliste à qui j'ai promis une interview. Il m'attend.

Le footballeur avait prononcé cette phrase avec un léger sourire. L'air de me dire : « Vous voyez, je ne vous ai pas menti. »

D'ailleurs, Polstra avait parfaitement raison quand il m'expliquait que la force était du côté de ceux qu'on attendait, et jamais l'inverse.

Quand j'étais adolescent, Magyd, le bellâtre du lycée, s'arrangeait toujours pour arriver en retard aux soirées que les filles organisaient pour leur anniversaire ou pour un autre événement majeur de leur existence trépidante.

Si nous étions invités à 20 heures, il arrivait à 21 heures. La guitare à la main, en prime. Je connaissais son stratagème. J'avais soixante minutes pour tout tenter. Je parlais, parlais sans jamais m'arrêter avant que l'essaim féminin ne migre vers le musicien retardataire. Ensuite, il me restait les sodas et les gâteaux salés posés sur une table recouverte d'une nappe en papier. La solitude face au buffet froid. Pourquoi n'avoir jamais opté pour l'apprentissage d'un instrument de musique noble ? J'entends par « noble » un instrument qui plaisait aux filles. Et pourquoi m'obstiner à être ponctuel ?

— Vous devriez retourner dans votre quartier d'enfance.

Oblomov et la souris, zeugma

Il y avait de l'eau partout dans le cellier de Chapman, c'était la panique. Sa femme, en découvrant l'ampleur des dégâts, l'appela de toutes ses forces. Roberrrrrrt !!! Comme il était habitué à l'entendre appeler pour un rien, il ne broncha pas, pensant que les cris s'estomperaient. Il poursuivit sa lecture d'*Oblomov*.

> Olga, sans quitter sa place, se mit à rêver au bonheur proche, mais décida de cacher cette nouvelle à Oblomov et de ne pas lui confier ses projets d'avenir.
>
> Elle voulait suivre des yeux jusqu'au bout la transformation opérée par l'amour dans son âme paresseuse, sa délivrance définitive, quand, ne pouvant résister à l'attrait du bonheur proche il accourrait, rayonnant, pour déposer à ses pieds la réponse favorable qu'il[1]…

Roberrrrrrrrrrrrrrrrrrrrt !

1. Ivan Gontcharov, *Oblomov*, *op. cit.*, p. 497.

Bon Dieu, pensa-t-il en l'entendant appeler de nouveau, elle ne me laissera donc jamais en paix ! Quelle vilaine habitude de l'appeler ainsi à la rescousse pour un détail, une chaussette égarée, la disparition d'une éponge ou celle des clés de la voiture. Qu'y pouvait-il, lui, couché sur le sofa acheté à prix d'or ? Roberrrrrrrrrrrrrrrrrrrrrt.

Il se releva finalement, le sourire aux lèvres (ce passage du roman lui plaisait tout particulièrement) et le livre à la main, pour rejoindre son épouse et son problème majeur.

— Où es-tu, chérie ?

— Dans le cellier, viens vite, c'est la catastrophe.

Chapman prit un air sérieux afin de ne pas jurer avec l'intonation de sa femme. Il fallait coller au sérieux de la situation qu'il allait découvrir. La réalité lui arriva par les pieds quand il sentit l'eau inonder ses orteils puis ses talons et enfin ses chevilles. L'eau envahissait la pièce. Chapman ne savait où donner de la tête. Son épouse semblait aussi terrifiée qu'une femme de chambre du *Titanic* découvrant l'océan dans les coursives du navire.

— Calme-toi, ma chérie, calme-toi.

— Comment veux-tu que je me calme, regarde, la machine à laver fuit, il y a de l'eau partout !

Le lave-linge révolutionnaire qui consommait si peu d'eau débordait de toutes parts. Chapman repensa aux publicités collées sur les murs du métro. RÉVOLUTION ! Impossible d'y échapper. Encore moins les pieds dans l'eau !

— Écarte-toi, je vais régler ça.

Chapman n'avait aucune notion dans le domaine des lave-linge, aucune non plus dans le domaine de la plomberie, mais il se voyait comme l'homme de la situation. S'il réglait ce problème, il accéderait au statut d'homme doué de ses mains aux yeux de sa femme. Une belle récompense. Il ferait la fierté de leur groupe d'amis. Bien plus qu'en disant qu'il dévorait *Oblomov* avec gourmandise.

« Vous vous rendez compte, Robert est arrivé et il a trouvé une solution en deux minutes. Sans cela, la maison était fichue. » Avec son sens aigu (mais inconscient) de l'hyperbole, sa femme le ferait passer pour un être fabuleux.

Chapman analysa la situation à la lumière de son ignorance. Le livre à la main, il se jeta sur l'arrivée d'eau pour tenter de la fermer. Trempé, il avait le plus grand mal à tourner le robinet. C'était pourtant la solution ! Il fallait interrompre la cataracte avant d'écoper. Il tentait de visser le robinet de sa main droite. Impossible, aucune prise. C'est au moment où tout semble perdu que les idées jaillissent, venues de nulle part. Absentes de notre esprit un instant avant, elles en occupent tout l'espace en une fraction de seconde. Le livre ! La solution était dans le livre. Pas dans le récit car *Oblomov* ne résolvait aucun problème de plomberie dans le roman, mais dans l'utilisation du roman, de l'objet. Il arracha trois ou quatre pages et essuya le robinet avec. Il jeta les feuilles trempées dans le petit lac qui s'était formé dans son cellier et en ôta trois de plus afin d'avoir une bonne prise.

Finalement, il réussit à couper l'eau. Aussitôt, il chercha le regard de sa femme.

Elle le regardait, les yeux pleins de reproches.

— Je me demande bien pourquoi tu as dépensé une fortune dans un appareil qui ne fonctionne même pas. Un premier prix aurait suffi.

— Mais chérie, ce n'est pas la machine, c'est l'arriv...

— Ne m'appelle pas chérie. Quand tu fais des trucs pareils, je ne suis pas ta chérie.

— Je vais essuyer cette eau et le problème sera réglé.

— C'est ça.

Elle partit précipitamment, visiblement très affectée par la défection de sa machine à laver. On a les chagrins que l'on mérite. Elle décida d'oublier cette déconvenue en balayant sa terrasse.

Chapman n'en voulait pas à sa femme. Elle faisait tant pour lui. Elle l'aimait follement depuis toujours. Et cette petite fâcherie ne gâcherait rien. Il mit *Oblomov* en sécurité sur une tablette haute qu'il avait installée avec grande difficulté dans son mur en Placoplatre. Elle était tombée à maintes reprises mais apparemment elle tenait bon, à présent. Le livre ne la fit pas pencher davantage qu'elle ne le faisait en temps normal. Une tour de Pise horizontale dans son cellier. L'art de la rectitude était inconnu à Chapman. En revanche, dans les moments brûlants comme celui qu'il venait de vivre, il gardait la tête froide.

D'ailleurs, dans la précipitation et dans sa volonté d'arrêter la fuite d'eau, Chapman avait eu la lucidité d'arracher des pages qui se trouvaient au début d'*Oblomov*. Il ne voulait pas amputer le roman de pages encore vierges de sa lecture.

Il chercha alors une bassine et un récipient de taille moyenne comme il y en a dans tous les celliers de France afin d'écoper l'eau qui stagnait dans la pièce. Ces deux objets dénichés – sa femme particulièrement soigneuse rangeait les contenants ensemble –, il commença sa besogne. La coupelle qui portait l'eau jusqu'à la bassine fonctionnait à merveille. Rapidement, Chapman se rendit compte que cette dernière était pleine. Il fallait la vider. S'il avait eu en sa possession une plus grande bassine, il en aurait déversé le contenu à l'intérieur. Mais cela ne l'aurait mené à rien. Il n'allait pas multiplier les bassines. Il fallait évacuer l'eau. Il se dirigea avec précaution vers la petite fenêtre qui donnait sur la terrasse. Elle s'ouvrait de haut en bas lorsque l'on tirait avec insistance sur la poignée. Chapman força et arriva à ses fins. Il pensa qu'il lui faudrait graisser les joints pour pallier ce problème. En se penchant pour saisir la bassine, il vit une souris qui nageait avec application dans son cellier. La souris qu'il cherchait depuis des semaines. Celle qui déjouait tous les pièges, du plus basique (le piège au fromage) au plus sophistiqué (les ultrasons), le narguait en nageant comme une vieille dame appliquée le dimanche matin à la piscine municipale. Il ne lui manquait que le bonnet de bain. Chapman était satisfait car l'animal pris au piège de la pièce n'en sortirait pas vivant. L'arrogance de celui qui sait que son ennemi va périr.

Il commença à verser l'eau à l'extérieur, délicatement puis, trouvant que cela lui prenait trop de temps, il monta sur un tabouret pour se trouver plus haut, plus à l'aise, et retourna carrément la bassine. L'eau s'abattit.

— Roberrrrrrrrrrt, mais tu es fou ! Je suis trempée.

Chapman pouvait oublier toute envie de rapprochement avec son épouse et ce pour une durée indéterminée. Il avait commis un impair. Se voir jeter une quantité d'eau non négligeable sur le dos en plein mois de décembre, si doux fût-il, n'est pas très profitable aux relations de couple.

Chapman voulut user du « c'est pas moi » qu'emploient les enfants mais, comme ils étaient seuls dans la maison, cette phrase n'aurait fait qu'aggraver son cas.

— Pardon, dit-il d'une petite voix chevrotante qu'il n'avait pas employée depuis une récitation en classe de sixième.

Les vers lui revenaient à l'esprit, les premiers, mais aussi ceux dont il n'avait pas su se souvenir le jour de l'évaluation. Quarante ans plus tard, il se les rappelait. Il récita le texte sans accroc. Bon Dieu, si son professeur n'était pas enterré au cimetière du coin, il serait bien allé lui crier aux oreilles qu'il ne mentait pas quand il lui avait dit qu'il avait appris la poésie par cœur ! Personne ne l'avait cru !

Ni le professeur cruel, ni ses camarades. C'était la peur qui lui avait causé ce tort, pas le manque de travail. On a les injustices que l'on mérite.

> Il dit non avec la tête
> Mais il dit oui avec le cœur[1].

Les larmes aux yeux, il était fier d'avoir récité sa poésie. Il leva les yeux vers le ciel et les baissa pour se rendre compte qu'il n'y avait personne d'autre que lui et la souris nageuse dans la pièce. Mais les souris n'aiment pas la poésie. Pour preuve, Chapman n'avait jamais acheté un piège à rongeurs dont l'appât était un recueil de Saint-John Perse, par exemple. *Anabase*, œuvre ô combien hermétique, massacrait les étudiants qui en cherchaient le sens, pas les souris.

Chapman décida d'écraser l'impétueuse avec le pied en lui sautant dessus. Il prit appel de son pied gauche pour l'atteindre de son pied fort, le droit. Malheureusement, ses chaussures humides l'empêchèrent de mener à bien sa mission. Il tomba à la renverse et se fracassa l'arrière du crâne contre le sol. Une chute lourde, malheureuse pour les journaux qui évoqueraient son décès dans les pages nécrologiques, une chute idiote pour la souris qui avait été témoin de l'accident.

---

1. Jacques Prévert, « Le Cancre », *Paroles*, Gallimard, collection « Foliothèque », 1993, p. 63.

Cette dernière attendit quelques instants et, quand elle vit que l'homme ne bougeait pas, accosta tranquillement sur son épaule et monta sur son torse. Sauvée. Elle remonta le long du visage et inspecta les narines. Un peu de sang en coulait. Dans la maison, on entendait les remontrances de la femme de Chapman, les injures. Imbécile et idiot étaient les plus légères. Mais son mari ne les entendait pas. La souris prit peur quand le bruit des pas se rapprocha. Elle profita de sa position haute pour atteindre une étagère en fer qui contenait les provisions familiales. Avec un peu de chance, le plateau accessible contiendrait un paquet de riz ou de pâtes entamé.

Mme Chapman entra, furieuse, dans le cellier, elle voulait en découdre.

La tête de son mari baignait dans le sang. *Oblomov* était au sec, la souris aussi.

La vie, finalement… Et les livres !

Mélanie s'est réveillée le 15 décembre alors que je me trouvais à ses côtés. La première chose que je lui ai dite quand nos yeux ont pu enfin se rencontrer fut : « J'ai une lettre pour toi. » Elle a esquissé un sourire qui m'a dévasté. Moi, Alex, le garçon aux yeux de pierre, aux yeux de Vénus, j'ai pleuré comme je ne l'avais jamais fait auparavant. Un maçon haut perché brisait la face de la statue avec une masse gigantesque.

Ma mère aurait été étonnée d'assister à la scène de son fils pleurnichant. Une scène inédite, exclusive, en direct de Créteil. Maman ne la verrait pas. Elle gardait sa rudesse au plus profond de son être. L'image d'un enfant insensible aux souffrances des autres.

Je ne mentais pas à Mélanie quand je lui parlai de sa lettre car elle ne m'avait jamais quitté durant toutes ces semaines. Mon marque-page. Je l'ai posée sur la table de nuit sommaire qui dormait à côté de Mélanie.

À chaque visite, je lui posais la même question : « Tu veux que je te la lise ? » Et à chaque fois,

Mélanie faisait non de la tête tout en me souriant. Elle ne parlait pas vraiment car son temps d'éveil restait limité.

OUI, NON, MERCI, ÇA VA s'échappaient d'entre ses lèvres tuméfiées. Comme lors de la manifestation. Je réceptionnais chacun de ces mots avec précaution. Sa voix me rappelait et lui rappelait qu'elle était en vie. En vie et avec moi. Et puisqu'elle ne pouvait se mouvoir, elle ne risquait pas de s'échapper. De m'échapper.

Toutes les fins de journée, lorsque ses parents rentraient à leur domicile, je faisais mon entrée dans la chambre de Mélanie qui ressemblait à la scène où se jouait un vaudeville médiocre. Les portes s'ouvraient et se fermaient. On changeait de personnages secondaires.

Mélanie ne restait jamais seule trop longtemps. Je ne savais pas vraiment si cela lui était bénéfique. Nous avons l'habitude de passer des heures au chevet des malades et ce, sans demander leur assentiment. La certitude de ceux qui se tiennent debout face au silence des couchés.

Je lui faisais écouter un peu de musique. U2 bien sûr, des chansons douces et Charles Trenet. Pour le reste, je parlais beaucoup. Personne ne me disait d'arrêter. Et je lisais à haute voix. *Un long dimanche de fiançailles* parce je l'évoquais souvent avec Mélanie et parce que si un livre racontait une histoire perdue d'avance, c'était bien celui-là. Manech et Mathilde au bord du lac d'Hossegor. Les lettres gravées sur un arbre. MMM. Une gamine handicapée à la recherche d'un soldat. La certitude de le retrouver. Tout était possible ! Si Mathilde avait réussi à rejoindre Manech, alors je réussirais bien à remettre Mélanie sur pied. Et dans mes bras.

> Mathilde ne sait si Manech l'entendait, dans le brouhaha de son enfance, dans le fracas des grandes vagues où elle plongeait à douze ans, à quinze ans, suspendue à lui. Elle en avait seize quand ils ont fait l'amour pour la première fois, un après-midi d'avril, et se sont juré de se marier à son retour de la guerre[1].

Je n'avais pas grand-chose de Mathilde. Je marchais convenablement. Mélanie, elle, partageait avec Manech l'usure de l'être, la fatigue de vivre.

— Tu veux que je te la lise ?

— Non, pas encore.

— Tu préférerais entendre la suite d'*Un long dimanche* ?

— Oui, s'il te plaît.

L'intensité de ses mots diminuait quand nos échanges devenaient trop longs. Et les sons qui sortaient de sa bouche n'avaient plus rien à voir avec la voix qui était sienne avant l'agression. On lui avait pris ses traits doux, sa poitrine délicate mais le plus terrible était sans doute sa voix car, à chaque instant, cette disparition prenait corps. Elle

1. Sébastien Japrisot, *Un long dimanche de fiançailles*, Gallimard, collection « Folio », 1993, p. 30.

pensait que je pouvais répondre à ses interrogations sur son avenir. Mais les médecins eux-mêmes n'auraient pas misé un centime sur l'avenir de cette patiente. Ils lui parlaient de statistiques alors qu'elle attendait des certitudes. La voix reviendrait quand les hématomes réduiraient de volume, disaient-ils. Le visage reprendrait un aspect « correct » aussi, c'était le mot employé par le chirurgien. Mais qu'entendait-il par « correct » ? Le visage de Mélanie n'était pas correct, il était expressif, aussi agréable à regarder que celui de Louise Brooks. Une Louise Brooks française. Jacqueline Delubac par exemple. Les yeux de Jacqueline Delubac. La douceur et la fermeté. Jacqueline Delubac que Sacha Guitry avait tenté, en vain, de soumettre. Le Maître comme on l'appelait, pataud et plein de bons mots, dompté par une petite fille brune. Les yeux de l'actrice, exquis. La voix de Guitry, insupportable. Les yeux de Mélanie. Selon le scientifique, tout reviendrait, il suffisait juste d'être dans le bon groupe humain.

***

« La victime de l'agression lors de la manifestation en faveur du mariage pour tous est toujours entre la vie et la mort. Ses agresseurs n'ont pas été appréhendés. Bientôt Noël, les magasins ne désemplissent pas. Toujours la stupeur dans le monde du ballon rond après l'annonce de la retraite du meilleur joueur français. Personne n'a plus de nouvelles d'Anthony Polstra… »

Bien sûr, le ministre de l'Intérieur promettait une arrestation rapide et un déploiement de moyens hors norme, comme il le faisait en pareil cas.

Les hommes politiques devraient parfois se taire. Les journalistes aussi. Parce que la victime était Mélanie. Parce qu'elle n'était plus entre la vie et la mort et parce que les agresseurs ne seraient sans doute jamais arrêtés. L'agression avait eu lieu en fin de manifestation, quand les casseurs faisaient leur travail de sape. Et loin du cortège. Pas de témoin, pas de caméra de surveillance. Comme si rien ne subsistait de ce lynchage sauf le corps tuméfié de Mélanie.

— Attendez un instant, je vais couper la radio.

— Elle a eu de la chance.

— Vraiment ?

— Oui, recevoir des coups de pied en pleine tête et en réchapper, c'est rare.

Je percevais mal l'emploi du terme « chance » mais sans doute le policier qui venait me voir ce matin voulait-il bien faire en l'utilisant. Ou alors son idiolecte rachitique ne lui permettait pas d'en trouver un plus approprié.

— Vous voulez un café ?

— Non merci, je ne bois jamais de café, ça me rend nerveux. Alors comme ça, vous êtes certain de ne vous souvenir de rien, de personne qui vous aurait paru louche quand vous avez laissé Mme Attal ?

— Non, je le dirais, croyez-moi. S'il y avait eu le moindre risque, nous serions restés ensemble.

— Nous avons vraiment peu d'informations, l'enquête est complexe. Le jour de la manifestation, tous les homophobes de la capitale étaient de sortie... Ça fait du monde.

— C'est vrai. Les opposants étaient si nombreux et si déterminés... Écoutez, j'ai rencontré une personne juste après avoir quitté Mélanie. Cette personne était dans le camp d'en face. C'est un patient que je suis depuis quelques semaines. Il n'est pour rien dans tout cela mais il pourra peut-être vous renseigner.

— Vous êtes médecin ?

— Non.

— Comme vous avez dit « patient »...

— Je suis bibliothérapeute.

— Vous réparez des livres ?

Je n'avais jamais entendu pareille réflexion mais, à bien y penser, elle était originale et drôle. En d'autres circonstances, j'aurais acquiescé et glosé sur la souffrance du livre en milieu urbain. J'aurais même pu extirper quelques livres rapiécés de ma bibliothèque. Mais pas dans ce contexte.

— Je répare les gens, avec des livres.

— Ah.

L'interjection n'annonçait rien de positif en matière de compréhension.

— Oui.

L'adverbe ne l'aiderait pas davantage.

— Vous pouvez m'indiquer le nom de votre patient ?

— Chapman, Robert Chapman. Mais ne lui parlez pas de moi. Je ne voudrais pas mettre en péril notre relation.

— Comptez sur moi. Vous auriez un stylo ?

— Bien sûr.

— D'habitude, je note tout sur mon Smartphone mais il ne fonctionne plus. Faudrait que j'en change. En attendant, j'ai repris les bonnes vieilles méthodes : le calepin. Ça faisait bien trois ou quatre ans que je ne l'avais pas ouvert.

L'enquêteur était satisfait de montrer cet objet sans âge, relique d'un temps perdu. Il écrivit en majuscules CHAPMAN ROBERT sur une feuille envahie de dessins très réussis. CHAPMAN au milieu des croquis.

— Il fait quoi dans la vie, votre Chapman ? Je voudrais pas me tromper de personne.

— Il vend des montres de luxe.

— Ça tombe bien, j'adore les belles montres.

— Comme tout le monde.

Il répéta CHAP/MAN en articulant exagérément. Il me faisait penser à ces petits enfants qui, pour apprendre à décomposer les syllabes sans en oublier, frappent dans leurs mains. Deux syllabes.

— CHAP/MAN. On a récupéré des empreintes sur la carte d'identité de la victime. On pourra toujours vérifier.

La pièce d'identité avait été déchirée en deux morceaux et jetée sur le corps de Mélanie. Ils voulaient l'anéantir. Mais cette fille était coriace, jamais résignée, elle se battrait jusqu'au bout.

— Au fait, vous faisiez quoi à cette manif ?

— Nous manifestions.

— Je veux dire, vous êtes un couple normal alors pourquoi prendre des risques ?

— Je ne suis pas certain que nous soyons un couple. Et si nous en formons un, il n'a pas grand-chose de normal.

— Je ne voulais pas vous agacer avec ma question.

— Mélanie m'entraîne souvent dans des manifestations, elle est très engagée, enragée parfois. Je l'accompagne pour la protéger.

— La preuve.

— Comment ?

— Non, rien.

Je n'en voulais pas à l'agent. Je n'avais rien de l'homme protecteur mais quand même, il aurait pu me le laisser croire.

Où je disparais

Il y a des patients que l'on retrouve avec plaisir car on sait que leur compagnie nous permettra de passer un moment agréable. En sus de la relation professionnelle. Mais il y a les autres, malheureusement. Ceux qui nous embarrassent, ceux dont on sait qu'ils vont vous pousser dans vos retranchements. Dans la tranchée bombardée. Yann appartenait à la deuxième catégorie. En me rendant chez lui cet après-midi, je me disais que nous arrivions enfin au bout de l'aventure littéraire. Avait-elle fonctionné ? Sans doute partiellement, et ce n'était pas si mal car Yann avait en lui une difficulté, une âpreté que je ne parvenais pas à maîtriser. Passer une heure à ses côtés me semblait aussi agréable qu'une caresse donnée avec du papier de verre. Lui-même, d'ailleurs, ne maîtrisait rien. Ni son corps, ni son esprit. Tout passait. Sans filtre. Une planète sans couche d'ozone, livrée aux rayons et aux météorites. Il écrivait tout, sans censure, et touchait souvent sa cible. Le petit Holden, en comparaison, me semblait moins terrible. Moins dangereux. L'expérience de la relativité. Je pensai que si Holden venait me voir pour obtenir un peu d'aide, alors je lui conseillerais de lire l'histoire de Yann. Holden aurait mesuré la grandeur de sa liberté. Il aurait détesté Yann. Mais Holden habitait New York et cherchait les canards de Central Park.

À force de vivre dans les livres, le danger qui me guettait était de penser que les personnages vivaient en chair et en os. Comme Balzac, vieux, s'adressant à ses créatures.

— Bonjour, Holden, comment vas-tu ?

— Salut, Alex. Ça va pas trop, j'ai pas mal d'embrouilles ces temps-ci et tout.

— Je voulais te proposer de découvrir un adolescent, Yann. Il a eu un parcours un peu difficile.

— Franchement, si c'est encore un crétin comme les autres, alors ça m'intéresse pas. Bon Dieu, tu leur trouves quoi, à ces mecs bizarres ? Tu les aimes ?

— C'est pour le travail.

— Ouais ben ton travail franchement, il craint un maximum. Je préfère ne rien foutre de la journée plutôt que de rencontrer ces cinglés. T'as du whisky ?

— J'ai pire que ça, des somnifères, des psychotropes, tout un arsenal pour te faire quitter la terre pendant plusieurs jours.

— Tu me plais, Alex, quand tu parles comme ça. T'es comme moi finalement, viré de l'école, à traîner dans les rues pour rencontrer des types qui vont t'écouter réciter tes rengaines.

— Tu as raison, Holden, je suis toi quand j'ai trop lu. Quand j'ai descendu la boîte de médicaments.

— Alors tu m'en donnes du whisky, purée, il fait chaud dehors. Tu vois, ça va être Noël et les canards ne vont jamais partir de Central Park. Je crois que le 24, j'irai boire un coup et fumer une cigarette près d'eux. On a pas mal de trucs à se raconter, les canards et moi.

***

— Vous croyez aux coïncidences ?

— Je ne sais pas. Je ne me suis jamais posé la question.

— Eh bien moi, j'y crois, et encore plus depuis ces derniers jours.

Je ne saisissais pas pourquoi Anna me parlait de cela en attendant de rejoindre Yann. Je n'étais pas à l'aise dans cette maison. Et la conversation engagée n'allait rien arranger. Évoquer des sujets vides comme « les coïncidences » me rappelait les mauvais cours de philosophie dispensés au lycée par un professeur profondément déprimé. Anna enchaîna.

— J'ai lu, ces derniers temps, énormément. Des années que je n'avais pas plongé ainsi. Parce c'est un plongeon dans un gouffre. Enfin, vous connaissez ça, vous, c'est votre métier, de lire.

— C'est toujours une bonne nouvelle que d'entendre quelqu'un dire qu'il s'est remis à la lecture.

— Vous êtes vous déjà senti aspiré dans un roman, noyé sous les mots d'un écrivain ?

— Ça m'est arrivé, oui. Il y a des fulgurances dans les classiques qui emportent complètement. C'est d'ailleurs complexe à exprimer par le langage. Il y a quelque chose de mystique, de magique, dans cette expérience. Les grands écrivains sont des êtres surnaturels. Ils ont le pouvoir d'agir sur nos consciences. Mais quel livre a volé votre âme ?

— J'ai découvert les romans de Maupassant avec un plaisir infini. J'en ai fait lecture à Yann et nous avons passé de très agréables moments. Cela ne nous était pas arrivé depuis des années.

— *Bel-Ami* ?

— Oui ! Georges Duroy, un drôle de bonhomme. Un homme sans courage qui m'a rappelé mon mari.

Anna se sentait libérée. Elle me souriait. J'avais remarqué, en la saluant d'une poignée de main, qu'elle ne suait pas comme à son habitude. Les mains d'Anna collaient. Sauf à ce moment. Elles étaient douces et agréables, signe que la mère de Yann redevenait une femme apaisée. Elle n'était plus la victime essentielle de son fils.

— Yann a apprécié ces lectures, alors ? Je n'avais pas pensé à Maupassant. J'aurais dû !

— Je ne dis pas cela pour vous reprocher quoi que ce soit. Vous nous avez beaucoup aidés. À présent, il me semble que Yann et moi pouvons avancer ensemble.

— Je suis heureuse pour vous. Un thérapeute souhaite toujours une amélioration de l'état de ses patients. Ou alors c'est un charlatan ! Vous souhaitez donc interrompre notre collaboration ?

— Tout à fait. Je vous ai préparé votre règlement. Vous vérifierez si je ne me suis pas trompée.

— Je vous fais confiance, Anna.

J'étais déçu car j'aimais mener une collaboration à son terme et si possible décider de ce terme. Anna me congédiait poliment car ses parents lui avaient donné une bonne éducation. Elle respectait les autres en toutes circonstances. Mais elle me congédiait. J'aurais certainement davantage apprécié de me faire limoger sur le pas de la porte. Anna aurait gardé la chaîne accrochée, laissant seulement apparaître le bout de son nez. « Rentrez chez vous. Nous n'avons plus besoin de vous. Tenez, votre chèque. » Et elle me l'aurait jeté à terre. Au moins, je serais parti rapidement, sans m'asseoir. Je voulais dire à Anna que mon travail commençait à porter ses fruits et qu'il ne fallait pas l'interrompre si tôt, mais cela n'aurait été d'aucune utilité. Sa décision était prise. Il fallait attendre l'enfant prodigue qui ne voulait plus de moi et parler littérature avec sa mère qui ne voulait plus de moi non plus.

Maupassant ! L'auteur interné, fou à lier ! L'auteur dont le père violent battait sa mère ! Anna le savait-elle ? Maupassant, l'écrivain rongé par la folie ! Yann écrirait peut-être un jour car il en avait les capacités.

— Vous ne devriez pas faire confiance aux gens. À notre époque, la confiance est une chose obsolète. Pendant des années j'ai fait confiance à un homme qui me trompait. Je le plaçais sur un piédestal. Je l'imaginais en père modèle, en mari parfait. Celui qui vous offre des fleurs le dimanche, celui qui promène son enfant au square et qui fait saliver les mères présentes : « Ça, c'est un papa. Il s'occupe de son enfant, joue avec lui, mon mari ne le ferait pas. » Un modèle, je vous dis ! Un modèle qui menait une double vie et qui a failli provoquer la mort de son fils…

— Je ne partage que partiellement votre opinion. Mais vous avez subi des choses très dures que je ne peux sans doute pas comprendre. Je ne fais pas confiance à tout le monde mais à vous, oui. Il me semble que nous avons établi une relation basée justement sur la confiance. Vous pensez vraiment que Yann va nous rejoindre ? Nous l'attendons depuis un long moment déjà.

J'avais très envie de m'enfuir et de sauter par la première fenêtre qui se serait présentée à moi. La porte était trop loin. J'aimais passer inaperçu mais, à ce niveau de mal-être, « inaperçu » n'était pas un mot assez fort. J'aurais souhaité l'invisibilité. Comme Ulysse chez Calypso. Disparaître dans un voile. Autour de moi, je remarquai une nappe blanche mais je n'osai m'en emparer. De toute façon, elle ne m'aurait pas rendu invisible, juste ridicule.

— Il me l'a promis. Il sait que vous êtes là, il va venir.

***

Yann aimait faire attendre. Il savait que sa mère et Alex échangeaient avant sa venue. Le privilège de celui qui fait naître le désir chez les autres. Et l'agacement.

Le jeune homme avait un jour calculé le nombre d'heures que sa mère avait perdues à l'attendre.

1 heure par jour. 7 jours par semaine. 4 semaines par mois. 12 mois. 10 années.

3 360 heures en dix années. 3 360 heures dans un fauteuil, dans le couloir, derrière la porte à attendre Yann. Un supplice divin dont il était l'instigateur. La fierté de faire attendre l'autre, son pouvoir. Celui qui fait attendre est forcément le dominant. Le médecin vous fait attendre deux heures, fiévreux, courbaturé, nauséeux. Et vous êtes assis, sans rien dire, parmi les autres souffrants. Résigné. Parce que le médecin vous prescrira des médicaments, du repos et vous irez mieux. Il faut attendre.

Le banquier qui vous donnera l'argent pour acheter votre maison vous fait attendre à l'accueil de l'agence. Et vous avez les jambes qui tremblent parce qu'elle est belle, cette maison. Le banquier est au téléphone, il faut attendre, il parle fort à son interlocuteur. Vous le devinez derrière la porte fine. Il faut attendre. Et ne rien dire. Chut !

Anna vivait, immergée, dans un bain d'attente, tenue par son fils. Yann était Thétis, Anna, Achille. Le mythe inversé au cœur de Paris.

Yann savait qu'il devrait écrire quelques lignes à Alex afin de lui expliquer que même si sa rencontre lui avait permis de progresser un peu dans sa relation à l'autre, il cesserait néanmoins de le voir. Finalement, la bibliothérapie l'avait déçu. Il pensait découvrir une fulgurance, une révélation. Il avait rencontré un jeune homme sympathique et féru de littérature. Rien de plus. Enfin, c'est ce que sa mère et lui avaient décidé de penser. Au fond, il se demandait si ce jugement était valable. Tout ce qu'il décidait avec sa mère donnait souvent lieu à des échecs. Toutes les tentatives de reconstruction voulues par sa mère avaient fini à la poubelle de son existence. La certitude de ne jamais réussir avant même d'avoir essayé annihilait toutes les expérimentations.

Yann savait que sa mère craignait Alex depuis le début. Un homme dangereux avec ses livres. Il valait mieux un homme distant, selon elle. Un homme qui, au final, ne s'intéresserait pas vraiment au cas de son fils mais qui n'essaierait pas de l'arracher des bras de sa mère. Un thérapeute comme ils en avaient déjà vu. Un classique, sans livres.

Le jeune homme décida de rédiger un texte avec des références littéraires, ça ferait plaisir à Alex. Toujours flatter son lecteur, écrire ce qu'il veut lire pour lui faire sentir qu'il existe. Il voulait conclure par une citation de Baudelaire, les dernières phrases des *Fleurs du mal* qu'il trouvait pleines de mystère et de mouvement :

> Plonger au fond du gouffre, Enfer ou Ciel, qu'importe ?
> Au fond de l'Inconnu pour trouver du nouveau[1] !

Elle exprimait son état d'esprit. En outre, il ne souhaitait pas laisser un mauvais souvenir à Alex.

Alex, le seul garçon avec lequel il passait un peu de temps dans sa chambre. Et ce n'était pas pour jouer aux jeux vidéo. Il souriait en y pensant. Alex, qui faisait comme si le visage de Yann ne portait aucun stigmate de l'accident. Pour éviter de trop fixer sa face renversée, il disparaissait dans ses livres et leurs références. Mais Yann avait compris. Il ne lui en voulait pas, après tout, il n'était pas si différent des autres que cela. Même s'il lui avait dit un jour qu'il ne laissait personne indifférent. Il se trompait.

***

Yann entra calmement dans la pièce comme pour ne pas nous déranger. En fait, il n'y avait aucun risque car Anna et moi ne parlions plus

---

1. Charles Baudelaire, « Le voyage », *Les Fleurs du mal*, *op. cit.*, p. 192.

depuis cinq minutes. Je n'avais rien à ajouter, elle non plus. Alors, pour patienter, elle faisait mine de chercher dans sa bibliothèque un exemplaire des nouvelles de Maupassant. De mon côté, je faisais mine de l'attendre. Elle voulait me faire lire *Auprès d'un mort*. Mais pourquoi toujours des textes aussi sombres ? Je ne ressemblais pas à une majorette en tête de défilé, souriant, même sous la pluie battante, mais quand même, passer une soirée avec Schopenhauer dernière période, je ne méritais pas ça ! *Bouvard et Pécuchet* était drôle, *La Conjuration des imbéciles* aussi. Voilà ce que je voulais.

La bibliothèque était si bien rangée qu'il était inconcevable de ne pas y trouver un texte en moins d'une minute. Sauf, bien sûr, si l'on ne maîtrisait pas l'usage de l'alphabet. Anna se comportait comme si elle souffrait du syndrome de Diogène et avait entassé sans classement aucun des milliers de livres au fil des années.

Le silence m'effrayait. Le seul bruit perceptible était le bourdonnement de mes oreilles. Je remerciai mes acouphènes de ne pas m'abandonner dans pareille solitude.

Yann tendit une feuille à sa mère qui en prit connaissance et quitta la pièce sans me regarder. Sans le livre de Maupassant. Elle allait sans doute poursuivre ses investigations dans la cuisine.

Yann ne s'assit pas. Il se posta face à moi. C'était la première fois que je le voyais sous cet angle.

Les marques sur son visage en gros plan et contre-plongée.

— Ma mère vous a tout expliqué ?

— Oui.

— J'espère que vous ne le prenez pas mal.

— Ne vous inquiétez pas pour moi. J'aurais souhaité poursuivre notre collaboration, mais gardons le côté positif de la chose. Je pense que les lectures que vous avez faites ont produit leur effet. C'est déjà très intéressant.

— Alex, vous êtes incroyable. J'écoutais le concerto brandebourgeois de Bach, je me suis laissé emporter par la musique. Aimez-vous Bach ?

Aimez-vous Bach ? Aimez-vous Brahms ?

> Et cette petite phrase : « Aimez-vous Brahms ? » lui parut soudain révéler tout un immense oubli : tout ce qu'elle avait oublié, toutes les questions qu'elle avait délibérément évité de se poser[1].

— J'apprécie mais je ne connais pas grand-chose à la musique classique.

— Il n'est pas nécessaire de connaître les choses pour les ressentir. J'aime la musique de Bach avec mes oreilles, pas avec mon cerveau.

Certaines personnes se cachent derrière la culture comme derrière un paravent. Un paravent avec lequel ils écrasent leur interlocuteur. Ma mère était une spécialiste de la culture comme arme

---

1. Françoise Sagan, *Aimez-vous Brahms...*, Pocket, 2009.

d'élimination massive. Elle n'accordait aucune importance aux gens qui n'avaient pas lu les œuvres complètes de Philon d'Alexandrie. Le genre d'auteur classé dernier (sur plusieurs millions) dans le classement des ventes sur Internet. En conséquence, elle était souvent seule.

Yann s'était perdu à Brandebourg. Moi à Paris, dans une maison hostile. Le jeune homme de bonne famille n'allait certainement pas me dire qu'il s'était égaré sur un morceau de musique électronique ou, pire, sur une chanson vantant les mérites du lundi au soleil ou les bienfaits d'un séjour en Normandie. Cela faisait trop peuple. Il lui fallait une référence indiscutable. De celles que l'on trouve dans les manuels scolaires. Un portrait officiel de Bach par Elias Gottlob Haussmann, peintre au nom improbable dont je me souvenais parce que l'association des deux (nom et portrait) me faisait peur lorsque j'étais enfant. Bach et sa perruque surdimensionnée. Bach et son double menton. Bach et ses mains dodues. Bach et son air si antipathique qu'on n'aurait pas voulu lui serrer la main, même contre une belle somme d'argent. Bach qui habitait chez nous parce que ma mère l'écoutait sans cesse. Bach aussi laid que Mirabeau, finalement. J'avais bien fait de m'acheter des boules Quies pour ne plus l'entendre lorsque sa musique pompeuse résonnait dans la maison. Dès les premières notes, je chaussais ma parade anti-Bach comme on met de l'anti-poux.

— Nous nous reverrons peut-être un de ces jours, dans d'autres circonstances.

— Je ne pense pas. Je ne vois jamais mes patients en dehors du travail.

— Dommage. Alors vous lisez mes phrases pour la dernière fois.

— Certainement.

— Sans regret ?

— Sans regret. Vous semblez attristé par mon départ mais c'est vous qui le sollicitez.

— Les séparations sont toujours douloureuses. J'en sais quelque chose. À ce propos, vous connaissez Anthony Polstra, le joueur de foot ?

— De nom, oui.

— Il a disparu dans la nature et toute la France est à sa recherche.

— Effectivement.

— Les séparations sont toujours douloureuses. Allez, je vous laisse à vos autres patients, ceux qui parlent. Franchement, attendre que j'écrive pour communiquer doit être épuisant, énervant… N'avez-vous jamais eu l'envie de m'étrangler quand mes réponses traînaient trop ?

— Non ! Je suis formé pour cela. Mais à bien y réfléchir, j'aurais peut-être dû vous étrangler dès notre première rencontre. Quand je me suis rendu compte que vous me donneriez du fil à retordre. Quant à Polstra, je trouve assez troublant qu'un homme qui décide de prendre du recul devienne le centre du monde. C'est un art que de savoir disparaître. Il a réussi son coup ! Son conseiller en communication est un orfèvre.

— Son conseiller en communication… Et pourquoi pas un bibliothérapeute ?

— Ah ça, je n'y avais pas pensé.

— Imaginez ça ! Le meilleur joueur français, conseillé par un thérapeute. Le cliché du sportif idiot tomberait à l'eau.

— Votre imagination est débordante. Yann, je dois vous quitter à présent. Je conserverai vos petits papiers. Je les lirai à l'occasion, quand je manquerai de mordant face à un patient un peu agressif.

— Alors c'est que vous n'êtes pas fâché. Je suis rassuré. Dernière chose. Ma mère vous a réglé ?

— Oui, bien sûr.

— Je lui ai demandé de vous payer davantage que ce que vous étiez convenus. En guise de reconnaissance. Et parce que c'est l'argent de mon père, aussi.

Je me retrouvai dans la rue, mon chèque à la main. Un peu moins fauché que Georges Duroy. Avec l'envie de courir le plus vite possible pour retrouver Mélanie. Ma vie n'était pas un film, je n'avais pas tué Yann mais pour cette scène de course dans la ville, j'imaginais en fond sonore « Modern Love » de David Bowie. Les bras dans tous les sens, les jambes maladroites, le souffle court. Et David Bowie. Je n'ai pas couru. On ne fait que rarement ce que l'on voudrait par peur des conventions, du regard des autres, de leur jugement et des courbatures.

Je pouvais rayer Yann et Anna de mon carnet d'adresses. Ils n'existaient plus pour moi. Ils n'existaient que pour eux. Couple infernal. Hadès et Perséphone avec Bach en fond sonore.

Encore une fuite

La webcam n'est pas mon amie. Mélanie nous avait créé un compte commun sur une application qui permettait de communiquer à distance grâce à cet œil de plastique. Un compte à mon nom parce qu'elle ne souhaitait pas être retrouvée par d'anciens camarades de classe. Des types collants qui, lassés de leur épouse, auraient cherché sur une photo du lycée à retrouver des amours délavées. Se voir en toute discrétion et mentir sur sa vie pour renouer avec le passé.

Mélanie s'en servait dans un but « bien différent », pour parler à l'une de ses anciennes collègues de travail partie s'exiler au Brésil. La fille trop parfaite pour être vraie. Refaite de la tête aux pieds selon ma compagne. La fille qui inondait notre appartement de soleil dès que la connexion s'établissait. Peu importaient ses prothèses mammaires et son Botox. À distance, on ne voyait pas les détails, comme sur un mur fraîchement repeint. Quand Mélanie commençait une conversation avec elle, j'en profitais pour venir la saluer et la regarder. Elle parlait pour ne rien dire. Honnêtement, ça m'arrivait aussi, mais j'essayais, quand je contactais quelqu'un, d'avoir au moins un élément intéressant à lui apporter. Je refusais de forcer l'entrée dans un domicile pour faire admirer la couleur de mes ongles.

Alors, quand la sonnerie infâme de Skype a résonné dans mon salon, j'ai cru que la belle Armance (qui ne risquait pas de finir comme l'héroïne de Stendhal dans un couvent, vu le nombre de ses conquêtes) rentrait tout juste de la plage et souhaitait s'entretenir avec Mélanie. Je pourrais lui annoncer que son amie avait eu un léger souci et qu'en l'état actuel des choses, elle se fichait de sa dernière paire de Havaianas autant que de la recherche sur les nanoparticules en milieu stérile. Sa beauté compenserait sa vacuité. Et rien ne m'empêchait de couper le son quand elle ouvrirait la bouche.

Sauf que ce n'était pas le visage d'Armance qui apparut sur l'écran mais celui d'un jeune homme, tout aussi parfait. La vedette qui s'était fait la malle, le fuyard magnifique, le retraité de vingt-sept ans, Kirk Douglas jeune, Anthony Polstra. Dans mon salon. Le rêve des fans de football. Le rêve des journalistes lancés à sa poursuite à travers le monde. Le cauchemar du bibliothérapeute, usé par l'absence physique de son patient. Anthony Polstra sur mon PC… Et moi en face, habillé comme pour sortir le chien… même si je n'en avais pas. Et dire que le mythe du Parisien est vivant à l'étranger et dans quelques coins reculés de France. Le Parisien, enfin la Parisienne, mais l'équivalent masculin devait bien exister. Le Parisien, toujours classe, débordé, pressé par l'existence, le Parisien à la chemise parfaitement repassée, remontée jusqu'aux coudes, boutonnée au cou. J'étais né à Paris. Pourtant, je portais un short trois ou quatre fois trop large pour mes cuisses et un tee-shirt aux couleurs délavées. Une sorte d'œuvre d'art sur laquelle les millions de visiteurs du Louvre auraient déchargé des tonnes de gaz carbonique.

— Je ne m'attendais pas à vous revoir de sitôt, Anthony.

— J'aime l'effet de surprise, sur le terrain et dans la vie. Mais je vous dérange peut-être, vous alliez sortir ?

— Non, non, pas du tout. Le plus jeune retraité de France. Vous aurez votre place dans le Guinness Book dès la prochaine édition.

— On m'oubliera vite, comme une vieille machine à laver, ne vous en faites pas.

Décidément, les lave-linge obsédaient la terre entière. Après Chapman, c'était au tour de Polstra.

— J'espère au moins que je ne suis pour rien dans votre décision de tout abandonner. Quand je vois le mal que cela fait à vos supporters, aux journalistes…

— Vous n'y êtes pour rien, Alex. Mais Ulysse, si !

— Ah ?

— J'ai compris pas mal de choses en lisant l'*Odyssée*. Ulysse perd une partie de sa vie en parcourant le monde. Moi aussi. Ulysse n'aime qu'une chose, sa famille. Moi aussi. J'en ai assez de ne jamais profiter des miens. Je ne suis pas perdu, moi, je peux accoster quand je veux. J'ai choisi de ne plus courir les mers.

— Si c'est votre volonté, je n'ai pas à vous juger. Vous prenez en main votre vie, c'est une posture louable.

— Merci.

Une voix interrompit notre conversation : « On va à la plage, papa ? » Un petit garçon, cheveux bouclés, torse nu et lunettes de plongée vissées sur le visage, tirait le bras du footballeur avec insistance. Sur le terrain, si un adversaire avait exercé la même pression sur Polstra, il se serait jeté à terre, criant à l'attentat, à la blessure terrible, suppliant l'arbitre d'exclure le fautif. Mais Polstra était à la retraite et se coucher au sol face à son fils et face à moi ne lui aurait rien apporté. Il lâcha simplement un « attends » à l'enfant qui se dirigea vers le gigantesque sapin de Noël qui trônait à l'arrière-plan. La webcam ne pouvait le capturer en intégralité, il débordait de partout. Le salon du footballeur ressemblait à l'entrée des Galeries Lafayette sur le boulevard Haussmann.

— Vous n'êtes plus en France à ce que je vois.

— Nous avons pris le large. Nous passerons les fêtes au soleil. Nous sommes au Brésil.

— Ah, mais vous me faites confiance, alors ! J'ai une bonne amie au Brésil.

— J'adore ce pays, ses valeurs, ses couleurs...

J'aurais pu ajouter, si j'avais été un peu caustique, son taux de mortalité, ses favelas, ses enfants qui sniffaient de la colle, etc. Mais je ne voulais pas exaspérer Polstra avec des éléments aussi sombres. On dit souvent que les nouveaux retraités ont une période d'adaptation assez délicate à gérer. Noircir le tableau idyllique du footballeur, c'était lui faire courir le risque de replonger dans la déprime… Et je ne connaissais pas de bibliothérapeute au Brésil, seulement Armance, ses claquettes et sa poitrine visible à des kilomètres.

— C'est aussi une terre de football.

Le silence se fit. Polstra se crispa. Une réminiscence peut-être. Lui, la balle au pied. Tout un stade l'acclamant. Je n'aurais pas dû employer ce mot. Football. Finalement, favelas aurait été plus adapté à la situation.

— Au fait, mon agent a effectué un virement sur votre compte bancaire.

Si l'ancien sportif ne voulait plus parler de football, ce mot en avait entraîné un autre : virement. Le sport était lié à l'argent comme deux forçats enchaînés ensemble. Et se noyant.

— Rien ne pressait.

— Je préfère quand les choses se règlent rapidement. Et je ne reviendrai pas en France de sitôt.

« Papa, on y va. » Le petit garçon revint à la charge. Polstra le prit sur ses genoux.

— Alex, merci pour tout. Je dois y aller. Une dernière chose, j'ai bien envie de lire l'*Iliade* à présent. Qu'en pensez-vous ?

— Très bon choix.

Dire d'une œuvre monumentale qu'elle est un « bon choix » s'apparente à dire de Michel-Ange qu'il sculptait bien. « Michel, il est pas mal ton David mais il ne nous regarde pas dans les yeux. »

Mon jugement était d'une platitude extrême. Mais tant pis, Homère n'allait pas me contredire, Polstra non plus. Il avait, comme Ulysse, décidé de se cacher, de dissimuler son identité, un vieux tour de passe-passe des écrivains pour mieux faire revenir leur personnage. Polstra reviendrait sans doute, quand il en aurait assez du Brésil, quand on ne parlerait plus de lui. Il avait décidément de nombreux points communs avec Ulysse. J'espérais simplement qu'il serait moins cruel que le héros.

— Encore une dernière chose, Alex.

— Oui.

— Avant de prendre l'avion, j'ai emmené mon fils voir le quartier où j'ai grandi.

— Vous avez suivi mon conseil.

— Exactement. J'ai bien fait d'y retourner. Vous savez quoi ?

— Non.

— Personne ne m'attendait. Je me suis installé à l'endroit précis où mes amis d'enfance passent leurs journées.

— Ils étaient là ?

— Oui. Je me suis assis près d'eux, j'ai eu l'impression que rien n'avait changé. Ils m'ont fait une petite place, voilà tout.

Même les hommes de bonne volonté quittent la partie

— Le commissaire Jerraut va vous recevoir, monsieur, veuillez l'attendre ici.

L'agent qui s'occupait de l'accueil m'indiqua une chaise inconfortable dans un recoin du commissariat. D'autres personnes attendaient à mes côtés. Après l'hôpital, je m'intéressais à présent à un autre pan de la misère humaine. Les victimes.

Une femme rassurait une amie dont la voiture avait été percutée par un véhicule qui avait pris la fuite. Un homme, pansement sur l'arcade, se plaignait à haute voix d'avoir été frappé par un ancien ami.

Moi, je venais voir si l'enquête avançait. Mélanie progressait de jour en jour. Elle parlait plus aisément. Sans les cailloux qui encombraient sa bouche. Elle m'avait donné comme mission de rencontrer le commissaire Jerraut.

L'homme au pansement ouvrit une bouche édentée. L'attaque qu'il avait subie n'était pour rien là-dedans. La disparition de sa dentition était plus ancienne. Il cherchait à partager ses soucis de manière plus directe, dans une conversation plus intime. Il me frappa sur l'épaule.

— Toi aussi t'as été agressé ? Ça se voit. On a tous la même tête. Un pote à moi m'a cogné méchamment. Vingt ans qu'on se connaît. Tout ça pour une histoire de bagnole. Heureusement qu'un autre pote à moi (j'ai plein de potes) m'a aidé. Tu vois, moi, j'suis pas un bagarreur. J'me suis jamais cogné avec personne.

— Vous avez raison. La violence n'arrange rien. Je ne me suis jamais battu moi non plus. Et j'en suis assez fier. La force est dans le rejet du combat.

— Ouais mais quand même, tu vois, des fois je me dis que j'aurais dû me défendre parce que des coups, j'en ai pris.

À bien y réfléchir, sa bouche quasiment inhabitée lui donnait raison. Il fallait se défendre dans certaines circonstances.

— Qui c'est qui t'a cogné, toi ?

— En fait, personne. Je...

Dernièrement, je n'avais reçu aucun projectile au visage. Je ne me maquillais jamais. Ma pâleur expliquait sans doute l'interprétation erronée de mon nouvel ami.

— C'est toi qu'as cogné alors ?

— Non, je viens voir le commissaire.

— Jerraut, il est sympa, tu verras.

— J'en suis certain.

L'homme se tourna de l'autre côté et ne fit plus cas de moi. Il ne voulait pas me déranger davantage.

Un vrai gentleman qui n'avait pas eu la chance de naître dans une famille d'universitaires. On s'était toujours bien occupé de mes dents. Pas le moindre risque de voir l'une d'entre elles choir. Première dent à dix mois brossée quotidiennement par ma mère à l'aide d'une brosse spéciale achetée une fortune chez le chirurgien-dentiste ami de la famille. Parce qu'une famille d'universitaires est amie avec des chirurgiens, des éditeurs, des architectes. Pas un seul édenté dans mon entourage. Seulement de belles dents, bien rangées, comme des enfants trop sages dans une salle de classe. Les cabossés de la vie, ceux qui étaient assis avec moi dans ce commissariat, ne cohabitaient pas avec nous. J'ai souvent pensé que ma mère avait accumulé les diplômes, non pour partager ses connaissances et donner envie à ses étudiants de les découvrir, mais pour ne pas côtoyer les pauvres gens. Lors de la soutenance de sa thèse, elle n'avait eu qu'à mettre en pratique cette théorie du rejet de l'être non lettré pour se voir honorée de la mention la plus haute.

Puisque je me trouvais sans personne à qui parler, je décidai de lire un peu. J'avais emporté un livre de George Sand que je n'avais encore jamais lu : *François le Champi*.

Mon voisin fut remplacé par un homme apeuré qui regardait partout comme si on allait l'attaquer d'une minute à l'autre. Il croisa mon regard, ses yeux exorbités se figèrent dans les miens.

— *François le Champi* !

— Vous connaissez ?

— Si je connais, la malédiction continue… Il en parle tout le temps. *« Maman s'assit à côté de mon lit ; elle avait pris* François le Champi *à qui sa couverture rougeâtre et son titre incompréhensible donnaient pour moi une personnalité distincte et un attrait mystérieux*[1]. » Gnagnagnagnagna…

— De quoi parlez-vous ? Quelle malédiction ? Je ne vous connais pas, monsieur.

— Monsieur, je n'ai rien contre vous. Pardon. Je parlais de la malédiction des livres. D'un livre en particulier. *À la recherche du temps perdu.*

— Je n'ai jamais entendu parler de cette malédiction.

— Je ne vous dirai qu'une chose, méfiez-vous de Proust ! Il est parmi nous. Et il est très agressif ! Il s'en est pris à moi en pleine rue, il y a une heure. Il a voulu m'étrangler.

— Proust ? Mais il…

— Non, il n'est pas mort. Il est partout.

Un policier s'approcha :

— Monsieur Bartel, c'est à vous.

L'homme se leva en une fraction de seconde comme si un ressort le propulsait. Finalement, je n'étais pas le seul à vivre dans la littérature.

— Au revoir, monsieur, enchanté d'avoir fait votre connaissance. Débarrassez-vous de ce livre, par pitié.

---

1. Marcel Proust, *Du côté de chez Swann*, premier volume d'*À la recherche du temps perdu*, Le Livre de Poche, 1992, p. 85.

Agressé par Proust ! Je pense que la terre comptait davantage de victimes des phrases de Proust que de victimes de ce pauvre Marcel.

— Suivez-moi.

Cette injonction dont j'étais le destinataire brisa ma réflexion assassine.

— Alors, l'affaire Attal… Asseyez-vous.

— Merci.

— Désolé pour l'attente, mais nous sommes vraiment débordés en ce moment.

— J'en ai profité pour parler avec un homme qui patientait avec moi.

Jerraut, tout en faisant mine de s'intéresser à ce que j'avais fait avant de le rencontrer, cherchait dans une pile de chemises de toutes les couleurs le dossier de Mélanie.

— Vous avez bien fait de discuter. On trouve le temps moins long quand on discute. Au fait, je ne vous ai pas demandé, vous êtes ici pour l'affaire Attal, pas pour autre chose, hein ?

— Rassurez-vous, je ne vais pas vous faire rédiger un nouveau dossier, je vois que vous avez ce qu'il faut en réserve.

— Des dizaines d'affaires à traiter. Peu de moyens, vous imaginez la suite…

Jerraut sortit finalement une pochette fuchsia sur laquelle on pouvait lire : Attal.

— Je ne vais pas vous mentir, nous n'avons pas grand-chose. L'affaire est assez mal engagée. Notre équipe travaille activement.

— Cinq minutes par jour et par dossier.

— Vous plaisantez ? Nous travaillons très sérieusement chaque affaire.

— Oui, je plaisantais. Vous avez espoir de trouver un jour les agresseurs de Mélanie ?

— Je ne sais pas. Et la piste que vous m'avez indiquée la fois dernière est plus compliquée que je ne le pensais.

— Chapman ?

— Oui, Chapman. Je vais avoir de grandes difficultés pour le faire parler.

— Ah oui ? Il refuse de vous rencontrer ?

— On peut dire ça comme ça. Il est mort.

— Mort ?

— À son niveau, on ne peut pas être plus mort que ça.

Les mauvaises nouvelles se succédaient à intervalles réguliers comme des haies sur un cent dix mètres. Heureusement, je passais sous les obstacles.

— Mais que lui est-il arrivé ? Je l'ai vu il y a si peu de temps. Il se portait bien.

— Il suffit d'un instant pour mourir. Pas besoin de préliminaires. C'est pas l'amour. Une mauvaise chute dans sa buanderie. Accident bête. Il a glissé et s'est tué sur le coup. Hop ! Chapman ne pourra pas nous aider.

Je me faisais mal à l'idée de sa mort car dans mon dernier souvenir, il faisait le fier-à-bras en parlant de sa machine à laver. Un type qui allait mourir quelques jours plus tard ne perdait pas son temps à parler électroménager. Je concevais qu'il ne fût pas au parfum de sa disparition imminente mais quand même. Parler machine à laver, quelle tristesse. Il y avait une citation d'Oscar Wilde sur la vacuité des conversations portant sur le temps – bon ou mauvais –, je pense que s'il avait vécu au XXIe siècle il aurait échangé ce thème – le temps – contre la machine à laver. On n'est plus digne d'être vivant quand on fait d'un appareil électroménager le centre de sa conversation.

— Je devais le voir demain.

— Il ne viendra pas. On l'enterre à 14 heures.

— Avec sa machine à laver ? murmurai-je.

— Pardon ?

— Non, rien. Je suis touché.

— Je croyais avoir entendu « machine à laver ». Ça m'a fait peur parce que je me demandais ce qu'une machine à laver venait faire là.

— Je bredouillais des choses insignifiantes. Je vous le répète, c'est un choc pour moi.

En sortant du commissariat, j'ai pris mon téléphone portable et j'ai hésité à appuyer sur l'entrée Chapman. Appeler un mort. Comme s'il allait me répondre. « Bonjour, Alex, je suis mort, désolé du dérangement. Je ne viendrai pas à notre rendez-vous de demain. Passez le bonjour à votre voisin. »

Les morts n'ont pas le téléphone et, s'ils l'avaient, il faudrait renforcer la capacité des réseaux de communication, parce qu'ils auraient tant de choses à dire.

***

Je suis arrivé à l'église après le début de la cérémonie. Une chanson de Trenet résonnait. Le défunt l'appréciait tout particulièrement, selon les mots d'un proche qui avait maladroitement pris la parole devant l'assemblée.

Je ne fréquente les édifices religieux que pour voir leurs œuvres d'art, les Christ en croix, par exemple. Le genre de centre d'intérêt qui réduit dangereusement le nombre de vos amis. La zumba ne produit pas le même effet, c'est certain. Mais c'est une mode qui s'évaporera vite. J'aime les choses qui durent. Trenet. Et si je pensais à cette danse dès qu'on me reprochait d'apprécier des choses étranges, c'est parce que les murs de la ville étaient couverts d'affiches incitant les êtres sédentaires aux doigts graisseux à se rendre d'urgence à l'une de ces sessions colorées et bruyantes. Des affiches qui proliféraient comme la peste bubonique au XIVe siècle. Laissons les hommes choisir leur mort. Par la graisse ou par la danse.

Parmi les personnes présentes dans l'assemblée, je reconnus les acolytes de Chapman qui avaient défilé avec lui. Le regard sombre, ils se parlaient à l'oreille pour ne pas déranger le bon déroulement de la cérémonie. Peut-être aussi par crainte d'une punition divine. Car le plus fier d'entre eux, le beau parleur, gisait dans un cercueil ouvert près de l'autel. *Oblomov*. L'homme couché. Il y avait de quoi être effrayé. Comment parler avec autant d'assurance quelques jours plus tôt et se retrouver à dormir devant tout le monde au fond d'une église défraîchie ?

Chapman ne me dirait jamais s'il avait achevé la lecture d'*Oblomov*. L'homme couché. Le prêtre vanta les mérites du mort. Un homme exemplaire, un mari modèle, une vie de sacrifices au service de ses amis... les morts sont toujours plus valeureux que les vivants. C'est pour cela qu'on les regrette. En même temps, j'imaginais mal l'homme d'Église critiquer ouvertement Chapman. « Un minable, un pauvre type capable de courir après un inverti... » Non, ce n'était pas possible dans la bouche du prêtre. Sauf s'il avait décidé de finir par un coup d'éclat sa carrière religieuse. Prochain arrêt : Excommunication.

La cérémonie traînait en longueur, le sommeil pesait sur mes paupières. Je ne tardai pas à fermer un œil. Si Dieu me voyait, il me punirait certainement mais qu'il était bon de se laisser aller quand tous les autres pleurnichaient ou tout du moins faisaient semblant. C'était un somme de marin, mesuré, quinze minutes maximum disaient les spécialistes, un sommeil maîtrisé, enfin...

Une voisine de rang tenta de forcer le passage et m'extirpa de ma sieste :

— Pardon. Vous pourriez avoir un peu de respect, ronfler pendant une cérémonie d'adieu !

— Excusez-moi.

Bon, je n'étais pas vraiment au point dans cette technique de maîtrise du sommeil, heureusement que je ne naviguais pas au milieu des quarantièmes rugissants.

La femme rentra son ventre pour se faufiler entre mon corps et les bancs afin d'atteindre le reste de la troupe qui commençait à avancer en direction du cercueil pour un « ultime hommage ». Je décidai de ne pas voir Chapman. En fait, je ne souhaitais pas lui rendre hommage. Et comme il ne pouvait me dire s'il avait terminé *Oblomov*...

À la fin de la cérémonie, je me sentis obligé de participer à la quête. En fait, mon ancienne voisine, celle qui me reprochait mes ronflements, me regardait pour voir si je donnais une petite pièce. Je payais pour Chapman alors qu'il me devait de l'argent. Un comble. Je ne pouvais pas demander mes honoraires à sa femme dans ces circonstances un peu particulières.

Je restais donc avec l'image d'une boîte sans couvercle, comme ces Tupperware qu'on oublie au fond d'un frigo. Qu'y avait-il à l'intérieur ? Tout le monde évoquait un homme que je ne voyais pas, mais qui semble-t-il était vraiment un type bien. Par un tour de magie, un lapin allait-il sortir de la boîte ; ou un oiseau, ou une... souris ? Je n'aime pas les spectacles de magie, encore moins les enterrements, qui sont décidément trop longs pour mon attention.

Avant de quitter définitivement l'église, je m'approchai du prêtre qui saluait les habitués des cérémonies mortuaires. Il y a des personnes dont c'est la seule sortie, la seule distraction. On les reconnaît aisément car elles peuvent déclamer tous les chants religieux sans antisèches, se lèvent et s'assoient toujours à propos (ce que le reste de l'assistance est incapable de faire), et ne partent jamais sans avoir longuement salué le prêtre.

Si longuement que j'ai cru prendre froid. Étais-je le seul à craindre ce froid ? Tous les autres ne le ressentaient-ils pas ?

Dans les médias, on parlait souvent de la crise de la foi en France. Il suffisait peut-être, pour la guérir, d'installer des radiateurs dans les églises. Des panneaux photovoltaïques à côté des gargouilles. Capturer la chaleur pour faire fuir le mal et faire revenir les gens. Il y avait une affinité évidente entre ces deux volontés. Pour me réchauffer, je décidai d'approcher encore un peu plus de ma cible, sans me rendre compte que le sol, fait d'énormes pierres, n'était pas aussi lisse que le béton ciré qui envahissait les intérieurs modernes. Je trébuchai lamentablement en me cognant le pied entre deux pierres. Un choc contre les orteils et je chancelai. L'équilibre est si fragile. Je tombai face contre le sol, retenu in extremis par mes mains. Réflexe reptilien, souvenirs d'enfance, de l'apprentissage de la marche, sans nostalgie aucune. On n'apprend pas à marcher dans une église. J'avais fait mes premiers pas dans une bibliothèque, fierté absolue pour ma mère qui cherchait alors un texte incompréhensible à donner en examen à ses étudiants. Une main sur le sol froid. L'autre protégée par ce que je tenais, une enveloppe. Un contact désagréable, personne ne touchait le sol des églises, je comprenais pourquoi. Le prêtre, témoin de l'accident, laissa parler sa vitesse naturelle (oubliée depuis ses années dans une abbaye quelconque), bouscula ses fidèles pour venir jusqu'à moi comme un sauveteur en mer. Soit pour me porter secours, ce qui aurait été la moindre des choses étant donné son statut. Soit pour se débarrasser des grenouilles de bénitier qui le harcelaient depuis un quart d'heure. J'étais LE libérateur !

— Ça va, mon fils, rien de cassé ?

— Non, ça va, merci.

— Vous m'avez fait peur. Vous avez chuté lourdement.

L'art d'en rajouter. Il est vrai que ma chute n'avait rien d'élégant, mais qui chute avec style ? Et je m'étais rattrapé. Pour moi, je m'en sortais honorablement. 7 sur 10 en note technique. En quelques secondes, un attroupement se fit autour de moi. Décidément, la position couchée était la plus à même d'intéresser les gens dans une église, ailleurs aussi. Chapman vers l'autel, immobile. Moi, à l'autre bout de l'église. On ne s'intéresse pas aux gens debout. Je me relevai. Sur mes jambes, je les captiverais moins. Le prêtre me prit par le bras et m'éloigna des curieux. Je pouvais enfin lui parler et l'appeler papa, enfin mon père. J'aurais préféré lui dire papa. C'est plus doux, protecteur, mais cela ne se fait pas, c'est dommage. Le prêtre en question n'avait pas l'âge d'être mon papa. Il y avait longtemps que je n'avais pas pensé à ce mot, « papa ». Certainement parce que mon géniteur avait recommencé sa vie avec une fille que j'aurais trouvée trop jeune pour moi ! Lui n'avait ressenti aucune gêne lorsqu'il me l'avait présentée, il était même plutôt satisfait. Du genre « T'as vu ça, Alex, ce que je suis capable de ramener à soixante balais… ». Mon père, le biologique, était comme ça, un peu prétentieux. Il faut dire que ma mère l'avait tenu en laisse pendant vingt ans, alors dès qu'il avait eu l'occasion de briser la chaîne qui le retenait attaché à sa niche, il avait sauté sur l'occasion et sur Natacha, une proie d'un mètre quatre-vingts, éternelle étudiante en sociologie et accessoirement dévoreuse de l'héritage que je ne toucherais jamais. Mon père n'avait donc rien à voir avec le prêtre qui se tenait face à moi dans une soutane qui sentait exagérément l'adoucissant.

— Mon père, auriez-vous la gentillesse de donner cette enveloppe à la veuve de M. Chapman ? C'est un texte que je voulais lui offrir.

— Pourquoi ne le faites-vous pas personnellement ?

— Je ne voudrais pas la déranger, voilà tout.

— Je le ferai. Tous les mots sont réconfortants dans pareille situation.

Il avait ce sourire un peu forcé des hommes d'Église. Un sourire qui dissimulait la furieuse envie de me dire de me débrouiller tout seul. Comme une grande personne. Il prit l'enveloppe et me promit de la transmettre. Il y a des professions qui empêchent les hommes de réagir de manière animale. Prêtre en faisait partie. Si mon interlocuteur avait été garagiste, il m'aurait jeté comme un vieux pneu sur un tas gigantesque de débris automobiles.

En sortant de l'église, très satisfait d'avoir réussi à forcer la main au prêtre et à donner mon enveloppe, je passai derrière un couple qui regardait avec attention l'écran d'un téléphone portable. Un écran aussi grand qu'une feuille A4, impossible à mettre dans une poche mais avec une qualité d'image indéniable.

« Tu as vu ça, quelle chute ! Dans la maison de Dieu, en plus ! » s'esclaffa l'homme. Mon quart d'heure de gloire avait été immortalisé par un ami de Chapman. Il faut savoir profiter des moments heureux, ils ne durent jamais longtemps.

***

Le soir, les proches repartis chez eux, le calme revenu, la veuve de Robert Chapman décacheta l'enveloppe que le prêtre lui avait transmise en toute fin de cérémonie. Elle lut.

> Qu'était-il donc advenu d'Oblomov ? Où était-il ? Eh bien, son corps reposait en paix dans le cimetière le plus proche, parmi les buissons, sous une modeste pierre tombale. Les branches d'un lilas planté par une main amie sommeillaient au-dessus de la tombe, l'absinthe exhalait son arôme doux. Il semblait que l'ange du silence en personne protégeait son sommeil.

> L'œil amoureux de sa femme avait beau veiller attentivement à chaque instant de sa vie : l'éternel repos, l'éternel silence, le passage paresseux d'un jour à l'autre avaient fini par arrêter doucement la machine de la vie. Ilia Ilitch trépassa, apparemment sans douleur, sans souffrances, comme s'arrête une montre qu'on a oublié de remonter[1].

C'était un extrait du roman que son mari lisait avant de mourir. Les mots de Gontcharov l'apaisèrent parce qu'ils étaient doux et justes. Il y avait bien longtemps que Mme Chapman n'avait pas lu un extrait de roman. Elle se mit à chercher *Oblomov* dans la maison vide. Elle voulait être réconfortée.

---

1. Ivan Gontcharov, *Oblomov*, *op. cit.*, p. 658.

Un toit sous les pieds

Marceline Farber en avait assez d'Alex. Trop féminin pour un homme. Et mauvais payeur en sus. Elle avait pris la décision de ne pas reconduire son bail locatif. Elle trouverait mieux, sans difficulté. À Paris, un locataire était une denrée abondante. Depuis plusieurs jours, elle épluchait les candidatures. Son annonce à peine publiée, elle avait reçu des dizaines de dossiers. Une pluie de sauterelles. Elle ne louerait pas à un homme, ça non. À une jeune fille, une étudiante, oui. Marceline avait indiqué qu'elle souhaitait de l'aide pour s'occuper de sa vieille maman. En contrepartie, elle proposait un loyer accessible.

Mme Farber vivait dans une aisance financière certaine mais aussi dans une misère relationnelle. On ne peut pas tout avoir, se disait-elle, un brin fataliste. Et comme sa mère lui répétait à l'infini « Tu as la santé. C'est le principal », alors elle prenait son mal en patience. En attendant d'avoir une voisine de palier « agréable » qui l'aiderait un peu à nettoyer l'appartement, à repasser et à faire prendre son bain à sa mère. Peut-être pourrait-elle discuter un peu, aussi. Prendre un café, de temps en temps. Communiquer, en somme. Ce n'était pas le locataire actuel qui lui aurait proposé son soutien. Un vrai goujat que ce bibliothérapeute ! Et quel métier ! Un nom savant pour faire lire les gens…

Elle frappa à la porte d'Alex, bien décidée à lui donner congé.

— Madame Farber, quelle joie de vous voir…

— N'en faites pas trop. J'ai une annonce à vous faire. Je ne reconduirai pas votre bail qui arrive à échéance dans deux mois. Je veux récupérer mon appartement.

— C'est votre droit. C'est votre toit.

— Tout à fait.

— Vous semblez essoufflée, ça va ? Vous avez parcouru seulement trois mètres pour atteindre ma porte. Un check-up serait peut-être utile ou… ne me dites pas que vous étiez tendue à l'idée de m'informer de cette nouvelle. Il ne faut pas vous mettre dans des états pareils. Je suis ravi de cette nouvelle. De toute façon, je comptais déménager pour quelque chose de plus spacieux, de plus aéré.

— Je ne suis pas stressée pour un sou. J'ai le souffle court avec ce maudit temps, c'est tout.

— Vous me voyez rassuré. Je prends note de votre décision. Je partirai.

— J'y compte bien. Le jour de l'état des lieux votre amie devra être là.

— Ce sera compliqué.

— Il le faudra pourtant.

— Elle a été victime d'un accident.

— Elle a deux mois pour se rétablir.

— Je le souhaite.

Marceline Farber pensait qu'Alex lui mentait. Elle croyait qu'il inventait une excuse pour ne pas lui avouer que Mélanie ne vivait plus dans l'appartement depuis plusieurs semaines. Les mots d'Alex ne la feraient pas changer d'avis.

— Vous aurez des visites de locataires potentiels. Il faudra me donner vos disponibilités. Mais à ce que je vois, vous n'êtes pas débordé en ce moment.

— Pourquoi me dites-vous cela ?

— Je ne vois pas grand monde à votre porte.

— Ça ne vous regarde pas.

— Ça me regarde parce que si vous ne travaillez pas, vous payez difficilement votre loyer.

— Madame Farber, vous êtes la propriétaire de l'appartement que je loue. Vous n'êtes pas habilitée à m'espionner.

— Vous vivez chez moi, je suis dans l'obligation de me méfier. Je ne suis pas indifférente à mes locataires.

— Vous devriez. Pour les visites, en semaine, après 18 heures.

Alex claqua la porte et laissa la vieille dame seule, déçue par la réaction du jeune homme mais satisfaite et fière de lui avoir dit « ce qu'elle avait à lui dire ».

Il allait déguerpir, enfin ! Elle prit son téléphone et composa un numéro.

— Bonjour, mademoiselle, je suis madame Farber, la propriétaire de l'appartement pour lequel vous avez postulé. Je suis intéressée par votre dossier. Vous savez, j'ai eu de nombreux retours. Le marché locatif parisien est très tendu en ce moment. Il me reste un petit doute à lever. Voilà, je voudrais m'assurer que vous êtes bien disposée à m'aider dans diverses tâches du quotidien... Rappeler dans dix minutes ? Aucun problème. À tout de suite.

***

Farber est une pauvre femme.

Farber est une pauvre femme.

Farber est une pauvre femme.

Je répétais cette phrase avec plaisir. Sans le « Madame », sans le « Marceline ».

Farber est une pauvre femme mais elle est propriétaire de l'appartement dans lequel je vis.

Farber est une pauvre femme mais elle a les moyens d'avoir un toit sur la tête. Même plusieurs.

À quoi cela sert-il d'accumuler les biens immobiliers ?

Ma mère a toujours voulu que je devienne propriétaire. Histoire d'être dans la bonne partie de la population. Ceux qui possèdent. Je me fiche de posséder un appartement. Je me fiche que les briques qui m'entourent, les câbles électriques, les interrupteurs, la faïence m'appartiennent. Je ne souhaite posséder que des livres. Il me faudrait un bout de terre où je pourrais les disposer tout autour de moi. Des centaines de livres. Des milliers de livres à gauche, à droite, devant, derrière, au-dessus, en dessous. Et moi au centre. Ce serait une belle maison. Sans câbles. Sans interrupteurs. Sans faïence. Une maison faite de mots. Dans la pampa par exemple. Au calme, au chaud. Sans Farber pour m'épier. Mais avec Mélanie. C'est immense, la pampa. Nous y serions heureux, c'est certain. Avec le soleil écrasant en été et l'hiver sans pitié. Le papier est un bon isolant. Enfin, je le crois.

Marceline Farber est une pauvre femme mais c'est aussi une affreuse mégère.

***

Nom du patient : Marceline Farber

Constat

Être insensible par excellence. Un personnage de conte, la sorcière, sans aucun doute. Pas la princesse, en tout cas. La bibliothérapie serait-elle utile à ce patient ? Le doute...

Pistes de travail

Ouvrages conseillés :

Un album jeunesse suffira. Je me souviens d'une histoire que ma mère me lisait quand j'étais enfant. Une sorcière qui voulait devenir jeune et belle. Elle finissait tête bêche dans sa marmite, toujours aussi laide, avec des crapauds et des serpents.

***

Sur le toit de l'immeuble où je logeais, j'avais lu des romans entiers. Mme Farber n'en savait rien. Il y avait une trappe dans le couloir de l'appartement. Le genre de passage qui n'intéressait personne, sauf moi. J'avais fortement insisté auprès de Mélanie pour que nous louions cet appartement qui ne lui plaisait pas plus que ça. Lors de la visite, j'avais demandé à la propriétaire l'utilité de la trappe, elle avait répondu : « Aucune, si ce n'est accéder au toit. » Mélanie connaissait mon intérêt, elle m'aimait et ne s'opposa pas à ma volonté. Je devais simplement être discret. Elle pensait que c'était une activité comme une autre. Juste un peu plus originale. Comme la bibliothérapie.

Quand je voulais prendre mes distances avec le monde, alors je me réfugiais sur le toit. C'était pratique. Un peu risqué aussi car les toits de Paris ne sont pas très bien entretenus. Depuis le départ de Mélanie et mes ennuis financiers, je montais moins car Mme Farber m'aurait chassé immédiatement si elle l'avait su. Mais comme elle venait de me signifier mon départ prochain, que mes patients n'en étaient plus et que Mélanie ne ressentait plus rien à mon égard, j'avais une belle excuse pour grimper sur le toit et regarder les gens vivre en bas. Marceline Farber pouvait bien me surprendre. Je partirais. Pour aller où ? À cet instant, je n'en avais pas la moindre idée. Peu importait. Le garage de ma mère était disponible. Elle y avait rangé toutes mes affaires d'enfant et d'adolescent. J'y aurais replongé en douceur, même si je doutais de son isolation thermique.

Les passants grouillaient à mes pieds, les bras chargés de paquets. Certains d'entre eux étaient sans doute aussi désabusés que moi mais ils le cachaient le temps d'une sortie en famille, entre amis, le temps de faire quelques achats pour Noël.

Puisque mes parents vivaient chacun de leur côté, j'avais reçu deux invitations pour les fêtes. Une vraie chance. Un dilemme cornélien qui avait duré deux ou trois secondes. Papa ou Maman ? Je choisirais plutôt le « ou ».

Mon père me proposait de dîner chez lui, avec Natacha, il avait prévu un repas vegan pour respecter les habitudes alimentaires de sa poupée qui le dépassait d'une tête. Ensuite, ils iraient danser… et moi au milieu. Mon père devrait masquer sa fatigue sur la piste de danse (peut-être même dès le repas car, dans mes souvenirs, il dormait peu après 20 heures) afin de donner l'impression que ses soixante ans n'existaient que sur ses papiers d'identité. Il s'endormirait ensuite, comme un gros bébé, dans les bras de Natacha. J'avais refusé l'invitation paternelle.

Ma mère, elle, m'avait convié au réveillon avec les survivants de sa famille. Deux oncles, une tante, tous ravagés physiquement, mentalement ou bien les deux. Je m'étais bien gardé de lui donner une réponse. M'imaginer à table avec ces êtres me faisait autant envie que passer une semaine cloué au lit avec une grippe dévastatrice. Je n'étais pas vacciné.

J'ai sorti de ma poche des poèmes de Sylvia Plath, je m'étais mis en tête de découvrir plus en profondeur cette auteure. Mais je n'ai pas réussi à en lire un seul en intégralité. Parce qu'il ne fallait pas non plus exagérer. Même si la période n'était pas très propice, il était hors de question, pour moi, de finir asphyxié pendant que le reste de la famille dormait paisiblement. La mort symbolique de Sylvia Plath, la mort littéraire, préparée, pour que les chercheurs l'analysent jusque dans les moindres détails. Sylvia Plath qui avait eu la délicatesse de préparer le petit déjeuner de ses enfants avant d'ingurgiter la bouteille de gaz. Le lait sera tiède à votre réveil, moi aussi. Sylvia Plath, une autre intoxiquée de littérature (elle voulait se marier le 16 juin en hommage à l'*Ulysse* de Joyce qui se déroule à cette date), qui avait eu le courage de cesser de vivre pour devenir une auteure mythique. Sylvia Plath ou l'art de réserver une belle journée à sa famille. Sylvia Plath, à lire avec précaution.

> I can stay awake all night, if need be —
> Cold as an eel, without eyelids[1].

---

1. Sylvia Plath, « Zoo Keeper's Wife », *Crossing the water* (« La Femme du gardien de zoo », *La Traversée* : « Je peux rester éveillée toute la nuit, si besoin est – / Aussi froide qu'une anguille, sans paupières ») ; *Arbres d'hiver, précédé de La Traversée*, traduit de l'anglais (États-Unis) par Françoise

Si j'avais acheté un magazine et lu mon horoscope, j'aurais lu : Votre vie est merveilleuse. Vous êtes en pleine évolution. Les rédacteurs de ces textes toujours tournés vers l'avenir (un mort n'achète pas un magazine, une personne que l'on brosse dans le sens du poil, oui) auraient trouvé quelques points positifs à mon existence. Mais, si j'avais décidé d'écarter Sylvia Plath, je me refusais à dépenser un centime pour lire ces textes trop impersonnels. Cesser de lire était sans doute la solution. Il fallait vivre, tout simplement.

***

L'appartement de Marceline Farber donnait également sur le toit. Les deux, le mien et le sien, avaient été construits ensemble, à l'identique. Chaque cloison, chaque pièce avait son pendant dans l'appartement d'en face. Mais les jumeaux, s'ils se ressemblent parfois au point de ne plus pouvoir être différenciés physiquement, s'éloignent par leur conception des choses. Comme les frères de Mélanie que je confondais constamment, provoquant leur rage mais aussi la joie de leur mère. Elle aimait les voir déçus. Ces deux êtres se différenciaient par leur rapport à la solitude. L'aîné, plus vieux de trois minutes, adorait être seul, il

---

Morvan et Valérie Rouzeau, Gallimard, collection « Poésie/Gallimard », 1999, p. 151.

recherchait sans doute cette période durant laquelle l'autre, le plus jeune, n'était pas encore là. Ce dernier, lui, vivait entouré d'amis, de connaissances, de cousins, de cousines... Il n'avait jamais été seul et redoutait sans doute de l'être.

Mon appartement était envahi de livres. Celui de la propriétaire, que j'avais visité une fois, du temps où nous étions en bons termes, n'en possédait pas un seul. Pas de livre mais des collections à n'en plus finir. Des porte-clés, des briquets, des timbres, des cartes postales anciennes qu'elle prenait un plaisir incommensurable à vous présenter en détail. Et le manège recommençait à chaque visite, comme si la propriétaire oubliait tout dès que vous quittiez son appartement. Les visites s'effectuaient sous une poussière épaisse qui provoquait chez moi des crises d'éternuements interminables. Mais Mme Farber ne s'en rendait même pas compte, elle déballait ses sempiternels souvenirs sur tel ou tel objet qu'elle avait trouvé dans une brocante quelconque. Le bail que Mélanie et moi avions signé aurait dû faire apparaître cette clause : « Si vous louez l'appartement, vous vous engagez à écouter sans rechigner les explications de la propriétaire concernant ses collections. »

***

Marceline Farber était sous mes pieds. Je m'approchai de la trappe située au-dessus de son couloir pour la soulever délicatement. Je ne ressentais aucune honte. Je pouvais bien prendre une petite revanche.

Aussitôt la voix de la vieille femme résonna. Elle parlait au téléphone tout en se déplaçant dans l'appartement. Mme Farber entra dans le couloir et vint se poster plus près de mon oreille.

— Vous m'entendez mieux, à présent ? Encore désolée de vous avoir dérangée tout à l'heure. Très bien. Vous êtes donc d'accord pour m'aider un peu à la maison, c'est ça ? Deux à trois fois par semaine ? Parfait, cela me convient. Je vous propose de venir visiter l'appartement vendredi soir après dix-huit heures. Le locataire sera présent, il n'est pas très sympathique mais enfin, peu importe.

Le Québécois qui m'avait initié à ces promenades en altitude avait toujours insisté sur la nécessité de ne jamais espionner quiconque. C'était une clause du bail... Lui faisait des photos de la ville. Il variait les points de vue pour voir ce que les autres ne voyaient pas. Il ne voulait pas se contenter de ce que les professionnels désiraient nous montrer d'une cité.

De mon côté, je variais les points auditifs. Mme Farber ne parlait jamais de cette façon quand elle s'adressait à moi. Je l'avais trouvée polie, agréable dans ses intonations. Une gentille petite mamie. En revanche je comprenais son désir de se débarrasser de moi au plus vite. Une locataire aide ménagère, une étudiante sans le sou en fait, allait me remplacer. Elle y gagnerait au change.

À la fin de l'appel, je décidai d'espionner encore un peu Marceline Farber. Elle parlait seule de son futur rendez-vous et semblait heureuse au point de se mettre à fredonner maladivement une chanson que j'aimais énormément. Bientôt, les mots devinrent parfaitement audibles. Une voix douce et agréable voyagea dans l'appartement, celle de ma propriétaire. Un être aussi désagréable pouvait chanter comme une jeune fille.

Longtemps, longtemps, longtemps
Après que les poètes ont disparu,
Leurs chansons courent encore dans les rues…

L'œuvre de Trenet appartenait à tout le monde. Malheureusement. Si un juge se décidait un jour à condamner Marceline Farber pour ses contrats de location abusifs, j'espérais que l'amende, forte, serait assortie d'une interdiction formelle, sous peine d'emprisonnement, voire pire, de chanter Trenet.

La fin de l'histoire qui n'avait pas commencé

Mélanie,

Je suis heureux de t'avoir rencontrée. Depuis cette soirée, je pense énormément à toi. Sans mentir, presque à chaque instant. Aussi régulièrement qu'une trotteuse parcourt le cadran d'une montre. Même si nous n'avons échangé que quelques instants, j'ai été emporté par ton sourire, ton aisance, ton charme. Dire que je ne voulais pas venir à ce gala.

J'aimerais tant te revoir. Je sais que tu as quelqu'un dans ta vie. Moi aussi. Je suis marié. Mais le moment de tout changer est peut-être arrivé. Je suis à un carrefour de ma vie. Je redoute de laisser passer une histoire exceptionnelle.

Tu ne peux imaginer à quel point je suis gêné de t'écrire cette lettre. Tu vas me prendre pour un adolescent attardé !

Tu ne m'as pas laissé ton portable quand je t'ai raccompagnée au métro. Heureusement pour moi tu as oublié une carte de visite dans la voiture. Grâce à elle, je peux déposer ce courrier à ton domicile. Je vois cet oubli comme un signe du destin. J'ai trop travaillé ces dernières années, au point d'oublier de vivre. Je vais suivre ton conseil et contacter ton ami bibliothérapeute. Il saura m'aider, j'en suis certain.

J'espère de tout cœur que tu répondras à ce courrier.

Robert Chapman

P.-S. : Désolé de rajouter ces quelques mots de manière maladroite, je suis devant ta porte et je me rends compte que ton ami Alex est aussi ton colocataire.

***

En lisant cette lettre à Mélanie, je compris assez rapidement qu'il se tramait quelque chose de dérangeant. Pour elle. Pour moi. Les mots qui sortaient de ma bouche étaient analysés par mon cerveau une fraction de seconde avant. Cela affectait forcément ma lecture.

Chapman était venu me trouver parce que Mélanie lui avait parlé de moi. Chapman n'avait rien compris à notre relation. Chapman avait eu un coup de foudre en voyant Mélanie. Ma femme. Mélanie qui n'avait rien ressenti en parlant avec Chapman. Mélanie qui avait pensé qu'un nouveau patient m'aiderait à boucler mes fins de mois. Mélanie qui n'imaginait pas un instant qu'un vendeur de montres pouvait s'intéresser à elle.

À la fin de la lecture, Mélanie a dit :

— Mon Dieu, ce type est dingue.

J'ai confirmé son sentiment.

— Je vais lui répondre et lui dire la vérité.

— Quelle vérité ?

— Qu'il ne m'intéresse pas. Il va être déçu. Je ne voudrais pas le blesser. Il m'a répété plusieurs fois qu'il était extrêmement sensible.

— Tu ne lui feras aucun mal. J'ai assisté à ses obsèques la semaine passée.

— Il est mort ?

— On célèbre rarement les obsèques d'une personne vivante.

— Il est mort ?

— Il est mort bêtement oui, une mauvaise chute. Un patient en moins.

— Mon Dieu.

— Tu es triste pour lui ou pour moi ?

— Pour vous deux mais permets-moi de l'être davantage de la disparition d'un homme.

— Tu as raison. C'était un mec bien. Il aimait Trenet.

Je n'ai pas résisté au désir de raconter à Mélanie les propos homophobes de Chapman. Elle était encore faible mais je me voyais mal lui mentir. Elle ne devait pas regretter Chapman. Contrairement à moi.

— Alex, tu te rends compte que la vie tient vraiment à de petites choses. Si je t'avais suivi après la manifestation au lieu de vouloir rentrer seule de mon côté, j'aurais vu Chapman, il m'aurait sorti le grand jeu. Je ne serais pas couverte d'hématomes.

— Il était avec sa femme.

— Il l’aurait jetée dans la Seine pour se consacrer à moi. Ni vue ni connue.

— Tu es folle. C’est un signe d’amélioration.

— Tu n’as pas une référence littéraire, là ? Un mari qui tue sa femme pour vivre tranquillement avec sa maîtresse.

— Mais tu n’étais pas sa maîtresse.

— Pas encore.

— Tu ne le seras jamais.

— Tu as raison. Mon histoire avec Chapman ne valait pas un clou. On s’est raté à la manif et au cimetière. C’est symbolique. Si mes agresseurs avaient été plus précis quand ils m’ont frappée à la tête, je trinquerais avec lui chez les morts. L’insurgée et l’homophobe.

— À quelle occasion l’as-tu rencontré ?

— Je l’ai vu une fois lors d’une soirée organisée par mon patron. Il y avait des représentants des montres C… dont Chapman. On a parlé un peu. Il était agréable. Un peu perdu. Il m’a raconté sa vie. Son burn-out. Sa femme qui ne le regardait plus. J’ai eu pitié de lui. On a bu, un peu. Il m’a raccompagnée en voiture jusqu’au métro. Et je ne l’ai pas laissé indifférent…

— Tu t’en es rendu compte ?

— Pas vraiment. On a parlé, c’est tout.

— C’était déjà trop pour lui.

— Les hommes voient parfois la séduction dans une discussion sans intérêt.

— Certains hommes, ne généralise pas.

— Tous les hommes sauf toi, si ça peut te faire plaisir.

— Ça me fait plaisir.

***

« Ce soir, les Français réveillonneront pour la majorité en famille. Le froid est arrivé à point nommé. La neige aussi, qui est attendue sur une grande partie du pays à basse altitude. Les professionnels du tourisme peuvent souffler. La classe politique également. Nos députés et nos ministres sont en vacances aujourd'hui. Il est 9 heures et vous écoutez… »

J'ai rangé le dossier de Yann dans un carton que je destinais depuis un moment à la déchetterie. Un peu comme la dinde du président des États-Unis pour Thanksgiving, cela lui laisserait quelques jours de sursis. Juste au-dessus, j'ai placé celui de Chapman.

Sa femme m'avait contacté la veille afin de me remercier pour le texte. Elle avait tôt fait le rapprochement entre l'extrait, le roman et moi. Une femme très posée qui me parla de son mari et du plaisir qu'il ressentait à l'idée d'une séance de bibliothérapie. Elle évoquait également la bienveillance de son mari, ses petites attentions, la machine à laver par exemple. Chapman rendait son entourage joyeux. Sauf depuis quelques jours. Elle l'avait trouvé mort dans la buanderie. Le choc derrière la tête. Comment avait-il pu chuter si lourdement ? Comme s'il avait voulu sauter, prendre son élan…

mais vers quoi ? Saute-t-on dans une buanderie ? Inondée qui plus est. C'était incompréhensible. Elle était dehors à ce moment et elle l'invectivait parce qu'il lui avait jeté – sans le savoir – de l'eau sur ses vêtements. Sa dernière action : jeter de l'eau. Ensuite, le mystère. Elle ne saurait jamais ce qu'il s'était vraiment passé. Depuis, elle rêvait chaque nuit à ces quelques minutes invisibles. Un scénario différent, peu convaincant. Elle s'en voulait bien sûr. Jamais elle n'aurait dû lui parler sur ce ton. Ses dernières paroles. Elle avait pris sa tête dans ses mains. Une petite tête finalement, désarticulée. Elle voulait vendre la maison. Trop de souvenirs. Partout. Les photos, les objets offerts par Robert. Les pièges à souris aussi. Il y en avait partout dans la buanderie. Ils flottaient. Une amie lui avait parlé de la malédiction des souris. Elle n'y croyait pas. Comment une souris aurait-elle pu renverser son mari ?

***

Vouloir entrer dans une librairie à quelques heures de Noël est un acte presque insensé tant ce commerce, habituellement si calme, devient un haut lieu de passage. Le supermarché des mots. La cohue avant le repas du réveillon. Les clients à la recherche du dernier roman à la mode, du dernier livre qu'il faut avoir lu. Le cadeau in extremis.

J'ai pourtant décidé d'aller dans ma librairie de quartier, comme je le faisais tous les autres jours de l'année. Un endroit, à force de le fréquenter, devient presque à nous. Il semble nous appartenir même si nous n'avons pas investi un centime dans l'affaire. C'est comme ça. L'homme s'approprie tout. Donc, ma librairie de quartier, puisqu'il fallait la nommer ainsi pour bénéficier des cinq pour cent de remise que le libraire accordait à ses fidèles (il avait banni le mot « client » de son idiolecte), était envahie d'une foule de personnes que je n'avais jamais vues entre ces quatre murs fraîchement repeints. D'ailleurs, seuls les vrais « fidèles » avaient remarqué le changement de couleur aux murs. Un gris « flanelle », plus doux pour les yeux que l'ancien rouge « groseille » selon le maître des lieux.

Un libraire au parcours bien particulier puisque, avant de s'installer près de chez moi, il avait officié en tant que volailler à Rungis durant quinze ans. Un matin, les canards, les poulardes, les chapons s'étaient transformés en livres. Un changement radical pour le commun des mortels. Pas pour mon libraire. Selon lui, les deux métiers, en apparence si éloignés l'un de l'autre, étaient très proches. La marchandise variait un peu mais l'amour du produit « bien fait » les rapprochait. Il fallait toucher pour évaluer. Tourner et retourner. Convaincre le client potentiel de la valeur de l'objet.

La période de Noël voyait le chiffre d'affaires des libraires augmenter comme un foie en fin de gavage. Le libraire maîtrisait l'analogie. En toute franchise, je ne partageais pas son point de vue. La valeur d'un livre ne dépendait pas de son poids.

Et je n'avais jamais entendu un livre chanter au lever du soleil.

J'avais appris, un peu par hasard, par l'intermédiaire d'un patient trop volubile, que la véritable raison de cette transformation du volailler en libraire était due à un héritage gigantesque qu'une vieille tante lui avait légué. La défunte n'avait qu'une passion dans la vie, les livres. Alors, elle avait soumis sa donation à une condition. Son cher neveu, qu'elle considérait comme un ignoble assassin de poussins, devrait ouvrir une librairie dans un immeuble qu'elle possédait... à quelques mètres de chez moi. L'argent faisait des miracles.

Tout le monde parlait, tout le monde se bousculait, il n'y avait plus une once de politesse parmi les clients. Je me dirigeai vers ma table favorite, celle des classiques. Il y avait un ouvrage magnifique consacré aux manuscrits de Rimbaud. Un ouvrage gris, presque comme les murs. On aurait pu l'y coller pour le faire disparaître. Mais Rimbaud avait assez disparu, déjà. Un livre onéreux quand on pense que l'adolescent écrivait sur des morceaux de papier trouvés çà et là. Un vagabond avec une feuille et un crayon, avachi sur la table d'une auberge délabrée... Décidément, les éditeurs aimaient les paradoxes, les lecteurs aussi... Je remarquai sur ma droite un ancien patient, Philippe M., qui avait fait appel à moi deux années auparavant. Il consultait frénétiquement les livres.

Deux secondes pour une quatrième de couverture, histoire de ne rien savoir sur l'ouvrage.

— Bonjour, Philippe.

— Alex, je suis ravi de vous rencontrer. Vous êtes comme moi, les cadeaux de dernière minute…

— Non, pas du tout. Je ne cherche pas de cadeaux, si ce n'est pour moi !

— Ah, mais vous avez parfaitement raison. Il faut savoir se faire plaisir. Vous pourrez peut-être me guider, Alex. Je voudrais un livre pour mon épouse et le libraire est accaparé. J'imagine qu'il ne sera pas disponible avant une bonne heure avec ce monde.

— Un livre pour Elsa ? Laissez-moi un instant.

Philippe M. m'avait sollicité pour des problèmes de couple. Il pensait ne plus aimer sa femme. La littérature, disait-il, pouvait l'aider à y voir un peu plus clair. Je n'avais jamais traité pareil cas. Je ne savais pas s'il lui restait encore un peu d'amour dans les veines. Comme un avocat défendant un meurtrier potentiel, j'avais croisé les doigts, et sorti l'œuvre d'Aragon. La poésie à la rescousse. Non pas celle du vieux Ronsard essayant de frayer avec les demoiselles de son temps. Le satyre. La poésie d'Aragon. Et ce fut suffisant. Celui qui n'aime pas et lit un recueil amoureux risque de s'endormir rapidement, ou de rire. Celui qui aime, ne serait-ce qu'un petit peu, trouvera toujours de quoi entretenir sa flamme. Philippe avait compris que la femme qui dormait à ses côtés comptait toujours pour lui. Et pas seulement parce qu'elle acceptait de dormir à ses côtés. Pas seulement parce qu'elle l'écoutait patiemment quand il racontait ses sempiternelles histoires de travail. C'était autre chose qu'Aragon avait fait resurgir. *Les Yeux d'Elsa.*

Alors que je fouillais dans les livres comme un chien d'avalanche à la recherche d'un leurre enfoui sous une tonne de neige, je me souvins que Philippe, lors de nos séances, avait évoqué à plusieurs reprises les conflits qui l'avaient opposé à sa grand-mère durant son adolescence. Une grand-mère acariâtre qui n'hésitait pas à lever la main sur l'enfant qu'il était.

— J'ai trouvé ! Prenez ça, Elsa adorera. Il y a même des idées de recettes dans ce roman. Vous m'en direz des nouvelles.

— Du roman ou des recettes ?

— Des deux, Philippe, des deux.

Et Philippe, après m'avoir salué, se dirigea vers la caisse afin de régler son achat. La file d'attente s'amenuisait si lentement que je le vis commencer la lecture du roman que je venais de lui conseiller. Un incipit que je connaissais par cœur.

« Le soir tombait ; Jacques Maries hâta le pas ; il avait laissé derrière lui le hameau de Jutigny[1]*… »* La première phrase d'*En rade*, de Huysmans. Le retour du gâteau à la grand-mère.

Pendant que Philippe lisait attentivement l'incipit, les clients pressés le dépassaient sans aucune discrétion, le poussant presque, afin de rejoindre la

---

1. J.-K. Huysmans, *En rade*, *op. cit.*, p. 41.

caisse au plus vite. Il n'y avait plus aucune règle de bienséance dans cet univers préfestif. Les hommes avaient tout oublié. Même ceux qui offriraient des ouvrages pleins de finesse.

Les personnes en manque de renseignements qui m'avaient vu aider Philippe M. n'hésitèrent pas à venir me solliciter dès qu'ils se rendirent compte que j'étais seul. Ils me prenaient pour un saisonnier. Sans dévoiler ma véritable identité (ils s'en fichaient, d'ailleurs), je guidai quelques-uns d'entre eux à travers les rayons. Je ne me montrai pas aussi terrible que j'avais pu l'être avec Philippe. Mes choix se portèrent sur des photographies de Victor Hugo ou sur un roman de Céline illustré par Tardi[1]. Le libraire se rendit compte assez rapidement de ma prise de fonction. Il délaissa ses fidèles du jour (qui n'en étaient pas, comme je l'expliquais précédemment) et s'approcha de moi.

— Alex, que faites-vous ?

— Je renseigne deux ou trois clients.

— Mais je ne vous ai pas donné l'autorisation.

— Ça vous dérange.

— Un peu, oui. Chacun son métier.

— Je ne pensais pas vous ennuyer. Veuillez m'excuser. Je vais rentrer chez moi.

— Ce sera mieux pour tout le monde. Vous n'êtes pas libraire.

---

1. Louis-Ferdinand Céline, *Voyage au bout de la nuit* [1932], illustré par Jacques Tardi, Futuropolis/Gallimard, 1998.

— Je suis juste un « fidèle ».

— Un « fidèle », c'est ça. Passez de bonnes fêtes, Alex.

Et il me raccompagna à la porte de la librairie alors que je souhaitais passer encore un peu de temps à l'intérieur. Mon libraire (je maintenais le possessif) n'était pas une mauvaise personne, un être agressif. Il gardait son territoire, voilà tout. Quand on s'en prenait à la bibliothérapie, je savais aussi réagir. Avec, il fallait en convenir, certainement moins de rudesse. Mon bras était ankylosé par la grosse main qui venait de le serrer pour me conduire vers la sortie. Une main d'ogre sur un bras fragile. Une main de volailler qui sort un poussin de l'élevage parce qu'il expose les autres à un danger. Le vilain petit canard.

Je me retrouvai sur le trottoir, les manuscrits de Rimbaud à la main. Le libraire, dans la précipitation, avait omis de me le faire payer. Ce serait mon cadeau de Noël.

Les fêtes rendent les commerçants nerveux, surtout les libraires, peu habitués à la foule.

Une main se posa délicatement sur mon épaule.

— Rimbaud ! Merveilleux, Alex. Depuis que vous m'avez fait découvrir Aragon, je lis très souvent de la poésie.

— Ah, Philippe. Vous êtes sorti vivant de ce traquenard.

— Oui, j'étouffais à l'intérieur. Dites, j'ai lu quelques pages du roman que vous m'avez conseillé. C'est particulier. Mais Elsa va apprécier. Elle aime ce qui est un peu étrange. Elle vous aime beaucoup, d'ailleurs.

— Dois-je le prendre comme un compliment ?

— Certainement.

— On ne rencontre pas tous les jours un personnage comme vous, Alex.

— Merci.

Je concevais parfaitement la maladresse de ce « merci » mais je ne savais que dire. Le silence aurait peut-être été plus adapté.

— Je le pense vraiment. Vous êtes si dévoué à vos patients. Je n'ai jamais vu un autre commerçant faire ça.

L'analogie me paraissait assez bien trouvée après ce qui venait de m'arriver. Il est vrai que le libraire, celui que j'appelais encore « mon » libraire (le possessif créant une proximité quasi amoureuse entre nous) une heure auparavant, n'était pas véritablement dévoué au sens où Philippe l'entendait. Mais l'erreur de mon ancien patient, consistait à me rapprocher d'un commerçant. Bibliothérapeute, pas commerçant. Ma mère aurait adoré assister à cette conversation. Les patients devenaient des clients. Les lecteurs, des consommateurs. Le commerce enveloppait la terre entière. J'optai alors pour un discours plus jeune, plus dans l'air du temps, pour coller à la situation.

— C'est le job qui veut ça, Philippe. Se donner corps et âme à son métier.

Admettons que ma deuxième phrase ne sonnait pas forcément très « jeune ». Tant pis.

— Vous saluerez votre épouse de ma part. Comment va-t-elle d'ailleurs ? Toujours aussi sportive ?

Philippe avait croisé Mélanie à plusieurs reprises en venant au cabinet. À chaque fois, elle était en tenue de joggeuse. Philippe avait fini par lui réciter, à très haute voix (quelle faute de goût), quelques vers d'Aragon sur le palier. Pour voir si « ça » marchait, certainement. L'apprenti poète, en action, avait fait sortir Mme Farber de chez elle. La vieille dame avait cru à un illuminé en pleine performance poétique. Rassurée par Mélanie sur l'identité du personnage, elle s'était rapidement retranchée dans son appartement, juste derrière la porte.

— Un peu moins, en ce moment.

— Ah, tant mieux. Sur ce, passez de bonnes fêtes, en famille.

— Bonnes fêtes. À bientôt.

La plupart des gens, quand ils vous posent une question du type « Ça va ? », ne font absolument pas attention à la réponse. Philippe n'avait pas senti le côté dépité de ma réponse. Il n'avait rien entendu. J'aurais pu lui dire que Mélanie habitait à présent sur Mars, il n'aurait pas réagi différemment. L'image de Mélanie, en tenue de joggeuse, le hantait, sans aucun doute. Dans son esprit, elle courait, souple, détendue, le souffle régulier, les gestes maîtrisés. Dans son esprit, elle longeait les boutiques à vive allure, pour rejoindre le parc près duquel nous habitions. Ses cheveux attachés ne touchaient presque plus sa nuque.

Dans son esprit, elle n'était pas allongée derrière la porte qui me faisait face.

***

La joggeuse dormait paisiblement. La dormeuse ne courait plus. Après avoir rapproché le fauteuil de son lit, je l'ai regardée dormir, même si, je le savais, cela n'était pas très juste de ma part. Qui voudrait se sentir observé dans pareille posture ?

Mélanie ne pouvait pas protester. Je l'ai regardée jusqu'à m'endormir. Il faisait si chaud dans cette chambre. Et personne ne nous dérangeait. Il y avait bien longtemps que nous n'avions pas dormi ensemble. À côté.

Je fus réveillé par l'irruption tonitruante d'une femme de service qui, trébuchant, renversa la moitié de la carafe d'eau destinée à la malade, sur mon pantalon.

— Pardon, je ne voulais pas vous réveiller.

— C'est réussi.

— Attendez, je vais essuyer ça.

Elle empoigna un chiffon et l'appliqua sur ma cuisse. Le chiffon, déjà humide (sans doute avait-elle la mauvaise habitude de renverser les carafes), ne fut d'aucun secours. Poliment, je repoussai sa main.

— Ne vous en faites pas, ce n'est rien. J'allais partir.

— Je suis vraiment désolée. Je ne vais pas très bien en ce moment.

— Vous aimez la poésie ?

— Euh… j'en ai appris à l'école.

— Vous connaissez Arthur Rimbaud ?

— C'est le gamin en photo sur votre livre ?

— Oui.

— Sacrément mignon.

— Vous le connaissez.

— Pas vraiment.

— Tenez. C'est un cadeau.

Et je lui offris l'exemplaire des manuscrits de Rimbaud que le libraire ne m'avait pas fait payer.

— Vous êtes gentil. Je ne mérite pas de cadeau après ce que je vous ai fait.

— Vous n'avez pas fait exprès. Et, quand on ne va pas bien, Rimbaud peut vraiment nous aider. Acceptez ce présent.

— Merci beaucoup. Je n'ai rien à vous offrir, moi. Sauf mon chiffon.

— Vous êtes drôle. Je le prends votre chiffon !

Je quittai l'hôpital avec une tache mal placée et le sentiment d'avoir fait un très beau cadeau. Parfois, un parfait inconnu nous apporte davantage de satisfaction qu'un membre de notre famille.

Très chère Tata

— Allô maman ?

— Non, c'est ta tante Adrienne.

— C'est toi qui réponds à présent ?

— Ta mère est occupée en cuisine. Elle s'affaire pour le dîner.

— J'imagine. Tu peux me la passer ?

J'entendis ma tante appeler ma mère d'une voix sèche et forte.

— Elle vient dans cinq minutes.

— Merci.

— Tu es toujours dans les livres qui soignent ?

— Oui, toujours.

— Et ça marche ?

— Très bien, merci.

— J'en ai entendu parler l'autre jour à la télévision.

— De la bibliothérapie ?

— Oui, c'était un reportage très intéressant. Des médecins évoquaient le sujet. Ils ne semblaient pas convaincus.

— C'est leur droit. Toutes les nouvelles approches médicales ont des détracteurs. Ils finiront par comprendre. Je ne t'apprends rien.

— Je l'espère pour toi et ton commerce.

— Ce n'est pas un commerce.

— C'est une manière de parler.

— Maman arrive ?

— Toujours pas. J'entends des bruits de casseroles. Ta mère m'a dit que tu rencontrais quelques difficultés.

— Si tu le savais, pourquoi m'as-tu demandé si ça marchait ?

— Machinalement, pour lancer la conversation.

— Tu peux voir si maman vient, je voudrais lui dire quelque chose.

— D'accord, attends un instant.

Ma tante Adrienne avait en commun avec ma mère une aversion maladive de ma profession. Pharmacienne retraitée, elle profitait de l'argent gagné pendant quarante ans dans son officine. Une pharmacienne « à l'ancienne », comme elle se qualifiait. Quarante années à vendre de l'aspirine avec une marge phénoménale. À proposer des sprays pour la gorge inutiles, des poudres contre la grippe qui provoquaient des ulcères et autres maladies chroniques. Une pharmacienne à l'ancienne. Pingre avec ça. Quand elle dépannait ma mère d'une boîte de médicaments, elle ne manquait pas de la lui facturer. L'amour d'une sœur se monnaye, parfois. Enfin, grâce à tout ça, elle voyageait sans cesse à travers le monde mais s'arrangeait toujours pour rentrer à Noël.

Je la détestais comme on déteste un voisin qui fait trop de bruit. Je rêvais d'appeler la police dès que je la voyais. Pour qu'ils l'embarquent sans ménagement. Plaquée au sol, menottes dans le dos. Adrienne, comme dans *Rocky*. Mais pas le premier opus, trop réussi, non, le quatrième, par exemple, avec le méchant Russe. Un film raté. Elle ne méritait pas une meilleure référence. En tout état de cause, rien de littéraire.

— Ta mère est trop occupée, elle ne peut pas venir. Que voulais-tu lui dire ?

— J'aurais préféré le lui dire de vive voix.

— Quand tu la verras alors. Ce soir.

— Justement, c'est pour cela que j'appelais. Je ne viendrai pas ce soir.

— Ta maman va être triste. Tu te rends compte ? C'est Noël.

— Oui, je sais. Ça ne me fait pas spécialement plaisir de ne pas la voir.

— Ne me dis pas que c'est ton travail qui t'empêche de venir réveillonner en famille.

— Non, ce n'est pas mon travail. C'est vous. Toi en particulier. Je n'ai pas envie de te voir. Les autres non plus, d'ailleurs.

— Tu es toujours aussi sympathique, mon neveu, charmant… Je dirai tout cela à ta mère. Compte sur moi.

— Merci, Tata.

Elle détestait par-dessus tout l'appellation Tata. Une femme de sa classe refusait une dénomination aussi populaire.

J'ai raccroché alors qu'Adrienne commençait à lancer une nouvelle attaque en guise de réponse à mon « Tata ». Elle était prévisible et rancunière. Si elle ne croyait pas en la bibliothérapie, c'était parce que ses collègues pharmaciens n'en tiraient aucun avantage. Sauf s'ils se mettaient à vendre des romans. La fin du prix unique du livre. Une édition de poche à quarante euros, remboursée par la Sécurité sociale.

Pour la première fois de ma vie, j'allais passer le réveillon de Noël à l'hôpital. Les malades n'étaient pas forcément là où on les attendait.

J'avais téléphoné à ma mère pour lui annoncer que je ne viendrais pas. Aussi pour lui dire que Mélanie était mal en point. Je n'imaginais pas en parler à ma tante Adrieeeeeennnnnnnnnneeeeee…

Élévation

Mélanie était hospitalisée au sixième étage et la direction avait décidé, pensant que les visiteurs se feraient rares un 24 décembre, d'effectuer la maintenance des ascenseurs. J'attendis de longues minutes face aux portes closes, hésitant à prendre l'escalier, renonçant à nouveau mais me rétractant toujours. *En attendant Godot. « Que faisons-nous ici, voilà ce qu'il faut se demander. Nous avons la chance de le savoir*[1]. »

— Vous montez à quel étage ? me demanda un brancardier.

— Sixième.

— Ça, c'est pas de chance.

— Je me demande si un ascenseur finira par arriver.

— Je ne veux pas vous décourager mais à mon avis, non. Demain vous serez encore là à attendre.

— Alors je vais prendre l'escalier.

— Allez, venez avec moi, on va prendre l'ascenseur du personnel, c'est le seul en service ce soir.

---

1. Samuel Beckett, *En attendant Godot*, acte II, Éditions de Minuit, 1952, p. 112.

— Vous êtes gentil.

— C'est Noël.

— Le 26 vous ne m'auriez pas proposé de prendre cet ascenseur ?

— Parfaitement. Vous avez tout compris. Mais ne pensez pas au futur. Nous sommes le 24 et vous montez avec moi.

Le brancardier tourna sa clé dans la serrure qui se trouvait à côté de l'ascenseur. La porte s'ouvrit miraculeusement et découvrit un très grand espace destiné à accueillir les lits des patients. L'homme me laissa entrer le premier et me suivit avec une structure qui ressemblait à un Caddie géant.

— Vous transportez des hamsters dans ce Caddie ?

— De gros hamsters alors. C'est pour les enfants. On les met à l'intérieur et ils ne peuvent pas sortir. C'est pour la salle d'opération. Je ne voudrais pas faire mes courses avec un truc pareil. Ce n'est pas très maniable et les roulettes bloquent toutes les cinq minutes.

Au quatrième étage, la porte s'ouvrit. Le brancardier commença à pousser l'engin, qui se bloqua sur le seuil.

— Je vous le disais, pas pratique du tout.

Il força le passage.

— Vous voulez un coup de main ?

— Ça va aller, merci. Bonnes fêtes à vous.

— Merci, vous aussi.

Et la porte se referma. Je remarquai alors que le brancardier avait laissé tomber son trousseau de clés. Arrivé au sixième, je vis les parents de Mélanie qui attendaient en vain un ascenseur. S'ils n'avaient pas été brisés par l'état de santé de leur fille, ils auraient pris l'escalier de service, ils connaissaient parfaitement les lieux, la mère de Mélanie avait accouché à Henri-Mondor. Je m'approchai d'eux lentement, craignant qu'elle me propose de visionner à nouveau la vidéo de sa naissance dans la chambre de Mélanie.

— Montez vite avec moi, tous les autres ascenseurs sont en maintenance. Je vais vous faire redescendre.

— Merci, Alex. Ça fait longtemps.

— Que vous attendiez ?

— Que nous ne nous étions pas vus.

— C'est vrai. On se croise sans se voir, chaque jour.

— Merci de ne pas laisser Mélanie.

Ils parlaient d'une seule voix, comme si la vie commune qu'ils menaient depuis quarante ans avait scellé leurs cerveaux. Des siamois du cortex.

— C'est normal.

— Merci. Tu restes avec Mélanie ce soir ?

— Oui.

— Elle n'a pas le moral. Elle nous fait croire qu'elle veut rester seule. Elle nous dit qu'elle ne tient pas à fêter quoi que ce soit cette année...

— Elle ne sera pas seule pour le réveillon. Et je lui ai apporté un peu de foie gras et du champagne.

— Merci, Alex, nous t'aimons beaucoup, tu sais.

Je me voyais mal leur répondre « Moi aussi » alors je souris bêtement, histoire de ne pas rester impassible à cette belle déclaration.

— Cela m'a fait plaisir de vous rencontrer.

— Tu seras toujours le bienvenu à la maison.

— Je passerai à l'occasion.

Nous étions arrivés au stade où notre échange n'avait plus aucun intérêt. Toutes les conversations finissent par dépérir, il faut savoir partir avant qu'il ne soit trop tard.

— Nous avons encore quelques petites affaires à toi.

Dans ma tête, ces petites affaires signifiaient un ou deux caleçons et une brosse à dents hirsute.

— Vous pouvez jeter la brosse à dents, elle est ancienne. Et j'en ai acheté une autre depuis.

— Heureusement, mais je ne pensais pas à ça, rétorqua mon ancienne belle-mère. Mélanie a gardé toutes les lettres que tu lui as envoyées. Il y en a une centaine. Tu voudrais les récupérer ?

— Je ne sais pas.

— Tu me diras ça une autre fois. Ces lettres m'ont rappelé le bon temps, tu sais, quand Mélanie allait bien.

— Mais elle ira mieux, bientôt. J'en suis certain.

L'ascenseur acheva sa descente. Les parents de Mélanie s'enfoncèrent dans le hall d'accueil du rez-de-chaussée. Je remontai au quatrième pour tenter de retrouver le brancardier. Des couloirs vides. Du silence. Il était introuvable. La probabilité que je tombe sur lui était minime. Je déposerais son trousseau au bureau des infirmières du sixième.

***

— Tu m'aimes tellement que tu es prêt à passer un 24 décembre à l'hôpital. Alex, c'est un sacrifice incroyable.

— Non, pas un sacrifice. J'ai croisé tes parents dans le couloir en arrivant. Je sais que tu leur as dit que tu préférais rester seule. Je n'en crois pas un mot. Tu veux les protéger. C'est normal.

— Les blessures, les maladies ne s'arrêtent pas pour les fêtes. C'est dommage. Mes parents sont âgés, ils doivent se reposer. Je vais avoir besoin d'eux pendant encore longtemps.

— Je pourrais t'aider aussi.

— Je ne sais pas.

— J'aimerais.

— Tu aimais une jeune fille sportive, en pleine forme. En ce moment, tu parles à une voiture bonne pour la casse.

— Ne noircis pas le tableau. Et n'oublie pas que tu as promis de m'initier à la course à pied. Ça peut être utile si on nous poursuit à nouveau.

— La course ne m'a pas empêchée de me faire massacrer. Je t'apprendrai l'endurance, pas la vitesse.

— L'endurance, ce sera déjà bien. Il faudra juste te montrer un peu patiente.

— Toi aussi.

— Je le serai.

Silence.

— Mme Farber ne renouvellera pas notre bail. Je suis à la rue dans deux mois.

— Quelle imbécile ! Elle t'a donné une explication ?

— Pas vraiment. Elle veut louer à une jeune fille disons, dévouée. Tu vois ce que je veux dire.

— Non.

— Quelqu'un qui s'occupe d'elle et de sa mère… Une femme de ménage, en somme.

— Tu cherches un nouvel appartement ?

— Je vais m'y mettre sérieusement après les fêtes. Je n'ai pas le choix.

— Un trois pièces ?

— Pour moi seul, ce ne sera pas nécessaire. Un deux pièces fera l'affaire.

— Et tes livres ?

— J'en mettrai une partie dans un box, une autre chez ma mère. Je garderai seulement ceux dont je ne peux pas me passer.

— Lesquels alors ? Dis-moi les titres de ces bouquins essentiels à ton existence.

— Ah, je n'ai pas encore réfléchi à la question. Mais je peux te dire… *La vie est ailleurs*, *L'Homme sans qualités*, *La Conscience de Zeno*, *La Recherche*, *Le Rêve*, *Les Hommes de bonne volonté*, *Monsieur Teste*, *Le Château*, *Bouvard et Pécuchet*, *L'Assommoir*, *Si c'est un homme*, les poésies de Rimbaud, Verlaine, Dickinson, Valéry, Saint-John Perse, Supervielle, Baudelaire, le théâtre de Musset, de Molière… Hugo, *Notre-Dame de Paris*, Voltaire, ses contes, Diderot, Choderlos de Laclos… Jules Renard, son journal… Paul Aust…

— Alex, il te faudrait 100 mètres carrés juste pour tes livres. Renonce au studio.

— Tu connais le proverbe : choisir, c'est renoncer.

— Pourras-tu renoncer ?

— Difficilement.

— Où est-ce que je mettrai mes affaires ?

— Parce que tu veux revivre avec moi ?

— S'il y a un peu de place entre deux rangées de livres.

— Tu auras toute la place.

— Entre Flaubert et Maupassant ?

— Toute la place, Mélanie.

***

Dîner à l'hôpital, c'est prendre un goûter tardif dans la vie des bien portants. 18 heures, les chariots commencent à se promener dans les couloirs. Le bruit des roulettes, le bruit des assiettes, des verres, des couverts arrivent aux oreilles de ceux qui sont couchés, cachés par les portes numérotées. C'est, malgré l'heure étrange, un moment essentiel dans la journée du malade. Ce 24 décembre, j'avais eu l'autorisation exceptionnelle de dîner avec Mélanie. On pouvait faire une petite entorse au règlement.

Mélanie se sentait bien, heureuse finalement de me voir attendre mon plateau-repas (nouvelle entorse) en sa compagnie.

— J'ai apporté du champagne et du foie gras.

— Ça changera de la soupe servie ici.

Nous avons patienté avant de boire un verre. Les dames de service ont apporté les plateaux. Nous avions une heure de tranquillité.

Le cuisinier avait sans doute eu quelques centimes de plus pour organiser un repas de fête. Dans une barquette filmée, une crevette me regardait et essayait de me faire comprendre qu'il valait mieux ne pas les manger, elle et ses consœurs.

« Si tu savais comme la route a été longue pour venir jusque-là. L'Asie, un bassin gigantesque, l'usine, les colorants, la casserole aussi grande que l'univers, l'avion, encore des produits, les mains glacées qui nous empoignaient et pour finir cette barquette minable où nous sommes réduites à vivre avec mes collègues. »

Je préférai laisser les crevettes. Mélanie, écœurée par cette nourriture orange, en fit de même. Je sortis alors le foie gras que j'avais acheté avec le chèque d'Anna. Des heures de travail pour un petit foie.

J'ouvris le paquet, préparé comme un écrin. Et le canard, dont il ne restait pas grand-chose, voulut me dire quelque chose dont je ne fis pas cas. Parfois, il faut savoir fermer les yeux sur les injustices. J'avais déjà écouté les crevettes.

Nous avons bu du champagne dans des petits verres usés, troubles, qui ne contenaient que de l'eau depuis au moins vingt ans. Combien de morts avaient bu dans ces verres ? Des centaines à coup sûr. Peut-être Trenet ? Il valait mieux ne pas le savoir. Les bulles ne voulaient rien me dire, juste être englouties.

Nous avons ri, mangé et liquidé la bouteille.

— Et si on sortait un peu ? me demanda Mélanie.

— Mais tu ne peux pas marcher.

— Trouve un fauteuil. Ça ne doit pas être si compliqué ici. En tout cas moins que de trouver une bouteille de champagne.

Mélanie avait raison, un fauteuil m'attendait à quelques mètres de la chambre. Je l'installai avec difficulté. Je ne voulais pas la faire souffrir davantage par ma maladresse. Dans le couloir, nous entendions les conversations plutôt joyeuses des infirmières qui dînaient dans leur bureau. Comme dans un mauvais film d'espionnage, nous passâmes discrètement afin de ne pas nous faire repérer. Nous gagnâmes l'ascenseur. Je possédais encore la clé du brancardier. Le sésame.

— Tu veux aller où ? demandai-je à Mélanie.

— Quinze étages au grand jour, deux sous terre. Je ne sais pas.

— À la cafétéria ? Je sais, c'est pas très original mais...

— D'accord.

Mais tout était fermé. Cafétéria, kiosque. Qui désirait boire un café sans goût ou manger une viennoiserie sèche pour le réveillon ?

— On pourrait aller sur le parvis, il y a longtemps que je n'ai pas pris l'air.

— Je ne veux pas que tu aies froid.

— Il fait froid ?

— Depuis que tu es hospitalisée, le temps a changé, l'hiver s'est installé.

— Tu parles comme un journaliste météo.

— J'écoute trop la radio. J'ai une meilleure idée que le parvis. On remonte. Suis-moi.

— Suis-moi ? J'adore ton humour.

Dans l'ascenseur, j'ai demandé à Mélanie de fermer les yeux. Je l'ai aidée à enfiler mon sweat-shirt. Un vêtement que, d'ordinaire, elle trouvait laid, déformé par les lavages. Cette fois-ci, elle apprécia son contact. Tout dépendait du contexte.

— Tu ne vois rien ?

— Absolument rien.

L'ascenseur s'est activé. Le voyage a pris du temps. Enfin, les portes se sont ouvertes.

— Garde les yeux fermés, on va bientôt arriver.

— On y est ?

— Ça y est, oui. Ouvre les yeux.

Nous étions sur le toit de l'hôpital, à l'endroit où les hélicoptères se posaient. Un endroit plein de charme. Si, un jour, la bibliothérapie ne me permettait plus de vivre correctement, je pourrais toujours me lancer dans les chambres d'hôtes… sur les toits. Le concept n'existait pas encore. Créteil deviendrait alors une cité touristique. Une idée surréaliste dont Trenet aurait pu faire une chanson.

— Tu es complètement cinglé. Si quelqu'un nous trouve.

— Ne pense pas à ça, profite !

Autour de nous, les lumières de la ville. Des enseignes fatiguées et amputées, comme des livres aux pages arrachées. M UBLE RIE. RE T URANT… Les cartes postales de Créteil, la nuit, attendraient encore un peu.

— Je ne pensais pas que Créteil pouvait être belle.

— Moi non plus. Si tu veux, quand tu seras rétablie, on ira au Canada, sur les toits. Là-bas, c'est exceptionnel. Disons que ce soir, c'est un avant-goût.

Pour être en accord avec ma pensée, j'aurais dû dire un avant-avant-goût, tant le gouffre qui séparait la ville de banlieue et les cités canadiennes semblait gigantesque. La faille de San Andreas aux portes de Paris. Un avant-goût à moindres frais.

— Je veux bien aller au Canada avec toi. Sur les toits.

— Profitons de ce moment, Mélanie, il n'y a personne que nous pour voir ce spectacle. Pense à tous ces gens attablés qui s'ennuient.

— Merci, Alex. Merci d'être resté. Je ne suis pas certaine qu'ils s'ennuient tous.

— Tu n'as pas froid ?

— Un peu, mais ça va. Tu te souviens quand ta mère m'a dit que tu avais des yeux de pierre ?

— Très bien, oui. Même la mère de Rimbaud paraîtrait sympathique à côté de la mienne. Je ne comprendrai jamais ses analogies douteuses. Mais pourquoi me reparles-tu de ça maintenant ?

— Parce qu'elle s'est trompée. Tes yeux ne sont pas de pierre mais d'encre. Si tu pleurais, le liquide coulerait noir, ou bleu. Tes yeux sont remplis de mots. Et, même s'ils ne sont pas de toi, ils te vont à merveille.

Je me plaçai face à Mélanie. Pas facile d'embrasser une personne en fauteuil. Les médecins n'apprenaient pas cela.

— Je peux t'embrasser ?

— Si tu veux. Si tu peux.

Alors, j'ai fléchi les genoux pour rapprocher mes lèvres des siennes. J'ai fermé les yeux. Pendant ce temps, Yann devait dîner avec sa mère. Il l'injuriait sans doute parce que la dinde était froide ou le foie gras mal dénervé. Polstra se dorait la pilule au soleil. Chapman, lui, dormait paisiblement, loin d'*Oblomov*. Mme Farber attendait sa future locataire, pendant que sa vieille maman la resservait en pommes de terre. Je m'en fichais. Comme de la littérature. Oubliés mes yeux de pierre, ils fuyaient. Oubliée la Vénus d'Arles. Je profitais des lèvres de Mélanie et de leur goût glacé par le vent qui soufflait sur la ville presque belle. Rien d'autre n'avait d'importance que ce moment. L'obsolescence de notre amour : déprogrammée ! Celle des chansons : envolée !

Dans ma tête, prenant le sens inverse, la voix de Trenet descendait du ciel.

Mon cœur s'envole vers toi
Et tout seul tendrement je revois
Le temps si court
De ton dernier séjour
Où tous deux nous vivions notre amour,
Un jour tu reviendras…

Les rois mages à Créteil

Il y a des moments essentiels dans nos existences, des moments si forts qu'ils anesthésient le réel. Des moments où l'huile de foie de morue semblerait un mets plein de saveur, ou une piqûre de frelon passerait pour une caresse affectueuse. Mais, pour en profiter, il faut être capable de les identifier. Ne pas les rater. Parce qu'ils ne reviennent pas et laissent dans la bouche le goût amer du temps perdu.

Dans la Bible, quand les rois mages finirent par trouver l'enfant Jésus, ils devaient retourner auprès d'Hérode, leur roi, et révéler le lieu de la rencontre. Une étoile les guidait. Ils n'avaient qu'à lever la tête pour ne pas s'égarer.

Hérode, prévenu, aurait tué l'enfant. Mais les mages prirent conscience de l'importance du moment. De sa portée. Ils auraient bu des litres de foie de morue sans sourciller. Tous les frelons de la terre auraient pu les piquer. Ils auraient relevé leurs manches pour permettre aux insectes de les darder plus aisément. Le moment occulta

Hérode et son désir de meurtre. Ils baissèrent la tête. Adieu, l'étoile.

Ma mère m'avait souvent raconté cette histoire de mages. Elle citait le texte biblique de mémoire et le commentait ensuite (incapable qu'elle était de se taire après tant de perfection), lui retirant ainsi presque toute sa pureté. Au fil des années, les commentaires s'étaient essoufflés. À présent, seul restait le texte. Maman avait laissé des mots et des histoires, en jachère, dans mon cerveau.

Mélanie et moi vivions un instant essentiel de notre vie. J'en avais conscience, elle aussi. Jésus allait naître un peu plus tard dans la soirée. Les mages étaient rentrés dans leurs lointaines contrées avec le sentiment d'avoir vécu une expérience extraordinaire. Hérode n'existait plus que dans les livres. Et ce soir, je n'en ouvrirais aucun.

Au loin, on apercevait les lumières d'un hélicoptère qui approchait. Les signes viennent toujours d'en haut.

Il était 23 heures. 24 décembre.

Mélanie me demanda de rejoindre sa chambre, où elle ne tarda pas à s'endormir.

Et à la fin, c'est la bonne qui gagne

— Allô, Angela ?

— Mon petit chéri, ça me fait plaigir de t'entendre. Come stai ?

— Ça va bien, et toi ?

— Difficilé, je vieillis tu sais, j'ai du mal partout. Ma c'est Noël, il faut être heureux.

— Tu as raison. Il faut être heureux.

— Et Mélania ?

— Elle est en voyage.

— Pour le travail ?

— Oui.

— Et tua mama ?

— En voyage également.

« Nous sommes le 25 décembre. Joyeux Noël à tous. L'actualité ne s'arrête ja... »

— Attends, je coupe la radio.

— Ma tu es seul aujourd'hui ?

— Oui.

— Poverino. Viens à la maison. Tu mangeras avec nous.

— Tu es toujours aussi gentille, Angela.

— C'est normal, Alessandro, tu es comme mon petit garçon.

— À tout à l'heure.

— Ciao.

Angela n'avait pas cru un traître mot de ces histoires de voyages mais, par pudeur, elle ne m'avait pas questionné davantage. Je serais heureux de la revoir. Finalement, entre ma mère et mon père, j'avais choisi la femme de ménage.

Les parents de Mélanie déjeunaient avec elle aujourd'hui. Les jumeaux feraient sans eux. Ils étaient habitués. Dehors, il neigeait, c'était l'effervescence. De la neige en décembre ! Ma vie allait mieux. Mélanie aussi.

J'aime quand les livres finissent bien.

Nom du patient : Alexandre

Bilan

Le Journal du séducteur, de Kierkegaard, n'a été d'aucune utilité. Alexandre ne l'a même pas ouvert. Son exemplaire est resté rangé dans la bibliothèque. Écrasé entre deux ouvrages frappés à la feuille d'or.

Les livres ne peuvent pas tout, mais ils accompagnent ceux qui ont besoin d'une dose d'imaginaire pour s'extirper du réel. L'histoire est ancienne.

Les bibliothérapeutes, n'en déplaise aux sceptiques, auront de plus en plus de patients et de plus en plus de livres. Leur entourage s'y fera (à vérifier).

Alexandre se mettra à la course quand Mélanie pourra, de nouveau, se mouvoir librement. Un livre audio dans les oreilles. Ou une chanson de Charles Trenet. La musicothérapie, en sus.

Prolongements possibles

Lire de manière raisonnable.

Consacrer du temps à sa compagne, si compagne il y a.

Renouer, malgré tout, avec quelques membres de sa famille. Pas avec la totalité. Se rapprocher de ~~la mère~~. (Re) Chercher sa douceur. Maman.

Ouvrages conseillés pour Alexandre :

Tous.

Remarque : Je suis Alex.

Les lectures qu'Alex prescrit à ses patients

Louis ARAGON, *Les Yeux d'Elsa* [1942], *Œuvres poétiques complètes*, tome I, Gallimard, collection « Bibliothèque de la Pléiade », 2007.

Joachim DU BELLAY, « Heureux qui comme Ulysse », *Les Regrets* [1558] *suivis des Antiquités de Rome et du Songe*, Le Livre de Poche, 2002.

Jean COCTEAU, *Thomas l'imposteur* [1923], Gallimard, collection « Folio », 1973.

Albert COHEN, *Le Livre de ma mère* [1954], Gallimard, collection « Folioplus classiques », 2005.

Ivan GONTCHAROV, *Oblomov* [1859], traduit du russe par Luba Jurgenson, Le Livre de Poche, 1999.

HOMÈRE, *Odyssée* [vers le VIIIe siècle av. J.-C.], traduit du grec ancien par Victor Bérard, Le Livre de Poche, 1989.

Sören KIERKEGAARD, *Le Journal du séducteur* [1943], traduit du danois par Marie-Henriette Guignot, Ferdinand Prior et Odette Prior, Gallimard, collection « Folio Essais », 1989.

Milan KUNDERA, *La Lenteur* [1995], Gallimard, collection « Folio », 1997.

Michel DE MONTAIGNE, *Essais* [1595], Le Livre de Poche, collection « La Pochothèque », 2002.
J.D. SALINGER, *L'Attrape-cœurs* [1951], traduit de l'anglais (États-Unis) par Annie Saumont, Pocket, 1994.

LE ROMAN AUQUEL PENSE ALEX SUR LE TOIT DE L'OPÉRA DE PARIS

ES SOUFFRANCES DU JEUNE WERTHER

GOETHE

N° 9640

: Werther. Je me souviens de l'avoir lu et relu dans ma première jeunesse pendant l'hiver, dans les âpres montagnes de mon pays, et les impressions que ces lectures ont faites sur moi ne se sont jamais ni effacées ni refroidies. La mélancolie des grandes passions s'est inoculée en moi par ce livre. J'ai touché avec lui au fond de l'abîme humain... Il faut avoir dix âmes pour s'emparer ainsi de celle de tout un siècle. »

À ces lignes de Lamartine pourraient s'ajouter bien d'autres témoignages. Car si cet ouvrage, paru en 1774, entre très tôt dans la légende et se voit si rapidement traduit en français, c'est parce que Werther, le premier héros romantique, y exprime de manière éclatante la sensibilité aussi bien ue le malaise de son temps où l'individu se heurte à la société.

UN CONSEIL LITTÉRAIRE POUR CHAQUE PATHOLOGIE

REMÈDES LITTÉRAIRES

ELLA BERTHOUD - SUSAN ELDERKIN

ıe vous souffriez d'agoraphobie, de la crise de la quarantaine, d'une jambe cassée, du hoquet ou d'un chagrin d'amour, soyez rassuré ! Vous trouverez dans ce livre le roman qui vous soignera et remplacera avantageusement toute ɔtre armoire à pharmacie. Grâce à nos Remèdes littéraires, *vous pourrez traiter les pathologies suivantes : abandon, :oolisme, calvitie, chagrin d'amour, mal de dos, hémorroïdes, ıypertension, insomnie, jalousie, maternité, obésité, rhume des foins, solitude, vieillissement... Et bien d'autres encore ! Adapté à la sensibilité française par le journaliste littéraire Alexandre Fillon, ce dictionnaire offre une promenade étonnante dans l'histoire de la littérature mondiale.*

À PARAÎTRE AU LIVRE DE POCHE EN OCTOBRE

Le Livre de Poche s'engage pour l'environnement en réduisant l'empreinte carbone de ses livres. Celle de cet exemplaire est de :
400 g éq. CO_2
Rendez-vous sur www.livredepoche-durable.fr

Composition réalisée par PCA

Achevé d'imprimer en juin 2016 en Italie par
Grafica Veneta
Dépôt légal 1re publication : août 2016
LIBRAIRIE GÉNÉRALE FRANÇAISE
31, rue de Fleurus – 75278 Paris Cedex 06

75/2226/9